KRACHTSTRIJD

Chris Ryan

KRACHTSTRIJD

2005 – De Boekerij – Amsterdam

Oorspronkelijke titel: Blackout (Century)
Vertaling: Gerrit-Jan van den Berg
Omslagontwerp/artwork: Hesseling Design, Ede

ISBN 90-225-4213-0

© 2005 Chris Ryan
© 2005 voor de Nederlandse taal: De Boekerij bv, Amsterdam

Dank aan mijn literair agente Barbara Levy,
redacteur Mark Booth, Kate Watkins, Charlotte Bush
en de rest van het team bij Century.

Proloog

20 april. 's Nachts.

De atmosfeer was warm en vochtig, terwijl de vage geur van de wilde irissen die op de helling groeiden door de nachtlucht zweefde. Josh Harding bleef even staan. Hij bracht zijn in Rusland gefabriceerde AN-30-geweer naar de schouder, waarbij de kolf tegen de dunne linnen sjaal drukte die hij om zijn schouder had geslagen. Hij kneep zijn ogen halfdicht. Onmiddellijk kwam de huid van zijn gezicht vol rimpeltjes te zitten terwijl hij zich concentreerde op de dunne kruisdraden van het vizier.

De man in dat vizier was ongeveer dertig jaar oud, had een zwarte, piekerige baard en de trage, moeizame tred van iemand die van plan was om na een lange dag van hard werken naar bed te gaan. Een stuk of wat flakkerende houtblokken van een kampvuur verlichtten de duisternis en wierpen wat bleke lichtbundels over het nietige kampement. Josh zag verscheidene mensen in en uit de schaduw bewegen. Let niet op ze, hield hij zichzelf voor. Hij vernauwde zijn blik nog verder. Blijf je concentreren. Wacht tot het wapen en het doelwit perfect op één lijn liggen. Haal dan pas de trekker over.

Eén kogel, bedacht Josh. Meer is er niet voor nodig om de schedel van een mens te verbrijzelen.

Er liep op de wereld slechts een handvol mensen rond die je in alle gemoedsrust kon liquideren. Zonder een greintje twijfel en zonder een spoortje spijt. En Khalid Azim – wereldwijd gezien een van de vijf belangrijkste leiders van Al-Qaeda en de man die beschuldigd werd van het uitvoeren van een terroristische gruweldaad in het Verenigd Koninkrijk – was er daar één van.

Er bewoog iets. Er liep een vrouw door het kampement, waardoor

Josh geen zicht meer had op zijn doelwit. Josh aarzelde. De kogel die hij in de AN-30 had gestopt was van gehard wolfraam gemaakt, een dodelijke legering die speciaal voor het gevechtsterrein was ontwikkeld: er werd van gezegd dat het een persoon kon doden, dat het zich vervolgens een weg dwars door het lichaam zocht, en daarna nog voldoende kracht over had om de volgende persoon die erdoor werd geraakt ook te doden. Althans, dat stond in de door de fabrikant bijgeleverde handleiding, besefte Josh. Elke soldaat wist dat apparatuur nooit precies dát deed wat er op de verpakking stond. Er bestónd een kans dat hij zich dwars door de vrouw boorde om vervolgens Azim onschadelijk te maken. Maar het was riskant. Een stuk bot of zelfs een ader kon de kogel uit zijn baan brengen en ervoor zorgen dat hij zonder verder schade aan te richten ergens in de grond sloeg. En zodra Josh de trekker overhaalde zou het hele kamp weten dat hij hier in de heuvels zat.

Als ik ooit een school voor huurmoordenaars mocht beginnen, hield Josh zichzelf voor, dan weet ik precies hoe mijn eerste les zal luiden. *Je kunt maar één enkel schot lossen. Zorg ervoor dat het meteen raak is.*

Azim deed een stapje opzij. De vrouw stond nog voor hem, waardoor Josh zijn wapen nog steeds niet rechtstreeks op zijn doelwit kon richten. Er stapten twee andere mannen naar voren, beiden zwaarbewapend. Ze schermden Azim als het ware af, die het volgende moment weer in de tent verdwenen was. 'Verdomme,' mompelde Josh binnensmonds. 'Ik ben hem kwijt.'

Hij ontspande zijn onderarm, waardoor het geweer langs zijn zij zakte, en keek teleurgesteld naar het kampement. Ashfaq Dasmunshi bewoog zich geluidloos naar de plaats waar Josh stond. 'We krijgen best nog eens de kans hem te grazen te nemen,' zei hij.

Josh knikte. Drie maanden lang was hij in het grensgebied waar de meest loyale aanhangers van Al-Qaeda woonden op zoek geweest naar zowel Azim als Osama bin Laden; hetzelfde gebied waar de terroristenleiders steeds weer naartoe terugkeerden om zich te oefenen en te leren omgaan met nieuwe wapens, ondertussen voorbereidingen treffend voor hun volgende gruweldaad. Sinds hij vijf jaar geleden tot het Regiment was toegetreden, had men hem een aantal lastige opdrachten gegeven: om te beginnen in Bosnië, daarna tijdens de invasie van Afghanistan, en vervolgens tijdens de Tweede Golfoorlog. Maar dit was de moeilijkste van allemaal. Hij was uitgeleend aan de afdeling van de Firma die zich met terroristenbestrijding bezighield – een zeer gespecialiseerde groep mensen – en was naar de Afghaans-Pakistaanse grens gestuurd met een opdracht waarvan de omschrijving even simpel was als de uitvoering moeilijk: spoor zoveel mogelijk Al-Qaeda-leiders op als je kunt vinden en schakel ze uit; het geeft niet hoeveel geld het kost en welke risico's je daarbij loopt.

'We hebben hulp nodig,' zei Josh. 'Ik zal contact met de basis opnemen.'

Ashfaq knikte. Ze werkten nu drie maanden samen. Ze trokken te voet of per motorfiets door het bergachtige gebied, waarbij ze plaatselijke dorpelingen al dan niet met behulp van geld probeerden over te halen met informatie over de brug te komen die hen dichter bij hun doelwit zou brengen.

Josh was zich bewust dat Ashfaq een huurling was: hij deed dit uitsluitend voor de vijfhonderd dollar per dag die hij betaald kreeg, om vervolgens weer naar zijn dorp terug te keren en als een vorst te leven van het geld dat hij de afgelopen paar weken had verdiend.

Maar tien jaar militaire ervaring had Josh geleerd dat huurlingen in het gevechtsterrein minstens even goed konden zijn als reguliere soldaten. Het maakte geen verschil of een man zich inzette voor de verdediging van zijn eigen land, of ter meerdere glorie van zijn portemonnee – zolang hij maar wist hoe hij zijn wapen vast moest houden en bereid was deel uit te maken van een team, zou Josh nooit vraagtekens bij zijn motieven plaatsen.

'We zullen snel moeten zijn,' zei Ashfaq. 'Ze blijven niet langer dan een uur of drie in dat kamp. Vier uur maximaal.'

Josh wierp nog een snelle blik op het kampement. Hij had er een stuk of twaalf personen geteld, onder wie minimaal twee vrouwen. Een eenheid van zesendertig man zou genoeg zijn om er een aanval op uit te voeren, vooropgesteld dat de mannen fatsoenlijk bewapend waren en kundig geleid werden. Hij pakte de satelliettelefoon, keek om zich heen om er zeker van te zijn dat ze nog steeds uit het zicht waren en toetste vervolgens een nummer in.

'Wat wil je, Harding?' zei Mark Bruton.

Het basiskamp bevond zich in Khost, ongeveer tachtig kilometer verderop langs de grens. Het diende als hoofdkwartier voor de Britse en Amerikaanse soldaten die zich sinds de invasie van twee jaar geleden in het land bevonden. Hoewel het alweer drie maanden geleden was dat Josh daar voor het laatst was geweest, was het ook de plek waar hij zich moest melden voor orders.

'We hebben Azim gevonden,' zei Josh. 'Ik heb steun nodig om hem te neutraliseren.'

'Waar zit je?' klonk de barse stem van Bruton.

Via de satelliettelefoon klonk de stem even duidelijk alsof de man pal naast hem zat. Het doet er niet toe waar die kakker zat, bedacht Josh terwijl het stemgeluid van de commandant zijn zenuwen teisterde. Zelfingenomen, bekrompen, en de plank volkomen misslaand – ze klonken allemaal eender.

Josh gaf de GPS-coördinaten door. Ze zaten hoog in de bergen, pal aan de Afghaanse kant van de grens, tussen stammen en krijgsheren die zich aan geen wet of overheid iets gelegen lieten liggen en alleen hun eigen gezag erkenden. Grenzen betekenden hier helemaal niets: elke stam vormde een overheid op zich.

'Blijf zitten waar je zit, Harding,' zei Bruton. 'Ik stuur een kruisraket die het kamp met de grond gelijk zal maken. Ik stop een stuk of wat onbemande vliegtuigjes in de mix om eventuele achterblijvers uit de weg te ruimen en stuur vervolgens een Black Hawk om je op te pikken. Heb je dat?'

Josh hield de Motorola 9500 satelliettelefoon nog wat steviger vast. Het apparaat stond in rechtstreeks contact met een Iridium-satelliet die op een hoogte van enkele kilometers boven de aarde hing en hij voelde hoe het dunne zwartplastic omhulsel van het toestel trilde onder zijn keiharde greep. 'Ik ben al drie maanden lang bezig die man op te sporen,' reageerde Josh kortaf. 'Ik heb helemaal geen tijd om een raketaanval af te wachten. Het enige dat ik nodig heb zijn een stuk of wat knapen in een heli, dan kunnen we eropaf en nemen hem te grazen.'

Even was het stil. Zelfs op de enorme afstand die hen scheidde meende Josh de irritatie van Bruton te kunnen voelen. 'Het is niet de bedoeling dat met deze actie medailles verdiend gaan worden, Harding. We zetten raketten in. Blijf zitten waar je zit en wacht op de grote jongens.'

'Maar…'

Dat enkele woord kwam met moeite over Josh' lippen, maar de rest van de zin werd nooit uitgesproken.

'Verdomme, dat is een bevel, Harding. Heb je dat begrepen?'

'Ik zal het vuurwerk naar het doelwit leiden, majoor,' antwoordde hij stijfjes.

Hij legde de telefoon neer en schakelde hem uit. Tien jaar in het Britse leger, waarvan vijf bij het Parachute Regiment, waarna hij naar Hereford was overgeplaatst, hadden Josh geleerd hoe hij zijn woede moest kanaliseren. Een meisje met wie hij eens een tijdje had aangerommeld had hem er zelfs een boek over gegeven: haal diep adem, probeer ergens binnen in je een rustig plekje te vinden, benadruk het positieve, en nog wat onzin die hij zich niet eens meer kon herinneren. Het meisje had hem de bons gegeven nadat hij net een keertje te vaak over de rooie was gegaan en hij had het boek nooit uitgelezen.

Maar wie het ook geschreven mocht hebben, de auteur had nooit te maken gehad met zo'n kippenbrein als Mark Bruton. Aan die man alleen al zou een heel hoofdstuk kunnen worden gewijd.

'De idioot,' zei Josh vol minachting, en hij keek naar Ashfaq. 'Hij stuurt er wat kruisraketten op af en vervolgens een heli om ons hier weg te halen.'

'Maar dat kan uren duren,' reageerde Ashfaq.

Josh knikte.

Heel even gleed er een teleurgestelde blik over het gezicht van Ashfaq. Josh wist dat de andere man deze actie net zo graag wilde afronden als hijzelf. Op elk lid van de Al-Qaeda-beweging dat ze gevangennamen en liquideerden stond een bonus van duizend dollar.

'Azim slaapt nooit twee nachten achter elkaar op dezelfde plaats, en hij slaapt nooit langer dan een paar uur. Hij is constant op weg; zo lukt het hem in leven te blijven,' zei Ashfaq. Hij sloeg een mug weg die op zijn dikke, keurig geknipte baard was neergestreken. 'Misschien hebben we geluk, misschien ook niet. We zien wel.'

Josh wierp een blik op zijn horloge. Het was even na elven 's avonds. Rond vijf uur morgenochtend zou het licht worden. De kans was groot dat Azim om drie uur al was verdwenen. Op die manier hadden ze maar een uur of vier.

Josh gaf de coördinaten van de positie aan de basis door en ging toen op de kiezelachtige grond liggen. De afgelopen drie maanden was hij er aan gewend geraakt om in de openlucht te slapen, en zijn lichaam was door de ruwheid van de grond alleen maar meer gehard geworden. Het vage aroma van de bergbloemen zorgde er zelfs voor dat hij gemakkelijk in slaap viel. Na een uur of twee werd hij dan weer wakker en voelde hij zich even fris en alert als wanneer hij net uit het fitnesscentrum kwam.

Josh keek omhoog naar de sterren. Een aanval met raketten was in dit conflict geenszins het antwoord, besefte hij. Dat leidde alleen maar tot een soort robotoorlog, en zoiets kon niet vergeleken worden met een professionele inzet van militairen. Je moest bereid zijn dezelfde risico's te nemen als de vijand nam. *En dat hield in dat je bereid moest zijn je leven op het spel te zetten.*

Josh sloot zijn ogen half. De Motorola-telefoon die aan zijn koppel was bevestigd had hij op trillen gezet: een paar minuten voor de raket zou inslaan zou hij door een telefoontje worden gewekt. Hij hield zich altijd voor dat je moest slapen zodra het kon. Je wist nooit wanneer je weer de kans zou krijgen. Toen hij wakker werd, draaide hij zich om en keek op zijn horloge. Het was kwart over een 's nachts. Josh kwam met een ruk overeind. Hij zette de AN-30 tegen zijn schouder, drukte zijn oog tegen het telescoopvizier en liet zijn blik over het kamp glijden. Op een schildwacht na die rond het kampement patrouilleerde was er verder geen beweging te bespeuren.

Waar zitten ze? vroeg Josh zich af.

Hij zocht de nachtelijke hemel af, op zoek naar een condensstreep tussen de fonkelende sterren. Hij had genoeg kruisraketten gezien om ze snel te kunnen herkennen: ze bewogen zich bijna gracieus door de lucht voort, als eenden die vlak boven het wateroppervlak scheren. Het enige geluid dat ze maakten was een laag, schor gedreun. Ze waren in Afghanistan een redelijk vertrouwd beeld geworden, wist hij. *Zelfs de kinderen herkennen die dingen.*

Hij pakte de Motorola en toetste het nummer in. 'Komt er nog wat van?' zei hij in de telefoon.

'Blijf zitten waar je zit, Harding,' zei Bruton. 'De raketten worden in gereedheid gebracht.'

Josh wierp een snelle blik op het kamp. 'Ik was niet van plan nog veel langer te wachten.'

'Nogmaals, blijf zitten waar je zit,' snauwde Bruton. 'Het duurt niet lang meer of het vuurwerk begint.'

Josh klapte de telefoon dicht. Hij ging weer op de grond liggen. Met kruisraketten vocht je geen oorlogen uit, zei hij tegen zichzelf. *Met zwaarden en sabels zouden we een stuk beter af zijn.*

Josh raadpleegde zijn horloge. Kwart over twee. Hij was ervan overtuigd dat hij in het kamp iemand zag bewegen. Maakten ze zich gereed om te vertrekken? vroeg hij zich af. Of wisselden de schildwachten elkaar alleen maar af?

Hij toetste hetzelfde nummer opnieuw op de Motorola in. 'Waar blijven ze?' wilde hij weten.

'Er zijn wat probleempjes met de kruisraketten,' antwoordde Bruton. 'Voor twee miljoen dollar per stuk zou je denken dat ze je een raket leveren die van een fatsoenlijke startmotor is voorzien. We zijn nu genoodzaakt er een vanaf een in de Indische Oceaan gestationeerde Amerikaanse onderzeeër te lanceren. Het kan zijn dat het iets langer gaat duren.'

Josh ging weer op de grond liggen en probeer nog wat te slapen. Ondanks het feit dat zijn ogen dicht waren wilde de slaap maar niet komen. Hij zinderde van woede. Drie maanden lang ben ik in deze woestenij bezig geweest met het opsporen van die schoften. Drie maanden lang klotevoedsel, zonder de gelegenheid te krijgen je fatsoenlijk te wassen en met alleen maar een verdomde grot om in te slapen. *En nu ik eindelijk een van die klootzakken heb weten te vinden, zorgen ze ervoor dat hij me tussen de vingers door glipt.*

Nog een uur ging voorbij. Het was nu vijf voor halfvier. De schildwacht tapte wat water af uit een van de vaten die op een van de pick-ups stonden. Om zich te wassen, bedacht Josh. Dat hield in dat ze op korte termijn zouden vertrekken.

'Het duurt nu niet lang meer of ze zijn verdwenen,' sprak hij kortaf in de telefoon.

'Rustig maar,' zei Burton. 'De raketten zijn gelanceerd en de heli is onderweg. Bereid je erop voor dat je wordt opgepikt. Dan kun je hier een douche nemen.'

Josh stond op de berghelling. Hij zag hoe de schildwacht een waskom klaarzette en een ketel met water van het vuur had gehaald, om die vervolgens mee naar de tent te nemen. Ze gaan weg, besefte hij. Even wassen en dan snel een kop thee, en dan gaan ze weer op weg.

Hij keek omhoog naar de lucht. Als de raket afkomstig was van een van de onderzeeboten van de Amerikaanse marine, zou het een Raytheon Tomahawk moeten zijn. Die vlogen subsonisch – langzamer dan het geluid, zo'n negenhonderd kilometer per uur, dezelfde snelheid als een straalpassagiersvliegtuig. Als de kruisraket vanaf een onderzeeboot in de Indische Oceaan was gelanceerd kon het nog wel tien minuten duren voor hij hier in zou slaan.

Josh kwam in beweging en begon steeds kleiner wordende rondjes te lopen. Er was een briesje opgestoken, dat het witte gewaad dat losjes om zijn lichaam hing deed ritselen. Nadat hij zich de afgelopen drie maanden alleen maar af en toe in een beekje had kunnen wassen en regelmatig de nacht in een grot had doorgebracht, voelde hij het vuil bijna letterlijk aan zijn huid vastplakken. Het was goed dat hij weer terug naar de basis kon, hield hij zich voor. *Maar ik ga niet eerder terug voordat ik een man of twee aan mijn totaalscore heb toegevoegd.*

Hij liet zijn vinger langs de trekker van de AN-30 glijden. Er wás een kans dat hij die lui zelf kon omleggen. Maar om daarbij ook Ashfaqs leven op het spel te zetten was niet eerlijk. Dat was slechts een ingehuurde kracht. Toch kon één met een machinegeweer bewapende man bij een kampement waar de mensen net wakker werden een hoop schade aanrichten. Hij kon de schildwacht vanaf hier met één enkel schot neutraliseren. En dan als afleidingmanoeuvre er wat handgranaten naartoe gooien. Vervolgens er snel op af, gekleed als een bewoner van dit gebied, en dan maar hopen dat hij ze allemaal te grazen kon nemen voor ze beseften wat er aan de hand is.

Nee, hield hij zichzelf voor. Op dat soort geluk kun je nooit ofte nimmer rekenen. Dat wordt pure zelfmoord. En daar is absoluut geen enkele glorie aan te verdienen.

'Hoorde je iets?' fluisterde hij tegen Ashfaq.

De Afghaan knikte. 'Een startmotor,' antwoordde hij. 'De witte pickup. Die gaat weg.'

Josh kneep zijn ogen halfdicht in een poging beter te kunnen zien. Hij zag hoe aan de passagierskant een man instapte, terwijl een tweede man achter het stuur plaatsnam, waarna de motor aansloeg. De auto kwam in beweging en reed over de berghelling.

De schoft ontsnapt.

Hij tuurde opnieuw door het telescoopvizier van de AN-30. Eén kogel, hield hij zichzelf voor. Een band aan flarden schieten, en dan maar hopen dat de auto daardoor de helling af zou storten. Achter zich hoorde hij het verre gebrom van de Tomahawk, net als bij een vliegtuig, maar alleen iets zachter, en een stuk lager vliegend. Hij haalde de trekker over.

De kogel boorde zich in het lege terrein met hier en daar wat struikgewas. De pick-up reed gewoon door.

Het volgende moment werd de hemel verlicht door een oogverblindende lichtflits. De Tomahawk, ook wel aangeduid met BGM-109, kon worden uitgerust met een explosieve lading van vierhonderdvijftig kilo springstof, waarmee grote doelwitten of ondergrondse bunkers konden worden vernietigd. Het wapen kon echter ook worden voorzien van vierhonderdvijftig kilo aan kleine clusterbommetjes, die tot gevolg hadden dat er tientallen kleine maar dodelijke explosieven over het kampement zouden worden uitgestrooid. Nu pas besefte Josh dat deze kruisraket een vernietigende hoeveelheid clusterbommen met zich meevoerde. De bommen kwamen als rolletjes confetti uit de raket getuimeld. Het kamp werd in een regen van vuur ondergedompeld, en terwijl de vuurbal steeds verder aanzwol, leek alles wat in het pad van de bommen lag te worden opgezogen, weggevaagd. Josh kon het *pop, pop, pop* van de in het dal ontploffende explosieven duidelijk horen, even later gevolgd door de tegen de hellingen weerkaatsende echo's, zodat er een moordende golf van geluid ontstond.

Josh richtte zijn blik weer op de witte pick-up. Die reed momenteel over de onverharde weg die naar het eind van het dal leidde en kon elk moment uit het zicht verdwijnen. Dat móét hem zijn, bedacht Josh grimmig. *Ze kunnen zoveel vuurwolken op de aarde laten neerdalen als ze willen, maar dat is allemaal zinloos zolang het doelwit er niet recht onder staat.*

Het volgende moment hoorde Josh het typisch kloppende geluid van rotorbladen die boven hem door de lucht klauwden. De geur van kerosine daalde over hem neer toen het toestel onder een steile hoek uit de hemel kwam vallen. De Black Hawk bleef anderhalve meter boven de grond hangen. Een militair hing half uit de heli en gebaarde Josh dat hij aan boord moest klimmen.

Hij keek nog een keer naar de pick-up. De wagen trok een dicht stofspoor achter zich aan, verdween op dat moment om een bocht en was niet langer meer te zien. *Precies zoals ik al vermoedde. De schoften zijn ontsnapt.*

Het stond op het punt licht te worden toen de heli midden in de compound landde. Josh sprong door een zijdeur naar buiten en liep over de smalle strook asfalt die van de landingscirkel naar een klein platform leidde. Drie maanden, ging het door hem heen terwijl hij naar de rij lage, geprefabriceerde hutten keek die samen de mess, de troepenonderkomens en de debriefingsruimtes vormden. Dat was een hele tijd om in je eentje in de woestenij te zitten, terwijl je volkomen op jezelf was aangewezen.

Een paar glazen bier, iets eten, een douche en dan bijslapen. In die volgorde, vond Josh.

'Harding?' zei een jonge soldaat die naast de strook asfalt stond.

Josh knikte. De man was misschien negentien of twintig, een verbindingsman die zo te zien voor het eerst op een echte missie was uitgezonden. Ik ben zelf nog maar net dertig, besefte Josh. Maar als ik nieuwe rekruten zie krijg ik vaak de indruk dat ze zó bij moeders pappot vandaan komen.

'Ja , dat ben ik,' reageerde hij.

Hij zag hoe de verbindingsman hem van top tot teen snel opnam. Gekleed in een lang wit gewaad, met sandalen aan zijn voeten, een zwarte baard en zijn geweer op zijn rug, besefte Josh maar al te goed dat hij er zo langzamerhand meer uitzag als een Afghaanse krijger dan als een Britse militair. Zijn gezicht was door de zon en de wind tot donkerbruin verweerd, en het zweet en het vuil hadden zich tot diep in zijn huid gedrongen, waardoor die op ruw leer was gaan lijken.

'Bruton zou je graag willen spreken; over een uurtje,' zei de soldaat. 'Kamer C.' Hij zweeg even. 'Misschien dat je je eerst even wilt wassen voor je naar hem toe gaat.'

'Stink ik soms te erg naar jouw smaak?' vroeg Josh.

'Je ruikt afschúwelijk.'

Josh grinnikte. 'Ik kan je verzekeren dat sommige dingen nog veel erger stinken dan ik, ook nadat ik een tijdje in de wildernis heb gezeten. Daar zul je snel achter komen.'

Glimlachend liep hij naar de mess. Khost was al vrij snel na de inval in Afghanistan door de geallieerden als vooruitgeschoven basis ingericht. Van alle bases die de geallieerden hadden gebouwd was dit de meest afgelegen en rudimentaire: dichter bij Kabul waren de Amerikanen en Britten welkom geheten, of werden op z'n minst getolereerd, maar hier werden de geallieerde militairen gehaat met een intensiteit die alleen maar door godsdienst kon zijn geïnspireerd. Ze waren niet alleen het land binnengevallen, het waren ook nog eens ongelovigen.

Als je de compound verliet was de kans groot dat een van de kinderen uit de buurt een molotovcocktail naar je toe slingerde. Het leek hier, vond Josh, erg op Ulster. *Maar dan met slangen en kerrie.*

'Hé, kijk eens wie we daar hebben. Osama,' riep een man vanaf de andere kant van het vertrek.

Josh glimlachte opnieuw. Hij had Peter Boshell onmiddellijk herkend. Even oud en een van de vijf mannen van het Regiment die in Khost waren gestationeerd. Maar de kans was groot dat hij nu zo'n beetje de enige Britse militair was die op de basis aanwezig was, want Khost was voornamelijk een Amerikaanse aangelegenheid, en de jongens van het Regiment waren het grootste deel van de tijd op patrouille. Een andere manier was er niet. Je ving nu eenmaal geen terroristen door op de basis computerspelletjes te spelen – hoewel de Amerikanen soms een heel andere mening leken toegedaan.

'Geef hem ervan langs, jongens,' vervolgde Boshell. 'We hebben die klojo bij Tora Bora laten ontkomen. Zoiets willen we niet nog eens meemaken.'

Josh liep het vertrek door naar de bar. Daar zat Boshell met een groepje ruig uitziende Amerikaanse mariniers wier hoofden nagenoeg kaal waren geschoren en wier enorme biceps van duidelijk zichtbare tatoeages waren voorzien. 'Wat is er aan de hand?' vroeg Josh.

'De Derde Wereldoorlog, zo te zien,' zei Boshell.

Josh hielp zichzelf aan een flesje Coke en een zak chips, en ging zitten. De televisie stond op Fox News en de tien, twaalf militairen die in de mess zaten werden door datgene waar ze naar keken geheel in beslag genomen.

Josh draaide zijn hoofd in de richting van het televisiescherm. 'De meest dramatische dag in de oorlog tegen het terrorisme sinds elf september,' klonk de stem van de nieuwslezer.

Josh nam een slok Coke en stopte een stuk of wat chips in zijn mond: het was drie maanden geleden dat hij iets anders had gegeten dan de plaatselijke kerriegerechten.

'Op een dag vol verwarring en chaos, een dag die nu al de "Drie-stedenaanslag" wordt genoemd, zijn drie belangrijke wereldsteden zonder stroom komen te zitten: Londen, Parijs en New York,' vervolgde de nieuwslezer.

Jezus, schoot het door Josh heen. *Wat is er allemaal gebeurd?*

Op het scherm zag Josh een bekend beeld: Trafalgar Square tijdens de schemering, de wegen eromheen volkomen verstopt met verkeer, terwijl er op het plein meer mensen aanwezig waren dan tijdens de nieuwjaarsviering. 'De gebeurtenissen van vandaag begonnen in Parijs, precies om twaalf uur vanmiddag. Overal in de stad viel de stroom uit, waardoor miljoenen mensen vast kwamen te zitten in de ondergrondse en op de wegen, en de scholen en kantoren gesloten moesten worden. Een uur later, om twaalf uur 's middags plaatselijke tijd, kwam Londen zonder stroom te zitten, waardoor het openbare leven in die stad van het ene op het andere moment stil kwam te liggen. Volgens de politie was er sprake van grootschalige paniek en werd er geplunderd, terwijl er tevens totale verwarring heerste, aangezien ook het openbaar vervoer tot stilstand kwam. Rond Whitehall en Parliament Square werden troepen in positie gebracht vanwege het gerucht dat het om een grote terroristische actie zou gaan. De Londense burgemeester Ken Livingstone en premier Tony Blair riepen op tot kalmte, maar hun oproep had weinig effect. Daarna, als meest dramatische ontwikkeling van deze dag, viel precies vijf uur later – wederom precies om twaalf uur 's middags – de elektriciteit in New York uit. Burgemeester Bloomberg riep op tot kalmte, aangezien de angstige bevolking van New York een nieuwe grootschalige aanval op haar stad verwachtte. De politie moest bij verschillende wolkenkrabbers die mogelijk doelwit zouden kunnen zijn en die overhaast door het kantoorpersoneel werden verlaten, de orde herstellen.'

Josh keek naar de gezichten van de andere mannen in de mess. Ze keken gespannen naar het scherm en spraken af en toe kort met elkaar. De toon daarbij was gedempt, niet veel meer dan gefluister, alsof ze tegelijkertijd zowel opgewonden als verbijsterd waren door hetgeen zich voor hun ogen afspeelde. Net als ik trouwens, bedacht Josh.

'Er wordt reeds gespeculeerd dat de Drie-stedenaanslag het werk moet zijn van Al-Qaeda-terroristen,' vervolgde de nieuwslezer. 'Als dat inderdaad het geval is, mag dit de stoutmoedigste actie van deze organisatie sinds elf september worden genoemd.' Josh zag hoe er werd overgeschakeld naar een verslaggever die voor het Pentagon stond, zijn haar in de war door de krachtige windstoten rond het gebouw. 'Militaire bronnen ontkennen dat het hier om een gecoördineerde terroristische actie gaat,' zei de verslaggever. 'Ze benadrukken dat het mogelijk is dat de stroom in alle drie de steden op exact hetzelfde tijdstip uitvalt. Maar tot nu toe is er nog geen informatie beschikbaar over de eventuele oorzaak van de stroomstoringen en hoe zou kunnen worden voorkomen dat zoiets in de toekomst opnieuw zal gebeuren.' De verslaggever zweeg even om die laatste regel nog eens goed door te laten dringen. 'Buiten regeringskringen zeggen sommige experts van mening te zijn dat het hier waarschijnlijk wél om het werk van Al-Qaeda gaat.'

'Dus is het nou een terroristische aanval of niet?' wilde de nieuwslezer weten, en hij keek in de richting van de verslaggever.

'Momenteel beschikken we over te weinig informatie om daar iets over te kunnen zeggen,' antwoordde de verslaggever. 'Misschien dat de wereld toch moet wennen aan de afschuwwekkende mogelijkheid dat iemand, waar zo iemand zich dan ook mag bevinden, de macht over de energiesystemen van deze wereld naar zich toe kan trekken. En op elk willekeurig moment de elektriciteitstoevoer kan uitschakelen.'

Josh zette zijn Coke neer. Er heerste nu alleen maar stilte in het vertrek. Het nieuws werd onderbroken door reclame, en niemand zei iets. 'Denk jij dat dat het werk van Al-Qaeda is?' vroeg Josh uiteindelijk, en hij keek daarbij naar Boshell.

Die haalde zijn schouders op. 'Wie zouden het anders moeten zijn?'

'Het moet haast wel,' zei een van de Amerikanen. 'Niemand anders kan zo'n stunt uithalen.'

'Het Pentagon zegt dat ze daar nog niet van overtuigd zijn,' zei Josh.

De militair glimlachte, waardoor er grote, witte tanden zichtbaar werden. 'Verdomme, ik heb zelf meegedaan aan missies die die jongens daar, tot we terug op onze bases waren, steevast glashard hebben ontkend.'

'Al-Qaeda die in drie grote wereldsteden de controle over de elektriciteitstoevoer naar zich toe trekt?' zei Boshell. 'Natuurlijk zullen ze zoiets nooit toegeven. Dan zou er paniek uitbreken.'

'Dan ziet het ernaar uit dat er voor ons werk aan de winkel is,' zei Josh.

Hij zag hoe de jonge verbindingsman hem van de andere kant van het vertrek wenkte. Josh sloeg het laatste restje van zijn Coke achterover en liep richting gang. Het was maar een kort stukje, maar hij voelde plotseling alle energie uit zich wegtrekken. Het was maanden geleden dat hij in een fatsoenlijk bed had geslapen of een fatsoenlijke maaltijd naar binnen had gewerkt. Zo ging dat soms wanneer je soldaat was. Zolang je in een actie verwikkeld was, hield je het allemaal nog wel vol, bleven je zenuwen intact. Maar zodra het achter de rug was maakte totale uitputting zich van je meester: de adrenaline vloeide weg en elke wond en blauwe plek begon het uit te schreeuwen van de pijn.

'Terug naar je spelonk, Osama!' riep Boshell.

Josh keek achterom en grinnikte. De afgelopen drie maanden had hij de kameraadschap van het Regiment gemist.

'Ik zal ervoor zorgen dat je een scheermes krijgt,' zei Bruton zodra Josh het vertrek binnenstapte. 'Je ziet er uitgesproken beroerd uit.'

'Het hele land hier ziet er beroerd uit, majoor,' zei Josh. 'Op deze manier val ik minder op.'

Bruton was een lange man met donker, gemillimeterd haar en een dikke, ronde neus, plus oren die als de handvatten van een kruik uit de zijkant van zijn hoofd leken te steken. In het halfjaar dat hij nu onder het commando van deze man stond, was Josh niet bepaald vriendelijker over hem gaan denken: er liepen genoeg klootzakken rond die stomme beslissingen namen, maar er waren er maar weinig die dat zó volhardend deden als Bruton.

'Nou, fijn je hier weer terug te zien,' vervolgde Bruton. 'En gefeliciteerd.'

Josh keek om zich heen door het vertrek. Aan de muur hing een gedetailleerde kaart van het Afghaans/Pakistaanse grensgebied, en pal ernaast een serie van dertig foto's: de meest gezochte Al-Qaeda-terroristen die in het betreffende gebied actief zouden zijn. Azim, de man die volgens de Firma belast was met de uitvoering van een grootschalige actie op Brits grondgebied, was er daar een van.

In een hoek stond een waterkoeler. Josh schonk een plastic bekertje voor zichzelf in en ging toen op de enige stoel zitten die naar het bureau stond toegedraaid. Bruton ging tegenover hem zitten en legde een geopende blocnote voor zich neer. Hij liet een balpen tussen zijn vingers rollen en tikte met het uiteinde ervan tegen zijn mond.

'Morgenochtend doen we een volledige debriefing,' zei hij. 'Maar het goede nieuws is dat de aanval een succes was. Azim is dood. De jongens in Vauxhall zullen daar wel blij mee zijn.'

Josh keek hem aan, onderwierp het gelaat van Bruton aan een nauwkeurig onderzoek. Hij zag geen enkel spoor van aarzeling of twijfel. 'Azim is niet dood.' Hij zweeg even, en wierp vervolgens een snelle blik omhoog. 'Majoor.'

Bruton boog zich naar voren. 'De Tomahawk sloeg precies in op de locatie die jij ons hebt doorgegeven,' zei hij beslist. 'Er is een onbemand vliegtuigje overheen gevlogen dat enkele foto's heeft genomen. Alles in dat kampement is verpulverd.'

'Er was een pick-up,' zei Josh. 'Een witte. Die is een paar minuten voor de raket doel trof vertrokken. Daar zat Azim in. Hij is ontsnapt.'

Bruton schudde zijn hoofd. 'De missie was een succes, Harding. Zo zal het in de rapporten komen te staan.'

Josh haalde eens diep adem. Probeer je woede onder controle te houden, hield hij zichzelf voor. 'Het heeft veel te lang geduurd,' zei hij, zijn stem een en al onverzettelijkheid. 'Als die raket eerder was gelanceerd zouden we hem te pakken hebben gehad. Maar zoals ik al zei, hij is ontsnapt.'

'Luister goed naar me, Harding,' zei Bruton. Hij stond op en liep naar de andere kant van het vertrek, waar hij vlak voor Azims foto bleef staan om die het volgende moment van de muur te rukken. 'Als ik zeg dat iemand dood is, dan is-ie dood. En dan blíjft hij dood. Begrepen?'

Josh stond op. 'Dan zullen we moeten afwachten tot die klojo onder een andere naam weer terugkomt, en hem vervolgens opnieuw liquideren.'

1

Maandag 1 juni. 's Ochtends.
De geur dreef langs Josh' neusgaten. Zijn zintuigen trilden heel even, kwamen traag weer tot leven terwijl hij worstelde om weer bij bewustzijn te komen. Een zwakke, muffe geur, een mengsel van lavendel met de een of andere specerij. Ik ken het, dacht Josh. Ik ken dat parfum. Het ligt op het puntje van mijn tong.
Kon ik me de naam nou maar herinneren.
Een ogenblik lang deed Josh zijn uiterste best, boos op zichzelf dat hij niet in staat was de naam uit zijn geheugen op te diepen. Ach, laat ook maar, zei hij uiteindelijk tegen zichzelf. Ik ben sowieso nooit goed geweest in het me herinneren van parfums.
Langzaam probeerde hij zijn ogen te openen. Maar zijn oogleden voelden zwaar en onbeweeglijk aan. Op dat moment werd hij zich bewust van een pijnlijk gevoel, traag kloppend maar tegelijkertijd intens, een pijn die begon in de zijkant van zijn nek en vervolgens in de richting van zijn ruggengraat trok. Een andere pijn golfde omhoog vanuit zijn kuit. Toen sprong als eerste zijn linkeroog open, waarbij een scherpe lichtflits zijn zintuigen overspoelde, want een felle zon scheen recht in zijn gezicht. Snel deed hij het oog weer dicht, hij onderging een volgende pijngolf en deed het oog toen opnieuw open.
Een vrouw. Een felverlichte lok rood haar.
Josh deed het oog weer dicht
Waar bén ik ergens? *Wat is er verdomme met me gebeurd?*
Hij probeerde nu zijn rechteroog te openen. Diezelfde zware gewaarwording toen het ooglid zich met grote tegenzin liet open dwingen, en hetzelfde verblindende effect toen het zonlicht het netvlies overweldig-

de. Hij kneep het snel weer dicht, liet een nieuwe pijngolf vanuit zijn nek naar zijn rug rollen, en opende toen beide ogen.

De vrouw boog zich over hem heen.

Ze liep tegen de dertig, was die leeftijd misschien net gepasseerd, maar veel ouder was ze niet. Ze had een gebruinde huid waarop hier en daar wat sproeten te zien waren, en die een frisse, schone indruk maakte. Haar ogen waren lichtblauw en amandelvormig, een tikkeltje te hoog ten opzichte van haar neus geplaatst, en ze had volle rode lippen. Maar het was vooral het haar dat Josh' aandacht trok. Een dikke massa rode krullen die speels over hem heen leken te tuimelen, weggroeiend bij haar gelaat als de manen van een leeuw.

Hij probeerde iets te zeggen. De woorden begonnen ergens in zijn hersenen, bewogen zich toen naar beneden naar zijn keel. 'Ik... ik...' begon hij.

Plotseling was Josh zich bewust van een nieuwe pijnscheut door zijn nek. Hij zweeg, verslikte zich bijna in de rest van de zin, niet in staat hem uit te spreken.

Een vinger werd op zijn lippen gelegd, dun en elegant, een vinger zonder ring. 'Zeg maar niets,' zei ze. 'Je bent gewond.'

'Ik... ik...' begon Josh opnieuw.

'Je bent gewond,' herhaalde ze, haar toon wat nadrukkelijker deze keer. 'Ik zal je naar de pick-up brengen.'

Spreken deed Josh te veel pijn. De steken in zijn nek werden alleen maar erger en hij begon langzaam het gevoel in zijn been kwijt te raken: het was een pijn die hij kende en die hij eerder had gevoeld, hoewel hij zich niet meer kon herinneren waar. Hij begon zich, steunend op zijn schouders, om te draaien. Hij lag in een greppel van kurkdroge, gebarsten aarde. Vóór hem kon hij een smalle strook asfalt zien liggen: een eenbaansweg, meer niet. Daarachter doemde een reusachtige rots op, waarvan het pokdalige oppervlak uit rode en gele steen was samengesteld, terwijl onder die rots schilfers en afgehakte stukken van de berg een slordige hoop vormden. De lucht was droog en stoffig, zonder ook maar een spoor van een briesje om de extreme hitte van de zon die op hem neer brandde te verzachten.

Josh keek om zich heen naar het kale landschap. Ergens in de verte zag hij hoe er vanaf een bergkam wat stof oprees. Het was verder volkomen verlaten.

Waar ben ik? vroeg hij zich af.

Hij draaide zich met een ruk om, tuurde naar de greppel waarin hij kennelijk was gevallen. Over het zand had zich een karmozijnrode vlek verspreid.

Bloed. Mijn bloed, besefte Josh.

Hij liet zijn hand over zijn lichaam glijden in een poging een ruwe inschatting te maken van de omvang van zijn verwondingen. Hij was in zijn nek geschoten, vermoedde hij: daar zat een gapende vleeswond en de kogel moest zijn luchtpijp op een haar na hebben gemist. Hij mocht blij zijn dat hij nog leefde. Zijn linkerkuit had ook een schotwond moeten incasseren. Een stuk weefsel ter grootte van zijn wijsvinger was weggeschoten: hij zag het pulpachtige, smerige stuk weggerukt weefsel op de grond liggen. Hij had minstens een halve tot een hele liter bloed verloren.

Wat is er in godsnaam met me gebeurd?

'Snel,' zei de vrouw, 'je moet behandeld worden.'

Ze legde haar hand rond Josh' pols en nam zijn hartslag op. Hij zag nog net hoe ze haar lippen bewoog en geluidloos meetelde. 'Ik ben bang dat ik je wat medicijnen moet toedienen,' zei ze. 'En wel onmiddellijk.'

Josh liet toe dat ze haar armen rond zijn middel liet glijden. Ze beschikte niet over de kracht om een man van zijn omvang op te tillen, maar ze kon hem behulpzaam zijn bij het zich in evenwicht houden, waarna hij de kracht die hij nog in zijn benen had kon gebruiken om zich overeind te drukken. Hij voelde zich duizelig, en toen hij zijn voeten bewoog werd alles wazig voor zijn ogen. Het linkerbeen, het been dat door een kogel was geraakt, deed vreselijk veel pijn: elke zenuw leek in brand te staan en zijn hele lichaam werd door felle pijnscheuten gegeseld. Zijn ademhaling ging onregelmatig en het bloedverlies had hem zo'n beetje van al zijn energie beroofd, waardoor het erg moeilijk voor hem was om langer dan enkele minuten onafgebroken bij bewustzijn te blijven. Hij had al last van hartkloppingen en zijn lippen waren vochtig, voldoende om ervan uit te gaan dat hij misschien wel veel meer dan een liter bloed had verloren.

'Hou me vast,' mompelde hij, en toen hij die woorden uitsprak kwamen er wat bloedspetters uit zijn mond.

De vrouw was sterk, dat was duidelijk te merken. Ze was een meter zeventig, een meter vijfenzeventig misschien. Ze kon onmogelijk veel meer wegen dan een kilo of vijftig: ze was mager, niet op de manier van zo'n aan anorexia lijdend fotomodel, maar mager in de zin van pezig, gespierd en taai. Ze had een blauwe korte broek van spijkerstof aan met daarboven een lichtroze T-shirt: op het katoen, vlak onder de delicate rondingen van haar kleine borsten, was in een paar gradaties donkerder roze een hart afgedrukt. Een meisje van het platteland, schoot het plotseling door Josh heen. Goed met paarden en honden, en waarschijnlijk kon ze zich tijdens een vechtpartij ook uitstekend weren.

Dat parfum, dacht Josh terwijl hij op haar steunde, gebruikmakend van haar sterke schouders om overeind te blijven. Hoe heet dat ook alweer? *Ik herinner het me gewoon niet meer.*

Hij deed een stapje naar voren. Zijn linkerbeen deed het meeste pijn, dus liet hij zijn lichaamsgewicht op zijn rechter rusten. Ongeveer een meter of tien voor hem zag hij de pick-up staan: een zwarte Ford Ranger, minimaal een jaar of vijf oud en met een dikke laag modder en stof op de wielen, terwijl de carrosserie hier en daar diepe krassen vertoonde. Dit was maar een kort stukje, hield hij zichzelf voor. Zelfs als je door een been was geschoten. Het moest hem toch lukken die tien meter lopend af te leggen.

'Voorzichtig,' zei de vrouw en ze leidde hem naar links.

Josh keek naar de grond. Hij moest vechten om nog enigszins scherp te kunnen zien, ademde gulzig snel achter elkaar diep in om te proberen het draaiende gevoel in zijn hoofd te laten verdwijnen dat er nog steeds voor zorgde dat hij niet scherp kon zien. Plotseling lukte het hem zijn blik te focussen. Vlak voor hem lag een lichaam op de grond.

Een lijk.

Josh bleef staan. Hij was iets opzij gegaan om te voorkomen dat hij erop zou gaan staan. Het was het lichaam van een jongen, niet ouder dan een jaar of vijftien. Hij had dik zwart haar dat helemaal tot in zijn nek groeide en hij droeg een zwarte spijkerbroek en een stel enorm grote sportschoenen van het merk Nike. Josh kon zijn gezicht niet zien, want de jongen lag op zijn buik languit op de grond. Hij was door een kogel midden in de hals getroffen, waardoor er een deel van zijn keel was weggeslagen. Een tweede kogel had zich aan de achterzijde midden in zijn schedel geboord, waardoor zijn hersenen er aan de voorkant uit waren gekomen. Uit beide wonden druppelde nog steeds bloed, dat zich rond zijn gezicht tot een plas had verzameld.

'Wa-?' probeerde Josh uit te brengen.

'Nee, stil alsjeblieft,' siste de vrouw hem toe, haar toon nu een stuk bitser. 'Wil je soms net zo eindigen als hij?'

Josh hobbelde verder. Geen tijd om na te denken, hield hij zichzelf voor. Maak je nu maar geen zorgen over wie je bent, wat je hier aan het doen bent of waarom er een lijk vlak voor je ligt. Tijdens het gevecht ga je niet op zoek naar verklaringen. Je probeert alleen maar te overleven.

Nog drie meter. De pijn in zijn linkerbeen was afgrijselijk en hij voelde hoe de druk van het moeizaam naar voren schuifelen tot gevolg had dat de uiteinden van de zenuwen, pezen en spieren met felle pijnscheuten over elkaar schoven. Elke stap, wist hij, zou de verwondingen alleen maar ernstiger maken. Hij moest ergens een plek zien te vinden waar hij een paar dagen kon blijven liggen, zodat hij kon zien in welke mate hij gewond was en om te proberen weer een beetje op krachten te komen.

Niet hier. *Niet omringd door lijken.*

Het portier van de pick-up stond open. Josh wierp zich naar binnen en hees zich met behulp van zijn onderarmen op de versleten stoffen bekleding van de stoel. Het glas van de voorruit versterkte het felle zonlicht hier alleen nog maar, en als het buiten, in het gebied met het struikgewas, dertig graden was, dan moest het binnen wel tegen de veertig graden zijn. Het zweet brak Josh uit en vermengde zich met het bloed dat al aan zijn lichaam zat vastgekoekt. Toen de gloeiend hete, vochtige lucht zijn longen vulde had hij het gevoel dat de adem dwars door zijn borst sneed.

De vrouw gaf hem een fles water. 'Probeer iets te drinken.'

Josh nam de plasticfles aan. Die zou best ook een graad of dertig kunnen zijn. Ik zou dit water kunnen gebruiken om een lekkere kop thee van te zetten, bedacht hij somber. Met enige moeite lukte het hem met zijn tanden de dop eraf te draaien en stak de hals van de fles in zijn mond, waarna het water eerst in zijn keel verdween, maar vervolgens liet hij het over zijn gezicht lopen. Er ontbrak een tand, vermoedde hij: misschien was hij die kwijtgeraakt toen hij door de kogels tegen de grond was geslagen. Hij voelde een doffe, kloppende pijn ergens in zijn onderkaak, een pijn die zich leek te verspreiden vanuit het tandvlees, en het water maakte alles nog erger, een duidelijk teken dat hij met een gebroken tand te maken had. Ach, wat donderde het ook, hield hij zichzelf voor. Ik moet drinken. *En op dit moment is een bezoek aan de tandarts de minste van mijn zorgen.*

De vrouw stak het sleuteltje in het contact, draaide het om en de Ranger kwam met veel geronk tot leven. De Ford had een zware, krachtige motor en ondanks het feit dat die in de middagzon oververhit was geraakt, sloeg hij zonder haperen aan. De geur van benzine bezwangerde de lucht, waardoor Josh' maag zich bijna omdraaide. Hij tilde zijn voet op en legde hem vervolgens in een juiste positie neer, opgelucht dat hij er eindelijk niet meer op hoefde te steunen, en keek aandachtig naar de vrouw, die het stuurwiel stevig omvatte en de pick-up terug de weg op manoeuvreerde.

Ze is bang, zag hij. Er liepen een paar zweetdruppels over haar rug die op de stof van haar T-shirt donkere vlekken veroorzaakten.

Josh sloot zijn ogen. Zijn hoofd was één massa watten en hij kon nog steeds niet goed zien; het blééf draaien voor zijn ogen. Hij besefte dat hij maar één ademtocht van bewusteloosheid verwijderd was. Hij voelde de pick-up trillen toen die over een paar stenen die op de smalle weg lagen stuiterde, maar al snel won de wagen steeds meer vaart.

Probeer nu eerst maar in leven te blijven totdat je op de plaats van bestemming arriveert, zei hij tegen zichzelf. *Waar dat dan ook mocht zijn.*

Toen hoorde hij een nieuw geluid. Het was venijnig en scherp, het geluid van metaal dat zich in metaal boorde. Josh opende met een ruk zijn ogen, want wat hij zojuist had gehoord had hij onmiddellijk herkend. Een kogel. De pick-up was door een kogel geraakt.

Hij keek opzij naar de vrouw. Ze verstevigde haar greep op het stuurwiel, terwijl de pick-up tengevolge van het schot een zwieper opzij maakte. Haar greep was krampachtig en haar gelaatsuitdrukking grimmig. De pick-up slingerde nog steeds hevig. Nog een kogel. Te midden van het oorverdovende lawaai kon Josh onmogelijk vaststellen uit welke richting die was gekomen. Misschien vanaf een van die hoge rotsen? Een scherpschutter? Misschien vanuit een andere auto, die de achtervolging had ingezet. Hij keek opnieuw zijdelings naar de vrouw. 'Ontwijken,' bracht hij uit. 'Je moet proberen ze te ontwijken.'

Hij moest zich inspannen om de woorden uit te spreken, en de spieren in zijn nek schreeuwden het uit van de pijn toen hij ze spande.

'Hou je mond!' schreeuwde ze. 'Anders ga je dood.'

Je kunt me wat, bedacht Josh. Op de manier waarop jíj rijdt ga ik toch wel dood.

Hij draaide zich om. Hij voelde hoe er bloed langs zijn nek naar beneden liep; blijkbaar was het korstje dat zich op de open wond had gevormd gebroken. Ze werden achtervolgd door een motorfiets. Een Honda, zo te zien. Groot en krachtig, met een chromen stuur dat glinsterde in de zon. Van de berijder kon hij nauwelijks iets zien. De man was in zwart leer gekleed, terwijl hij het vizier naar beneden had getrokken en de rest van zijn hoofd door een helm aan het zicht werd onttrokken. Hij stuurde met zijn linkerhand, terwijl zich in zijn rechter een pistool bevond. Wat voor een kon Josh vanaf zijn plek in de cabine van de pick-up niet zien, maar het was wel een wapen van een zwaar kaliber – dát kon hij wel zien. De motorrijder deed zijn uiterste best het wapen goed vast te houden.

Josh keek recht naar achteren. Een ogenblik lang meende hij recht in de loop te kijken.

Nog een schot. De motorrijder leek als gevolg van de terugstoot van het pistool heel even zijn evenwicht te verliezen. De kogel sloeg in in de zijkant van de pick-up, en veroorzaakte aan de chauffeurskant een gat in het portier. De auto maakte tengevolge van de inslag opnieuw een zwieper, maar het volgende moment kregen de banden weer greep op de weg.

'Heb je een vuurwapen bij je?' vroeg Josh.

De vrouw schudde haar hoofd.

'Dan neem ik het stuur van je over,' beet Josh haar toe.

Ze schudde opnieuw haar hoofd, een stuk vinniger deze keer.

'Ik zei dat ík het stuur van je overneem.'

De vrouw draaide zich naar hem toe, haar ogen fel van woede. 'Nee,' zei ze scherp. Er viel een zweetdruppel van haar voorhoofd die op haar kin terechtkwam. 'Je hebt niet eens voldoende kracht om op eigen benen te staan. Dus dan kun je rijden al helemaal vergeten.'

'Als ik daarvoor de kracht nodig heb, weet ik die heus wel te vinden,' reageerde Josh.

De pick-up maakte een slinger. De auto was opnieuw door een kogel getroffen. De carrosserie vibreerde onder de kracht van de inslag. Josh schoof behendig over de voorbank, duwde de vrouw met zijn hand opzij en greep het stuur vast. Zijn actie liet op de voorkant van haar T-shirt wat bloedvlekjes achter.

'Oké,' zei ze geërriteerd. 'Als je zo nodig moet, rij jij maar.'

Ze moesten onder het rijden door van plaats verwisselen: onder normale omstandigheden was dat al een uiterst hachelijke aangelegenheid, maar het feit dat ze onder vuur lagen maakte de zaak er niet gemakkelijker op. 'Haal alleen je voet van het gaspedaal,' zei Josh.

De vrouw schoof opzij en nam haar voet van het pedaal. Ze hield met één hand het stuur nog vast, waarna Josh het met zijn linker van haar overnam. De pick-up begon te schommelen en te slingeren. Hij duwde zichzelf omhoog en gleed over de schoot van de vrouw, waarbij er weer wat bloeddruppels op haar spijkerbroek vielen. De wagen dreigde steeds verder op de linkerkant van de weg terecht te komen. Josh greep het stuur nog wat steviger beet, kwam vervolgens met een plof op de stoel van de bestuurder terecht en drukte het volgende moment het gaspedaal in, waardoor de pick-up onmiddellijk vaart won.

'Ik heb je hulp nodig,' bracht hij moeizaam uit.

Ze keek hem van opzij aan.

'Ik verlies te veel bloed, verdomme,' beet hij haar toe. 'We moeten proberen het bloeden te stelpen!'

Met zijn linkerhand nog steeds aan het stuurwiel scheurde Josh met zijn rechter een stuk stof van zijn shirt en gaf dat aan de vrouw. Ze boog zich schuin naar voren, pakte zijn bovenbeen beet en drukte haar vingers diep in Josh' dij. Ze was op zoek naar de slagader waarvan ze wist dat hij daar ergens moest zitten. Druk daar maar hard genoeg op, dan hield het bloeden vanzelf op. Vervolgens pakte ze de reep stof en wikkelde die zo strak mogelijk rond zijn dijbeen. Josh voelde onmiddellijk hoe het bloeden afnam, maar hij maakte zich nog steeds grote zorgen over de omvang van het bloedverlies. Als dat meer dan twee liter was zou hij bewusteloos raken.

De pick-up maakte opnieuw een woeste slinger toen Josh zijn uiterste best deed de macht over het stuur niet te verliezen nadat er weer een kogel op hen was afgevuurd. Hou dat stuur beter vast, man, hield Josh zichzelf voor. *Anders zijn we over een paar minuten allebei dood.*

De weg strekte zich voor hen uit. Oogverblindend zonlicht brandde zich dwars door de hoge voorruit van de Ranger. Josh klapte het zonnescherm naar beneden om zo zijn ogen enigszins te beschermen. Het kostte hem moeite om scherp te zien. Een snelle blik in het achteruitkijkspiegeltje maakte duidelijk dat de motorrijder een meter of tien achter hen zat, druk bezig zijn machine op de weg te houden, maar het volgende moment bracht hij zijn hand met het pistool weer omhoog in een poging opnieuw een schot te lossen.

Op een gegeven moment moet een van die kogels doel treffen, besefte Josh. *Volgens de wet der gemiddelden kón dat niet anders.*

Hij liet de pick-up van de ene kant van de weg naar de andere slingeren, steeds een ruk aan het stuur gevend om een onvoorspelbare, onregelmatige beweging teweeg te brengen. Dat was regel nummer één wanneer er op je geschoten werd: maak van jezelf een moeilijk te raken doelwit.

Ik mag dan een moeilijk te raken doelwit zijn, maar ik ben nog steeds verdomde groot. Deze pick-up weegt anderhalve ton. Dat ding is nauwelijks te missen.

Het heen en weer slingeren van de wagen maakte dat Josh misselijk werd. Hij was al verzwakt door het bloedverlies, en hij voelde hoe de woeste bewegingen van het voertuig zijn concentratie steeds verder deden afnemen en dat het hem steeds meer moeite kosten scherp te blijven zien. Hou vol, hield hij zichzelf voor. *Je kúnt het.*

De afstand van de motor tot de pick-up bleef onveranderd, een meter of tien. Opnieuw een schot. Deze keer boorde de kogel zich dwars door de achterruit van de Ranger. De ruit spatte in duizenden stukjes uit elkaar die als keiharde confetti over Josh en de vrouw werden uitgestort. Nietige glassplinters kwamen op Josh' rug terecht, waaierden uit over zijn nek, terwijl ook zijn haar ermee vol kwam te zitten. Hij voelde hoe er een stuk of wat wonden opnieuw werden opengereten en het bloed sijpelde tussen de korsten door naar beneden.

Dat maakt geen moer uit, dacht Josh met een grimmige vastberadenheid. *Mijn conditie kan onmogelijk nóg rottiger worden dan hij al is.*

Hij hoorde de vrouw een gil slaken: een lange, hartverscheurende angstkreet. Was ze door al dat glas de kluts kwijtgeraakt? Josh stak zijn rechterhand naar haar uit, terwijl hij met zijn linker het stuur vasthield. Boven in haar nek zag hij een snee, en onder de huid leek zich een glassplinter genesteld te hebben. Dat ding eruit krijgen zou best wel eens een pijnlijke affaire kunnen worden, maar verder was ze oké. 'We redden het, zeker weten,' bracht Josh moeizaam uit, en hij moest vervolgens weer naar adem happen.

De kogel was dwars door de cabine van de pick-up gegaan en had zich door de voorruit geboord, zo'n dertig centimeter links van de bestuurdersplaats. In het midden van het glas was er een opening ontstaan, maar hoewel de voorruit een barst vertoonde, was hij niet gebroken. Dat scheelde maar een haartje, besefte Josh. De baan van de kogel was door de achterruit veranderd en het projectiel was enigszins naar links afgebogen. Zonder die afbuiging zou de kogel dertig centimeter meer naar rechts terecht zijn gekomen. Precies midden in mijn hoofd, besefte Josh.

Hij wierp een snelle blik in de achteruitkijkspiegel. De motorrijder was er nog steeds, het pistool in zijn opgeheven rechterhand. Je bent geen slechte schutter, knul, bedacht Josh met tegenzin.

De tactiek van de motorrijder was duidelijk. De motor beschikte over voldoende vermogen, meer dan genoeg om de Ranger met één dot gas te passeren, als de berijder dat zou willen. Maar in plaats daarvan bleef hij op een constante afstand van een meter of tien achter de pick-up hangen, om op z'n gemak schot na schot te lossen. Vroeg of laat zou een van die kogels zich in Josh' hoofd boren. *En gezien de manier waarop deze knaap met dat pistool omging was dat waarschijnlijk eerder vroeg dan laat.*

Josh drukte het gaspedaal nog wat dieper in. De Ranger mocht dan al behoorlijk wat jaartjes oud zijn en al heel wat kilometers op de teller hebben staan, maar de 3,2 liter-motor beschikte nog steeds over heel wat vermogen. En nu liet die motor een diep gegrom horen en Josh voelde hoe de pick-up naar voren schoot. Hij reed nu zo'n honderdvijftig kilometer per uur en zwiepte heen en weer over het hete asfalt van de weg. Opnieuw een blik in de achteruitkijkspiegel. De motor was er nog steeds, tien meter achter hem, het pistool al gericht voor het volgende schot.

Ik heb de kracht niet voor een lange achtervolging, besefte Josh. Als ik fit en gezond was zou het me misschien lukken deze tegenstander te slim en te snel af te zijn, maar niet in mijn huidige toestand. Ik zal de confrontatie met hem aan moeten gaan. *Dat is mijn enige kans.*

Josh trapte lichtjes op het rempedaal. De pick-up minderde vaart. Hij balde al zijn kracht samen in zijn schouders, nam een seconde de tijd om zichzelf enigszins te kalmeren, en ging vervolgens tot actie over. Ik heb maar één enkele kans tegenover deze knakker, hield hij zichzelf voor. *Maak er een puinhoop van en de gieren kunnen vandaag vroeg aan het diner.*

Josh gaf met zijn rechterhand een harde ruk aan het stuur, draaide het razendsnel rond. Met zijn linkerhand trok hij uit alle macht aan de handrem, terwijl hij tegelijkertijd boven op de rempedaal ging staan.

Het gecombineerde effect van de plotselinge vaartvermindering en de woeste ruk aan het stuur zorgde ervoor dat de wagen een klassieke haakse bocht maakte. De hitte van de dag had de banden van de pick-up toch al zacht en glad gemaakt, en ze verloren dan ook snel hun greep op de weg. De Ranger slipte half, schoot de weg af en kwam in het met struikgewas bedekte terrein terecht. De wagen joeg een enorme stofwolk op die heel even Josh' uitzicht blokkeerde. Onder zich hoorde hij de 3,2 liter-motor grommen en de wielophanging kraken onder de enorme druk die er door de plotselinge manoeuvre op uit werd geoefend.

'Hou je vast,' bracht Josh raspend uit tegen de vrouw naast zich.

Ze wierp hem een snelle blik toe en hield zich krampachtig aan de zijkant van het portier vast toen de plotselinge manoeuvre haar opzij wierp. 'Ik doe mijn best.'

Josh keek snel naar rechts, naar de weg. Het was gelukt. De snelheid waarmee de haakse bocht was uitgevoerd had de motorrijder volkomen verrast. In de seconden die hij nodig had gehad om te beseffen wat er was gebeurd en daarop te reageren, was hij al een heel stuk voorbijgeschoten en hij bevond zich nu vijftig meter verderop. Josh zag ook dat hij al vaart aan het minderen was en op het punt stond te keren. Precies zoals ik had gehoopt, juichte Josh inwendig.

Mijn plan heeft niets met hersenen of uitgekooktheid te maken, hield hij zichzelf voor. *Alleen met lef en adrenaline.*

De truc was om áchter je aanvaller te komen. Bij een duel tussen een pick-up en een motorfiets zou de motor het qua snelheid en wendbaarheid altijd winnen. Maar de pick-up, per slot van rekening een kleine tank, zou qua grootte en gewicht zegevieren. Vanuit de juiste positie zou hij tot de aanval kunnen overgaan.

En die positie was van áchteren op de motor af gaan.

Josh gaf gas en reed dwars door het struikgewas. De wielen van de Ranger joegen het zand alle mogelijke richtingen op, maar ze hadden weer greep op het terrein. Hij balde al zijn kracht samen in zijn schouders, draaide het stuur met een harde ruk naar links en trok opnieuw uit alle macht aan de handrem. De pick-up kwam tot stilstand, waarbij de stalen carrosserie nog natrilde, en begon toen aan een draai. De wielen kregen moeizaam greep op het zanderige oppervlak van het terrein en een ogenblik lang had Josh het idee dat het voertuig begon weg te slippen. Hij had de pick-up nauwelijks nog onder controle – hij voelde hoe de wagen naar achteren begon te glijden. Toen vonden de banden een stuk of wat kiezels waarop ze houvast hadden. Traag draaide de Ranger om haar as en stond nu met de neus in de richting van de weg.

Draaien, hield Josh zichzelf voor. En rij vervolgens recht op die klootzak af. Hij is straks in staat om nog één enkel schot op me af te vuren, recht van voren, door de voorruit. Maar als hij me met dat schot niet weet uit te schakelen, plet ik hem als een insect.

Josh drukte zijn voet op het gaspedaal, wachtend tot het toegenomen vermogen hem vooruit zou stuwen.

Op dat moment sloeg de motor af.

Jezus, bedacht Josh. *Tijd om te bidden.*

'Zákken!' siste hij tegen de vrouw. 'Duik onder het dashboard en blíjf daar.'

Een eind voor zich uit zag hij de motorrijder keren, hoorde hij de banden van de Honda gieren. Josh maakte zich zo klein mogelijk en kon nog maar net over de rand van het dashboard kijken. De pick-up rolde vanwege de vaart die hij had gehad nog steeds naar voren, ondanks het feit dat de motor ermee was opgehouden, maar die voorwaartse snelheid nam snel af. Josh hield zijn been stijf op het pedaal gedrukt, waardoor er een afgrijselijke pijnscheut door zijn rug schoot.

Tel tot vijf, zei hij tegen zichzelf. Misschien dat de motor alleen maar even was verzopen. Geef hem de gelegenheid weer wat af te koelen en probeer het dan opnieuw. *Een, twee…*

Er boorde zich een kogel in de voorruit, die deze keer verbrijzelde. De brokken veiligheidsglas vielen uit de sponning en kwamen als vaste, scherpgerande regen op hen neer. De vrouw hapte naar adem en haar hand schoot naar boven in een poging haar hoofd en gezicht te beschermen. 'Nee, nee,' schreeuwde ze.

Drie, vier…

Josh draaide het contactsleuteltje van de Ranger met een woeste polsbeweging om. Een ogenblik lang werd deze handeling slechts gevolgd door stilte. Verdomme, mompelde Josh in zichzelf. Toen begon te motor te sputteren. Josh ramde zijn voet op het gaspedaal, waarbij hij zijn lichaam in een vreemde bocht moest draaien om erbij te kunnen, terwijl hij nog in dekking zat achter het dashboard. Maar toen sloeg de motor aan, kwam brullend tot leven, en het plotseling toegenomen vermogen zorgde ervoor dat de cabine van de pick-up hevig schudde. Josh duwde zich omhoog, terwijl de Ranger naar voren sprong en over het ruwe oppervlak van het vol struiken zittende terrein schoof. De linkerband kwam in botsing met een stuk rots en de pick-up kwam heel even van de grond los. De kracht van de botsing zorgde ervoor dat Josh opzij werd geworpen en bijna de greep op het stuur verloor. De pick-up zwiepte woest naar links en stuiterde dertig centimeter omhoog.

De verzengende pijn die door zijn lichaam schoot maakte het voor Josh bijna onmogelijk het stuur vast te houden. Hij transpireerde hevig en trilde van het bloedverlies. Concentreer je, hield hij zichzelf voor. Concentreer je of sterf.

Zestig meter voor zich uit zag hij de motorrijder. De man was met militaire precisie gekeerd en scheurde nu met zijn motor door het open terrein. Josh kon vanwege het vizier en de helm niets van 's mans gelaatsuitdrukking zien, maar hij kon uit de manier waarop hij gas gaf opmaken dat er van enige angst of twijfel geen sprake was. Hij was volkomen zeker van zichzelf, zijn pistool hoog geheven in zijn rechtervuist, ervan overtuigd dat hij zijn tegenstander kon neutraliseren vóór die kans zou zien terug te slaan.

Daar vergis je je dan in, maat. Je *moet altijd zorgen een beetje bang te zijn.*

Josh deed zijn best wat hoger op de bestuurdersstoel te komen en gaf vol gas, om het volgende moment het stuur uit alle macht naar rechts te draaien. De motorfiets bevond zich recht voor hem – zestig meter open terrein, door meer werden de twee voertuigen niet van elkaar gescheiden.

Nog steeds vertoonde de motorrijder geen enkel teken van angst. En blijkbaar was hij ook niet van plan van richting te veranderen. Je bent een dapper iemand, makker, bleef Josh in zichzelf herhalen. *Dapper maar stom.*

'Je botst straks boven op hem,' zei de vrouw naast hem, en ze zei het op een manier alsof ze Josh wilde waarschuwen voor de een of ander vreselijke ophanden zijnde catastrofe.

'Reken maar.'

'Je bent hartstikke gek!' gilde ze.

'Als je een beter idee hebt, heb je nu nog precies drie seconden om me dat uit te leggen.'

Josh keek weer naar het open terrein met het vele struikgewas. De motorrijder had zijn pistool weer omhooggebracht. Het kostte hem zichtbaar moeite zijn motor in evenwicht te houden, want dat was noodzakelijk, wilde hij zijn wapen fatsoenlijk kunnen richten. Eén factor werkt in elk geval in mijn voordeel, besefte Josh. Het was sowieso moeilijk om vanaf een rijdend voertuig te vuren, en dat werd nóg moeilijker als dat voertuig met hoge snelheid door ruw terrein rijdt.

Toen het pistool afging dook hij instinctief in elkaar: het was onmogelijk om het pistoolschot boven het gebulder van de Ranger-motor uit te horen, maar hij kon zien aan de manier waarop de hand van de man naar achteren stootte dat de kogel de kamer had verlaten, waardoor Josh nog net kon wegduiken.

Tijd om te bidden.

Het schot trof de metalen carrosserie van de pick-up. Wáár de kogel ergens was ingeslagen kon Josh onmogelijk zeggen.

Niet in mij, in elk geval, en dat is het enige dat telt.

Gebruikmakend van alle kracht in zijn been die hem nog restte, ramde Josh nog harder op het gaspedaal en probeerde het laatste grammetje vermogen uit de motor te peuren. De Ranger spoot naar voren, terwijl zijn zware wielen dikke stofwolken opwierpen. Nog dertig meter. De motorrijder zag nu dat zijn schot doel had gemist. Tijd om een besluit te nemen, maat, dacht Josh. Om te kijken of je tijd hebt om nog een keer de trekker over te halen. Of te keren en proberen te ontkomen.

Een fractie van een seconde meende hij de motorrijder met die beslissing te zien worstelen. *Een halve seconde is al te lang.*

De motorrijder bewoog zijn stuur naar links en draaide weg naar opzij. Aan die kant bevond zich een flauwe, aflopende helling, voldoende om hem wat extra vaart te geven.

Twintig meter, en elkaar razendsnel naderend.

De motorrijder was nu druk bezig te keren, terwijl zijn motor ronkte en zijn laarzen over de grond schuurden. Josh stuurde wat bij en bleef gas geven.

Tien meter.

De motorrijder gaf ook gas en drukte het achterwiel van zijn machine opzij om de U-bocht zo snel mogelijk te nemen.

Vijf meter.

'Hou je vast!' schreeuwde Josh tegen de vrouw.

Drie meter.

Het volgende moment zag hij de man en zijn machine niet meer. Plotseling voelde hij de kracht van de klap. Het begon bij de voorwielen. De Ranger stuiterde een halve meter omhoog, waarbij Josh' hoofd onzacht met het dak van de cabine in aanraking kwam: de botsing deed hem uit de bestuurdersstoel omhoogkomen. De motor sloeg af en Josh ging op de rem staan. De impact van de voorwielen was van dien aard dat een normaal iemand op slag dood zou zijn. *Nadat de achterwielen hem hadden vermalen, zouden zelfs de ratelslangen zich wel twee keer bedenken voor ze zijn restanten oppeuzelden.*

De pick-up kwam met een klap op de grond terecht. Josh voelde hem opzij zwenken toen de achterwielen vol op de omgevallen motorfiets terechtkwamen. Hij greep het stuur nog steviger vast om te proberen het voertuig weer onder controle te krijgen. Langzaam en hevig schuddend kwam de Ranger tot stilstand. Het zand dat door de wielen was opgeworpen daalde langzaam uit de lucht neer, waardoor de directe omgeving troebel en stoffig was: Josh' longen vulden zich met de nietige stofdeeltjes die niet alleen zijn ademhaling belemmerden, maar er ook nog eens voor zorgden dat hij bijna niets meer kon zien.

Plotseling voelde hij alle energie uit zich wegvloeien. Tijdens het duel had de adrenaline zijn pijn onderdrukt, maar nu kwam die in alle hevigheid terug. Zijn been was nagenoeg verlamd van pijn en er kwam nog steeds bloed uit de open wond in zijn nek. Hij keek achterom. Tien meter naar rechts lag de motorfiets geplet en gemangeld op de grond. Het stuur was in het voorwiel gedrukt, omringd door een warrige spaghetti van buizen, banden, uitlaten en wielen. De benzinetank was opengebarsten, maar er was geen brand uitgebroken; de vloeistof had zich verspreid over het motorwrak, dat nu met een dun olielaagje was bedekt. Josh tuurde ingespannen naar een punt vlak achter de restanten van de motor.

Eerst zag hij het been. Het been was op een verhoudingsgewijs cleane manier afgerukt, zag hij. De laars was waarschijnlijk aan de onderkant van de Ranger blijven hangen, terwijl het lichaam aan de gemangelde motor vast was blijven zitten, zodat het been in één keer uit de gewrichtsholte was gerukt, en de spieren, aderen en zenuwen los waren gesprongen als een peulvrucht die werd leeg gedrukt. Zes meter verderop lag de rest van het lichaam met het gezicht omlaag in het zand. Uit de gewrichtsholte waarin het been had gezeten kolkte nog steeds bloed.

Niemand was in staat zo'n soort pijn te overleven. *Die was ondraaglijk.*

De motorrijder was dood.

Josh draaide opnieuw de contactsleutel om en kreeg de pick-up weer aan de praat. Moeizaam zette hij hem in zijn achteruit en maakte gebruik van de achteruitkijkspiegel om de Ranger over het geknakte lichaam van zijn tegenstander te sturen. 'In duizend stukjes uiteengevallen, jongen,' mompelde Josh terwijl door de wielen van de Ranger opgeworpen kleinere brokstukken, samen met wat zand en steentjes, over het nog bloedende lichaam van de motorrijder werden verstrooid.

Josh stuurde de pick-up terug naar de weg, liet de motor stationair lopen en zakte toen achterover in zijn stoel. De pijn begon het nu van hem te winnen. Josh voelde hoe hij zich steeds moeilijker kon concentreren. Het enige dat nu nog telde was proberen de vreselijke pijn terug te dringen, een pijn die zich in elke centimeter van zijn lichaam leek te nestelen. Hij voelde hoe hij bang begon te worden.

'Ik rij wel,' zei de vrouw, die zich over hem heen boog en hem uit de bestuurdersstoel begon te trekken. Moeizaam wisselden ze weer van plaats. 'Ik breng je naar huis. Je moet dringend behandeld worden.'

Josh was niet van plan zich te verzetten. Hij schoof weer terug naar de passagiersplaats en probeerde zijn hoofd te ruste te leggen in de ruimte tussen zijn stoel en die van de bestuurder. Hij voelde hoe de vrouw met haar hand over zijn voorhoofd streek om te kijken of hij koorts had. Voor die aanraking alleen al was hij haar dankbaar.

Niets was afgrijselijker dan de gedachte in je eentje te moeten sterven. En momenteel heb ik het gevoel dat ik best eens zou kunnen doodgaan, bedacht Josh.

'Wie ben ik?' vroeg Josh, en hij keek op, recht in de ogen van de vrouw.

Ze haalde haar schouders op en wierp met een snelle beweging van haar hoofd een lok rood haar die over haar voorhoofd was gevallen naar achteren. 'Hoe zou ík dat moeten weten? Ik heb je alleen maar gevonden – aan de kant van de weg.'

Josh moest zijn uiterste best doen zijn ogen open te houden, om ervoor te zorgen dat hij het bewustzijn niet verloor. Plotseling had hij het gevoel dat als hij nu zijn ogen sloot, hij die misschien nooit meer zou openen. Zelfs in de bedompte, klamme cabine van de Ranger kreeg hij het steeds kouder. 'Nee, ik meen het,' zei hij, en greep de hand van vrouw vast. 'Ik weet niet wie ik ben.'

2

Dinsdag 2 juni. 's Middags.
Josh' voorhoofd was bedekt door een dikke laag transpiratie. Met grote tegenzin opende hij zijn ogen. Toen hij naar het raam keek werd hij door het licht overspoeld. Door de deuropening zag hij een halfopen binnenplaats waar op het gravel twee pick-ups stonden geparkeerd, plus een schuur die eruitzag alsof hij al jaren leegstond. Ergens in de verte hoorde hij een hond blaffen, maar verder was het volkomen stil. De hitte was nog steeds verstikkend.

De vrouw boog zich over hem heen, met in haar ene hand een pluk watten en in de andere een flesje ontsmettingsmiddel. Opnieuw dat parfum, bedacht Josh terwijl de geur over hem heen dreef. *Hoe heette het ook alweer, verdomme?*

De vrouw druppelde wat ontsmettingsmiddel op de watten en wreef er vervolgens mee over Josh' arm.

Een pijnscheut schoot door zijn lichaam en drong tot diep in zijn ruggengraat door. Hij duwde haar opzij. 'Nee,' bracht hij beslist uit.

'Laat me nou maar,' reageerde ze. 'Ik ben arts.'

Josh keek naar haar op. Ze droeg een blauwe rok van spijkerstof en een witte blouse waaronder Josh nog net de omtrekken van een witkanten beha kon zien zitten. Haar gezicht was van enige make-up voorzien – een beetje poeder en wat lichtrode lippenstift – maar ze zag er nog steeds fris en naturel uit. Haar haren zaten in de nek bijeengebonden terwijl ze haar zonnebril op haar voorhoofd had geschoven.

'Arts?' zei Josh, en aan zijn stem was duidelijk te horen dat hij verrast was.

De vrouw knikte. 'En jij bent ziek. Heel ziek. Dus blijf rustig liggen en laat me je verzorgen.'

Josh liet zijn blik weer door het vertrek dwalen. Waar hij zich ook mocht bevinden, dit was in elk geval geen ziekenhuis. En ook geen spreekkamer van een arts. Het vertrek mat ongeveer drie bij anderhalve meter, met aan de zijde die uitkeek op de binnenplaats openslaande deuren. Het was licht grijscrème geschilderd, maar Josh dacht dat het minstens vijf jaar geleden was dat hier iemand met een verfkwast bezig was geweest. De wanden waren kaal en het eenpersoons bed waarop hij lag had een houten frame, terwijl er een dun laken over zijn lichaam was gedrapeerd. Naast het bed stond een kan met ijswater met een handdoek ernaast. Verder was het vertrek leeg.

Josh lag met zijn hoofd op een kussen. Aan de zijkant van zijn nek zat een dik verband en daaronder was zijn huid gloeiend heet. Zijn hoofd klopte van de pijn, alsof iemand aan de binnenkant van zijn schedel druk bezig was stukjes hersenen weg te hakken. Het doffe, pijnlijke kloppen van zijn hoofd leek op het regelmatige slaan van een jazzdrummer. Elke drie seconden een nieuwe klap die het hem nagenoeg onmogelijk maakte fatsoenlijk na te denken.

Het belangrijkste eerst, hield hij zichzelf voor. Probeer erachter te komen waar je bent, wat er met je aan de hand is. Door wie ben je gisteren aangevallen? *En wie bén je, verdomme?*

De vrouw wreef nog wat ontsmettingsspul op zijn arm, waarbij er opnieuw een pijnscheut door hem heen joeg. Ze wachtte even, alsof ze zich afvroeg waar ze moest beginnen. 'Je bent door een kogel geraakt,' merkte ze op. 'Twee keer zelfs.'

Josh knikte. 'Hoe erg is het met me?'

'Eentje in je nek – die heeft de meeste schade aangericht,' antwoordde de vrouw. 'Die is links van de luchtpijp naar binnen gegaan en heeft een stuk weefsel weggeslagen. Een centimeter meer naar rechts en je was dood geweest. Ik heb die wond schoongemaakt en alle geïnfecteerde huid weggehaald. Dat verband moet minstens twee weken om je nek blijven zitten en ik zal het om de drie dagen moeten vernieuwen. Als je ervoor zorgt dat het schoon blijft moet het genezen. Je hebt geluk gehad.'

Ze klónk als een arts, bedacht Josh. Ze kon met een koele, professionele afstandelijkheid over zijn verwondingen spreken, alsof ze uitlegde hoe er een machine moest worden gerepareerd.

'De tweede kogel is dwars door je linkerkuit gegaan. Onplezierig en pijnlijk, maar aanzienlijk minder gevaarlijk. Er is een stuk vlees weggeslagen, maar er zijn geen slagaders geraakt. De kogel is in het weefsel blijven steken, maar ik heb hem er uitgehaald en ik denk dat de wond nu vrij schoon is. Je hebt minstens twee liter bloed verloren en je zult er een vervelend litteken aan overhouden, maar het geneest in elk geval. Laat dat verband er een paar dagen omheen zitten, dan zal ik er een dezer dagen weer eens naar kijken.'

De vrouw keek Josh wat aandachtiger aan. 'Je bent sterk,' zei ze zacht. 'Veel mannen zouden aan deze verwondingen zijn bezweken. Je weet wel hoe je een kogel moet opvangen.'

Josh zuchtte eens. Het kloppen in zijn hoofd was nog steeds nadrukkelijk aanwezig. Hij boog zich half uit bed, schonk een glas water voor zich in en bracht dat naar zijn lippen. Zijn lichaam voelde warm aan en hij vermoedde dat hij naast zijn verwondingen ook nog koorts had. 'Wat heb je precies met me gedaan?' vroeg hij.

'Ik heb je opgelapt en je wonden schoongemaakt, en je vervolgens wat pijnstillers gegeven,' antwoordde de vrouw. 'Neem maar van mij aan dat je je zonder een stuk ellendiger zou voelen. Ik heb hier geen bloed, maar als ik dat wel had zou ik je er een litertje van toedienen. Dat bloedverlies maakt dat je je een stuk zwakker voelt. Wat je nodig hebt zijn een paar dagen in bed, een hoop rust en veel eten, daarna zul je pas weer een beetje op krachten komen. En dan gaan we ons pas zorgen maken over het genezen van je verwondingen.'

Josh keek haar aandachtig aan, zag hoe ze zich hield terwijl ze sprak. Ze wist in elk geval waar ze het over had.

'Wie ben jij?' vroeg hij.

De vrouw nam de zonnebril van haar voorhoofd en stak hem haar rechterhand toe. 'Het spijt me, we zijn nog niet aan elkaar voorgesteld,' reageerde ze, en er speelde een ontspannen glimlach rond haar lippen. 'Ik ben Kate. Kate Benessia.'

'Hoe lang heb ik geslapen?' vroeg Josh.

'Meer dan een etmaal,' zei Kate, die haar zonnebril weer terugstak. 'We zijn hier gisteren even na enen aangekomen. Het is nu dinsdagmiddag drie uur. Je hebt zesentwintig uur geslapen, en neem maar van mij aan dat je dat hard nodig had. Het komt deels door de pijnstillers, maar ik heb je ook wat slaappillen gegeven. Een man in jouw toestand heeft veel rust nodig.'

Josh zweeg en dronk nog wat water. Zijn keel voelde aan alsof die uit rots was gehouwen en het kloppen in zijn hoofd zorgde ervoor dat hij zich nauwelijks kon concentreren. Niets leek te kloppen, hield hij zichzelf voor. Wie is zij? *Wat doe ik hier?*

'Waar zijn we?' vroeg hij.

'In de buurt van Fernwood, in Coconino County,' antwoordde Kate. 'Hoewel dat maar een klein plaatsje is met een benzinestation, een cafetaria en een winkel, en zelfs van dát plaatsje zijn we hier drie kilometer verwijderd. Boisdale is een stuk groter, maar dat ligt vijftien kilometer verderop. Dus je zou kunnen zeggen dat we in de *middle of nowhere* zitten.'

Josh keek naar de binnenplaats. De grond daar was kurkdroog, het oppervlak gebarsten. Hier en daar was er wat onkruid opgeschoten, maar zelfs dat leek verdroogd en dood. 'Het spijt me. Ik heb zelfs geen flauw idee in welk land ik ben.'

Kate lachte. 'Weet je dat écht niet?' Ze keek in de richting van het raam. 'Coconino ligt in Arizona. Dat maakt onderdeel uit van een land dat de Verenigde Staten wordt genoemd. Een groot land dat tussen de Atlantische en de Grote Oceaan in ligt. Misschien heb je er wel eens van gehoord.'

Josh had wel eens van dat land gehoord. Het zag ernaar uit dat zijn algemene kennis nog aanwezig was. Hij wist hoe de hoofdstad van Frankrijk heette en hoeveel centimeter er in een meter gingen. Hij wist alleen helemaal niets meer over zichzelf, terwijl ook zijn verleden volledig was verdwenen.

Als ik maar niet meer zo'n hoofdpijn had, bedacht Josh. Ik moet me concentreren op wie ik ben, en hoe ik hier ben terechtgekomen. *Ik moet me weer dingen gaan herinneren.*

Kate deed haar zonnebril af en keek aandachtig op hem neer. 'Waarom lag je met twee kogelgaten in je lijf in die greppel?'

'Dat weet ik niet,' zei Josh.

'Oké, we zullen ons later maar eens verdiepen in hoe je die verwondingen hebt opgelopen. Goed, hoe heet je?'

In Josh' hoofd ontstond een kille angst die vervolgens langs zijn ruggengraat naar beneden kroop om zich daarna in elke zenuw van zijn lichaam te verspreiden. 'Dat heb ik je al gezegd, dat weet ik niet.'

Kate glimlachte, maar tegelijkertijd verstrakten haar lippen en verscheen er een ontstemde uitdrukking op haar gelaat. Het was het soort geforceerde glimlach die artsen voor lastige patiënten gebruiken. 'Haal eens diep adem, ontspan je, en vertel me dan hoe je heet.'

Josh voelde hoe zijn handen begonnen te trillen

Ik weet het niet, herhaalde hij in zichzelf. *Ik weet niet eens hoe ik heet.*

'Doe maar rustig aan,' zei Kate. 'Spreek maar hardop uit. Mijn naam is...'

Josh aarzelde. 'Mijn naam is...'

Niets.

Een wond was één ding. Een stuk staal kon zich in je been boren, en na een paar weken was er helemaal niets meer van over om je nog aan het voorval te herinneren, op een litteken na. Een militair kon zijn geld kwijtraken, veel van zijn bloed zelfs, maar daarvan kon hij nog steeds herstellen. Maar zonder naam was hij helemaal niets.

Beheers je, man. Denk goed na. *Die naam móét ergens zijn, je moet hem alleen proberen te vinden.*

'Ik... ik weet het niet meer; ik kan hem me niet meer herinneren,' zei Josh, en hij keek naar Kate op.

Hij zag aan haar gelaatsuitdrukking dat ze hem wantrouwde. Haar ogen versmalden zich en er verscheen een diepe frons op haar voorhoofd. 'Denk goed na,' zei ze. 'Ontspan je en denk goed na.'

Josh schudde zijn hoofd. 'Het lukt me niet,' stamelde hij nerveus. 'Ik weet het echt niet.'

'Weet je hoe oud je bent?' zei Kate.

Hoe oud ben ik? vroeg Josh zich af. Ik voel me momenteel honderddrie, maar zo oud ben ik natuurlijk niet. Hij probeerde na te denken, nam even de tijd om het te proberen en het kloppen in zijn hoofd onder controle te krijgen. Niets. De herinneringen waren er gewoonweg niet.

'Dat weet ik niet,' antwoordde hij.

'Oké,' zei Kate. 'De naam van je moeder?'

'Niets,' antwoordde Josh hoofdschuddend. 'Is zo'n soort geheugenverlies mogelijk?' vroeg hij, terwijl hij weer naar Kate opkeek. 'Medisch gezien?'

'Het komt niet veel voor, behalve wanneer er sprake is van overvloedig drugsgebruik,' zei ze. 'Maar het kán ook het gevolg zijn van zware verwondingen. Misschien dat die kogelwond in je nek iets met het zenuwstelsel heeft gedaan.'

Josh sloot heel even zijn ogen. Hij probeerde het opnieuw, pijnigde zijn hersenen in een poging zich iets te herinneren, maar het was net of hij het gaspedaal indrukte van een auto waarvan de benzinetank leeg was.

'Kan zich dat weer herstellen?' Hij keek haar aandachtig aan, benieuwd naar haar reactie.

Kate sloeg haar ogen neer, maar keek hem vervolgens weer ernstig aan. 'Dat hangt ervan af,' zei ze langzaam. 'Gewoonlijk is het een korte-termijnaangelegenheid. Een paar dagen rust en herstel, dan moet het geheugen geleidelijk aan weer terugkomen.' Er speelde plotseling een glimlach rond haar lippen. 'Over een maand herinner je je de verjaardag van je nichtjes weer.'

'En in het andere geval?' vroeg Josh. 'Wat dan?'

'Ik ben geen deskundige op dit gebied, dus kan ik er weinig zinnigs van zeggen,' antwoordde Kate. 'Het geheugen is een uiterst delicaat iets. Niemand begrijpt echt hoe het werkt, hoe onze herinneringen worden opgeslagen. Mensen vergeten voortdurend van alles, herinneren het zich dan weer, om zich later hetzelfde weer nét iets anders te herinneren. Wie zal zeggen hoe dit alles bij ons functioneert?'

'Wil dat zeggen dat de kans bestaat dat ik er last van blijf houden?'

'Dat wil zeggen dat als het geheugen over een week of twee niet op natuurlijke wijze is teruggekeerd, je in vreemd gebied terecht zult komen, een gebied dat de artsen niet zo goed begrijpen.'

Josh liet zijn hoofd weer op het kussen zakken. Hij moest de wanhopige neiging onderdrukken het verband van zijn nek te rukken en aan de wond te krabben; die jeukte enorm, alsof er zojuist peper in de open wond was gestrooid. Zijn been deed ook pijn, en zijn ogen begonnen als gevolg van het constante kloppen in zijn hoofd te tranen. Er was een vlieg door het open raam naar binnen komen vliegen. Het insect schoot langs Josh' hoofd en landde vervolgens op de zijkant van zijn gezicht, maar hij had de kracht niet hem weg te slaan. Kate veegde de vlieg van zijn wang.

'Ik weet helemaal niets over mezelf,' zei hij, het woord eerder tot zichzelf richtend dan tot de vrouw naast zijn bed. 'Ik weet niet eens wat ik doe voor de kost.'

'Hij is soldaat,' zei een man in de deuropening.

Josh keek op. De man was een jaar of zestig oud, met grijs, naar achteren gekamd haar dat zo lang was dat het tot zijn schouders reikte. Hij droeg een zwarte spijkerbroek en een blauwlinnen shirt. Zijn huid was gebruind en verweerd, alsof de man uit een blok graniet was gehouwen. En zijn neus was opvallend lang.

'Dit is mijn vader,' zei Kate. 'Marshall.'

Marshall liep het vertrek binnen, bleef naast het bed staan en liet zijn blik over Josh glijden alsof hij met een stuk vee op de markt te maken had: hij probeerde zonder ook maar een spoortje sympathie Josh' karakter en eigenschappen in te schatten.

'U zei dat ik soldaat was?' sprak Josh.

Marshall knikte. 'Ja,' antwoordde hij. 'Je hebt de lichaamsbouw van een militair. En ik ga ervan uit dat je ook aardig wat acties hebt meegemaakt.' De woorden werden langzaam en zorgvuldig uitgesproken.

Josh probeerde overeind te komen, maar de pijn in zijn lichaam was te hevig: het lukte hem weliswaar zijn spieren zo ver te krijgen dat ze enigszins bewogen, maar gehoorzamen deden ze nog steeds niet. 'Waarom zegt u dat?'

'Ik ben zelf ook soldaat geweest,' reageerde Marshall. 'Vietnam. Twee operationele periodes van elk één jaar. Van 1968 tot '69. En daarna nog een keertje van 1971 tot '72. Toen het er op z'n ellendigst was. Ik heb heel wat mannen gewond zien raken. Dus denk ik dat ik die verwondingen nog wel herken.'

Hij boog zich naar voren en sloeg voorzichtig het katoenen laken opzij waaronder Josh lag. Hij wees op een litteken dat over de buik liep. 'Zie je dit?' vervolgde hij, en liet zijn stem zakken tot een zacht gefluister. 'Een steekwond. Wie hem jou ook mag hebben toegebracht, de persoon in kwestie had het duidelijk op jouw hart gemunt, maar je rolde opzij, zodat het mes in je buik is terechtgekomen. Dat komt door een militaire training. Als er met een mes naar je wordt uitgehaald, en je kunt er niet meer aan ontkomen, zorg er dan voor dat het jou raakt op een plek waar het zo min mogelijk schade kan aanrichten.'

Marshall deed een stapje opzij. 'En dan deze,' zei hij, en wees naar de bovenkant van Josh' been. 'Dit is het litteken van een dumdumkogel waardoor je getroffen bent. Dat soort munitie vind je uitsluitend in oorlogsgebieden.'

Marshall haalde zijn schouders op. 'Al die littekens op je lichaam moeten de een of andere verklaring hebben. Je zou natuurlijk ook een kleine drugsdealer kunnen zijn die net één keertje te veel met zijn concurrenten op de vuist is gegaan, maar dat geloof ik niet. Kijk, hier heb je aan de zijkant van je ribbenkast een hele serie kleine wondjes. Dat zijn fragmentatieverwondingen, het soort dat je oploopt als er een handgranaat explodeert. Daar maak ik uit op dat je militair bent.'

'Wat voor een soort militair?' vroeg Josh.

Marshall haalde zijn schouders op 'Eentje met veel geluk, zou ik willen zeggen, en dat zijn de besten. Je hebt gisteren behoorlijk wat verwondingen opgelopen, en je hebt vroeger ook al het een en ander moeten incasseren. Maar je leeft nog. Wees daar dankbaar voor. Er zijn voldoende lui die zoiets niet meer kunnen navertellen.' Hij liet zijn rechterhand door zijn lange, grijze haar glijden. 'En dan die tatoeages. Die hebben ook duidelijk militaire kenmerken.'

Op Josh' bovenarm was in dikke zwarte inkt een para-embleem getatoeëerd, dat elke keer dat hij zijn schouderspieren bewoog leek te bewegen. Onder het embleem was de letter 'O' aangebracht, met direct erna het woord 'Pos'.

'Weet je wat dat betekent?' vroeg Marshall.

Josh schudde zijn hoofd. Een para-embleem, vroeg hij zich af. *Waarom staat dat in godsnaam op mijn arm afgebeeld?*

'Dat geeft aan dat je bij het Britse Parachute Regiment zit of hebt gezeten,' zei Marshall. 'En O-pos staat voor jouw bloedgroep. Veel militairen hebben die informatie op hun lichaam laten tatoeëren, zodat de artsen onmiddellijk weten wat ze je moeten toedienen als je onverhoopt zwaargewond van het slagveld wordt geëvacueerd en op korte termijn een bloedtransfusie moet ondergaan.'

'Hij heeft slaap nodig, pap,' onderbrak Kate haar vader.

Josh keek naar Marshall op. 'We zijn achtervolgd door iemand op een motor,' zei hij. 'Iemand die probeerde ons te vermoorden.'

'Klaarblijkelijk ben je niet echt populair,' merkte Marshall droogjes op.

'Wie wás dat, verdomme?' snauwde Josh.

Kate keek hem fel aan. 'Jij moet slapen,' herhaalde ze.

'Ik wil weten wie die knakker op die motor was,' repliceerde Josh.

'Later. Eerst ga je slapen,' reageerde Kate.

Josh zag de injectienaald in haar hand. Een lichtbundel viel nog net op het uiteinde ervan. Hij kromp ineen toen de naald naar zijn been werd gebracht en hapte naar adem toen hij voelde hoe de punt ervan zijn huid doorboorde. Het volgende moment voelde hij hoe de vloeistof zich in zijn bloedstroom verspreidde.

'Wat is dit?' snauwde hij, en keek naar Kate op.

'Rustig maar,' zei Marshall. 'Ze probeert je alleen maar te helpen.'

'Hierdoor val je makkelijker in slaap,' zei Kate zacht. 'En dat heb je nodig. Je bent erg verzwakt.'

Josh voelde hoe zijn ogen dichtvielen. Een ogenblik lang verzette hij zich. Hij werd overvallen door een angstig gevoel. Hij voelde de zweetdruppels over zijn voorhoofd rollen. Beheers je, droeg hij zichzelf voor de tweede keer die middag op. Alles komt weer in orde. Je hebt alleen maar slaap nodig, dan komen je krachten vanzelf weer terug. *Dan kun je proberen erachter te komen wie je bent en wat er met je is gebeurd.*

Zijn hersenen ledigden zich. Op één enkel beeld na, een beeld dat nu door zijn hoofd flitste. Heel even was dat even helder en duidelijk als het beeld op een bioscoopscherm. Een jongen die rende. Iemand die op de grond viel…

3

Woensdag 3 juni. 's Ochtends.
Josh reikte naar zijn voorhoofd. Het zweet was er nog steeds, maar minder dan hij zich van gisteren herinnerde. Een licht briesje zweefde via de twee geopende deuren naar binnen: de lucht was warm maar droog, en op de een of andere manier verkoelde de beweging zijn gelaat enigszins.
Ga slapen, zei hij tegen zichzelf. *Je moet weer op krachten komen.*
Langzaam opende hij zijn ogen. Het licht was fel, maar hij zag vanuit zijn bed te weinig van de zon om ongeveer te kunnen bepalen hoe laat het was. Ochtend, was het enige dat hij zeker wist. Hij stak zijn hand uit naar het water, schonk een glas vol en dronk dat in een paar slokken op. De huid in zijn mond was nog steeds kurkdroog, zoals een mond kan aanvoelen na een avond stevig doordrinken, en zelfs een tweede glas water hielp nauwelijks.
Hij had nog steeds een kloppend gevoel in zijn hoofd, maar nu leek het erop alsof iemand de binnenkant van zijn hoofd stond af te bikken met een schroevendraaier, en niet langer meer met een beitel.
Hartelijk welkom op deze nieuwe dag, zei Josh tegen zichzelf, waarbij zijn lippen verwrongen waren tot een grimlach. *Mr. Nobody.*
Hij probeerde zich overeind te duwen. Zijn omzwachtelde nek deed nog steeds pijn en de beenwond stak aan zijn zenuwuiteinden. Maar zijn torso begon zich steeds meer te herstellen: in zijn bovenlichaam keerde de kracht langzaam maar zeker terug. Hij voelde hoe er steeds meer bloed door zijn aderen werd gepompt. Met behulp van zijn ellebogen drukte hij zich omhoog en hij haalde daarbij diep adem. Hij ging op de rand van het bed zitten. Naast de enige stoel in het vertrek stond een oude kruk, gemaakt van aluminium en plastic. Nog geen halve meter ervan verwijderd.

Dat moet me lukken.

Josh probeerde te gaan staan. Hij kromp ineen toen zijn been tegen de beweging in opstand kwam. Vrijwel direct daarna schoot er een wit-hete pijnscheut door hem heen. Hij ging weer zitten, sloot zijn ogen en probeerde de pijn onder controle te krijgen. Tellen, hield hij zichzelf voor. Doe alles om er niet aan te hoeven denken.

Toen hij bij vijftig was, probeerde hij het opnieuw. Een stuk voorzichtiger deze keer. Hij steunde alleen op zijn rechterbeen, hield zich met behulp van zijn armen in evenwicht en maakte een klein sprongetje. Hij voelde zichzelf wankelen en een ogenblik lang was hij bang dat hij zou vallen en op zijn gewonde been terecht zou komen. Maar hij slaagde erin zijn evenwicht te bewaren en de kruk te pakken te krijgen. Hij hield die krampachtig vast alsof het om de laatste reddingsboot ging die het zinkende schip zou verlaten.

Blijf overeind, man. Je kúnt het.

Steunend op de kruk begon Josh pijnlijk naar voren te strompelen. Hij pakte een blauwe ochtendjas die aan de binnenkant van de deur aan een haakje hing en stapte vervolgens naar buiten. Het was heerlijk om weer zonlicht op zijn gezicht te voelen en de geur van buiten op te snuiven. De binnenplaats mat pakweg zes bij vierenhalve meter. Hier en daar groeide er wat struikgewas, terwijl hij in een hoek een traag druppelende kraan ontwaarde. Rechts van hem zag hij twee pick-ups staan: de Ranger, die eruitzag alsof hij aan flarden geschoten was, en een drie jaar oude Chevrolet Avalanche, die, afgezien van de dikke stoflaag waarmee de carrosserie bedekt was en een ondiepe deuk boven het linkerachterwiel, nog in redelijke staat leek te verkeren. Josh keek op. In de verte zag hij een berg: een dikke plak roodachtige rots die eruitzag alsof hij vanuit de ruimte lukraak in de woestijn was gekwakt. Ongeveer anderhalve kilometer verderop langs de rechte, eentonige weg zag hij nog een ander gebouw liggen, maar of het een schuur was of een huis kon hij van deze afstand onmogelijk zeggen. Afgezien van dat gebouw was het landschap verder leeg: enkel zand en struikgewas zo ver het oog reikte.

Waarom zou iemand hier willen wonen? vroeg hij zich af.

Een ogenblik lang leunde Josh tegen het raam in een poging zichzelf weer onder controle te krijgen. Mijn herinneringen, vroeg hij zich af. *Waar zijn mijn herinneringen gebleven?*

Hij begon opnieuw zijn hersenen te pijnigen, maar het was net alsof hij door een pikdonkere doolhof liep. Hij stelde zich dezelfde vragen als hij gisteren had gedaan – hoe heet ik, hoe oud ben ik, wie was mijn moeder – maar hoe hij zijn best ook deed, er kwam helemaal niets.

Het hoofdgebouw lag tien meter verderop. Een lage bungalow, naar alle waarschijnlijkheid prefab, op de huizenladder nét een stapje hoger dan een stacaravan. Het huis was rechthoekig, ongeveer twintig meter lang en opgesplitst in verschillende vertrekken. Pal naast het huis stond een satellietschotel, maar verder had niemand ooit iets aan de buitenkant van het exterieur gedaan. De laatste jaren in elk geval niet.

Josh deed een stapje naar voren en beet op zijn lip om de pijn in zijn been te onderdrukken. Hij hoorde stemmen, stemmen die blijkbaar van een televisie afkomstig waren. 'Is daar iemand?' riep hij, leunend tegen de aluminium sponning van de openslaande deuren die vanuit de keuken toegang boden tot de binnenplaats.

Kate keek geschrokken op. 'Jij,' zei ze. 'Je hoort in bed te liggen.'

Josh strompelde naar haar toe en gebruikte de kruk om in evenwicht te blijven. De keuken zag eruit alsof hij afkomstig was uit een tien jaar oud bouwpakket van Wal-Mart: langs alle wanden was een formica werkblad aangebracht, slechts onderbroken door een gootsteen, een fornuis en een paar kastjes. Kate zat aan een houten tafeltje – goedkoop vuren – en was bezig een bordje cornflakes naar binnen te werken. De televisie in de hoek stond op Fox News afgestemd.

'Als ik kan lopen, zál ik lopen,' zei Josh. 'Het eerste wat ik terug wil is mijn wilskracht.'

Kate knikte. Ze droeg een lichtblauwe broek en een ruimvallende blouse waarvan de twee bovenste knoopjes openstonden, waardoor er pakweg twee centimeter van het vol sproeten zittende gleufje tussen haar borsten te zien waren. Een beetje poeder en wat lippenstift hadden haar gezicht wat opgefleurd. 'Ga zitten,' beval ze, en gebaarde naar de enige andere stoel. 'Het laatste wat je moet doen is dat been belasten.'

Josh ging aan tafel zitten. Uiteraard kon hij zich niet herinneren of hij ooit eerder met een kruk had gelopen, maar daar was oefening voor nodig. En het was vermoeiender dan het eruitzag: de schouders en armen moesten zijn hele gewicht dragen. Zelfs het afleggen van die paar meter zorgde ervoor dat er op de wond in zijn hals extra druk werd uitgeoefend.

Hij nipte van de koffie die Kate voor hem op tafel had gezet. De cafeïne trof hem zoals een boom door een storm getroffen kon worden: toen het spul in zijn bloedbaan terechtkwam voelde hij zijn hoofd heen en weer zwaaien. Het was nu al twee dagen geleden dat hij naast water nog iets anders had gedronken, en hij voelde hoe de schok van de koffie door hem heen trok, waardoor er een plotselinge en onverwachte energie-uitbarsting plaatsvond.

Josh wierp een zijdelingse blik op de televisie. De nieuwslezer had het over een stroomstoring in Memphis die de vorige avond blijkbaar had plaatsgevonden: het licht was een paar minuten lang uit geweest, waardoor er in de stad een begin van paniek was ontstaan en de schrik er nu goed in zat. 'Zou het een herhaling van de Drie-stedenaanslag van eerder dit jaar kunnen zijn?' vroeg de nieuwslezer zich af. 'Na de reclame komen we hierop terug.'

Kate keek Josh aan. 'En hoe voel je je?' vroeg ze.

Hij zweeg even. Die vraag was moeilijk te beantwoorden. Hij verkeerde in een slechte conditie, maar eerlijk gezegd een stuk minder slecht dan hij zich een etmaal geleden had gevoeld. *Fysiek gezien begin ik me misschien beter te voelen, hoewel ik nog een lange weg heb af te leggen voor ik weer helemaal gezond ben,* besefte hij. *Mentaal gezien heb ik me nog nooit zo rot gevoeld.*

'Als een veldmuis die zojuist ruggelings door een maai- en dorsmachine is gehaald.' Josh glimlachte. 'Maar het gaat al wat beter met me, denk ik, hoewel het nog langzaam gaat.'

'We zullen je binnenkort eens aan een degelijk onderzoek onderwerpen,' zei Kate. 'Bloeddruk, temperatuur, de hele rimram. Ik wil het verband vandaag nog laten zitten, zodat de wonden niet worden verstoord. Ik zal morgen nieuwe aanbrengen.' Ze stond op en haalde een voorraadfles met cornflakes uit een van de kastjes. 'En nu moet je eerst wat eten. Er moeten weer wat calorieën door dat systeem van jou worden opgenomen. Hou je van cornflakes?'

'Dat kan ik me niet meer herinneren,' antwoordde Josh, en hij keek Kate heel even aan. 'Ik zal ze eens proberen.'

Kate zette het eten op tafel. Josh doopte zijn lepel in het bord met cornflakes en bracht hem naar zijn lippen. Zijn keel was droog en deed nog steeds pijn, terwijl het slikken hem ook nog moeilijk viel. Het eten smaakte prima; een tikkeltje flauw, maar hij voelde hoe de energie weer naar hem terugvloeide, zijn krachten terugkeerden. *Ik heb in elk geval* mijn trek weer terug, en dat is tenminste een begin.

'Ook al weet ík niet wie ik ben,' zei Josh terwijl hij het bord wegschoof en nog een slokje van zijn koffie nam, 'er loopt iemand rond die dat wél weet – want ze hebben per slot van rekening geprobeerd me te vermoorden.'

'En dat was ze bijna nog gelukt ook,' zei Marshall.

De vader van Kate was net de keuken binnen komen lopen. Hij schonk een kop koffie voor zichzelf in en keek vervolgens Josh eens aan. 'Wat denk je dat er gebeurd is?'

'Iemand heeft geprobeerd me te vermoorden,' herhaalde Josh. 'Meer weet ik niet.'

'Of heb jíj soms geprobeerd iemand te vermoorden?' vroeg Marshall.

Josh zweeg enkele ogenblikken. De gedachte dat hij wel eens iemand gedood zou kunnen hebben had al een tijdje ergens in zijn onderbewustzijn opgeslagen gelegen. *Als je je niet herinnerde wie je was, kon je onmogelijk zeggen waartoe je in staat was.*

Marshall glimlachte, waardoor de rimpels in zijn verweerde gezicht nog dieper werden. 'Zelfs hier in Arizona gaan we ervan uit dat als een man met een stuk of wat kogelgaten rondloopt, hij recentelijk een bekende tegen het lijf is gelopen die hem niet zo heel erg graag mocht. Het probleem, jongen, is alleen dat we geen flauw idee hebben wie je bent.'

'Wat had ik aan?' vroeg Josh.

'Een spijkerbroek en een zwart T-shirt,' antwoordde Kate. 'Die zaten onder het bloed, en in de spijkerbroek zit ter hoogte van de plaats waar de kogel je been is binnengedrongen een gat. Ik heb het allemaal weggegooid. Marshall heeft nog wel wat broeken en T-shirts over – zodra je het gevoel hebt dat je weer fatsoenlijk kunt lopen, kun je wel wat van hem lenen.'

Josh boog zich naar voren en steunde op de tafel. 'Had ik dan niets bij me?' wilde hij weten. 'Geen portemonnee, geen rijbewijs, of een creditcard?'

Kate schudde haar hoofd. 'Je had alleen drieduizend dollar aan bankbiljetten in je achterzak zitten. Ik heb het geld daar op de plank gelegd, in een envelop. Als je het nodig hebt hoef je het maar te pakken. Maar verder had je niets bij je. Geen enkele aanwijzing wie je zou kunnen zijn.' Ze zweeg even. 'Je bent duidelijk iemand die het liefst met zo min mogelijk bagage reist.'

'Drieduizend dollar,' zei Marshall. 'Wie heeft dat soort bedragen nou op zak?'

Josh hulde zich in stilzwijgen.

'Een gangster?' probeerde Marshall.

Josh drukte zijn knokkels tegen elkaar. 'Daar komen we wel achter zodra we weten wie ik ben,' merkte hij op, meer tegen zichzelf dan tegen Kate en haar vader. 'Nu wil ik eerst weten wie me naar de andere wereld probeerde te helpen en waarom? Wat deed ik daar, verdomme nog aan toe?' Hij tuurde naar de vloer. 'Als ik dát eenmaal weet, kan ik proberen achter mijn identiteit te komen.'

De sandwich smaakte goed. Een dikke plak kalkoen met een paar blaadjes sla erbovenop met daaroverheen nog een stevige dot mayonaise, en dat alles tussen twee dikke sneden stevig witbrood. Josh zette er zijn tanden in en scheurde er een stuk van af. Hij nam een slokje van de Coke waarmee hij zojuist het hoge, smalle glas had gevuld en keek naar het omringende, met struikgewas begroeide land. Dat bezat een ruw soort schoonheid. Het terrein strekte zich golvend uit tot in de verte, om bij de horizon, waar het terrein nog wat heuvelachtiger werd, als het ware weg te vallen, en werd nauwelijks verstoord door een levend wezen – zowel wat dieren als wat mensen betrof. *Als je je zou willen verschuilen, dan was dit daar een prima plek voor.*

Ik ben hier eerder geweest, hield hij zichzelf voor. Bergen. Een ruig landschap. Zand en stof. Ik weet niet waar of wanneer, maar ik heb dit – of iets wat er heel veel op lijkt – wel eens eerder gezien.

Op de een of andere manier maakt mijn geheugen die koppeling.

Kate kwam naar buiten en ging naast hem zitten. Ze hield een injectienaald in haar hand. Josh keek naar de naald en huiverde. Er was hier maar één persoon wiens huid door die naald doorboord zou worden, bedacht hij. En dat ben ik.

'Je eet in elk geval,' zei ze zacht. 'Nog een dag of twee en je zult verbaasd zijn hoe krachtig je je voelt.'

Josh knikte. 'Met mijn lichaam komt het wel weer goed. Dat voel ik. Maar het gaat om mijn hoofd.'

'Herinner je je al iets?'

Josh schudde zijn hoofd. 'Nog helemaal niets.'

'Je bent in elk geval een militair – dat hebben we vastgesteld.'

53

Josh knikte. 'Als júllie het zeggen.'

'Ik ga er ook van uit dat je een Brit bent,' vervolgde Kate. 'Aan je accent te horen.'

'Herken je dat dan?'

'Uit films en dat soort dingen. Ik ben er nog nooit geweest.' Kate nam haar zonnebril van haar voorhoofd en begon hem tussen haar vingers rond te draaien. 'Je mag dan misschien niet als Hugh Grant klinken, maar ik ga er nog steeds van uit dat je een Engelsman bent.'

'Wat doe ik dan hier?'

'In Arizona?'

Josh knikte. 'Een Britse militair. Al dan niet in actieve dienst. Ligt in een greppel met een paar kogels in zijn lijf. Dat mag je toch best raadselachtig noemen.'

'Ik zal eens wat associaties proberen,' zei Kate. 'Ik noem een woord, dan vertel jij me waar je aan moet denken. Oké?'

Josh nam nog een hap van zijn sandwich en kauwde er krachtig op. Hij had het gevoel dat als hij maar voldoende at, zodat zijn krachten terugkwamen, hij misschien ook in staat zou zijn enkele herinneringen boven water te krijgen.

'Leger,' zei Kate.

Josh stopte met eten. 'Niets,' zei hij.

'Oorlog?'

Josh schudde opnieuw zijn hoofd.

'Oké, ik ga het anders aanpakken,' zei Kate. 'Gezin.'

'Niets.'

'Ouders?'

Wederom schudde Josh zijn hoofd.

'Woonplaats?'

Josh' gezicht stond triest toen hij opnieuw het hoofd schudde.

'Samenzwering,' zei Kate.

Josh aarzelde. 'Ik,' antwoordde hij langzaam. 'Je zei "samenzwering" en ik moest aan mezelf denken.'

'Misschien leidt dat ergens toe,' zei Kate, met een opgewonden ondertoon in haar stem. 'Mysterie?' vervolgde ze.

'Televisie, film,' zei Josh, die nu zonder meer hoopvol klonk.

Kate onderbrak hem. 'Nee, we hebben échte herinneringen nodig. Geen dingen die je op de tv hebt gezien.'

'In dat geval niets,' zei Josh.

'Als jij een Brit bent, dan moet je daar ergens wonen. Liverpool misschien?'

'Ik weet het niet.'

'Londen?'

'Ik weet het niet,' herhaalde Josh.

'Wat dacht je van Manchester?'

Josh schudde zijn hoofd – dat ging bijna een gewoonte worden, bedacht hij.

'Birmingham?'

'Een opgeblazen Brummie ben ik in elk geval niet. Als dat het enige is waar ik naar uit mag kijken, dan heb ik mijn geheugen liever níét terug.'

'Hoe oud denk je dat je bent?' zei Kate.

Josh haalde zijn schouders op.

'Je ziet eruit als een jaar of dertig.'

'Dat zou best kunnen. Ik weet het niet.'

'Getrouwd?' vroeg ze.

Josh haalde opnieuw zijn schouders op. 'Dat kan ik me niet herinneren.'

Kate moest lachen en bracht haar handen naar haar lippen. 'Ik durf te wedden dat je dat tegen alle meisjes zegt.'

4

Donderdag 4 juni. 's Middags.
Josh tilde zijn arm op van het kussen. Hij hield zijn ogen dicht en probeerde het beeld vast te houden dat tijdens het wakker worden door zijn hoofd had gespeeld. Een man die viel. Een hollende jongen. En toen een schreeuw.

De schreeuw. Wat had hij precies geroepen?

Josh kneep zijn ogen stijf dicht en probeerde zich in een toestand te houden waarin hij half wakker was en half sliep. De schreeuw, herhaalde hij in zichzelf. *Wat werd daar geroepen, verdomme?*

Nee, zo werkte het niet.

Het beeld was nu verdwenen, verwezen naar de prullenmand, net als de rest van zijn herinneringen.

Josh deed zijn ogen open. Hij nam een grote slok water en keek naar de klok. Het was al na vieren in de middag. Hij moest minstens vierentwintig, misschien wel vijfentwintig uur hebben geslapen. Zijn lichaam voelde loom aan, en nog steeds enigszins vermoeid, maar zijn hoofdpijn was al een stuk minder terwijl ook de jeuk in zijn nek onder de dikke laag verband duidelijk was afgenomen.

Als er een schot is gelost, heeft míjn vinger de trekker dan overgehaald?

Vijfentwintig uur, bedacht Josh. Wat Kate ook in mijn lijf heeft ingespoten, het moet het krachtigste spul zijn dat ze in voorraad had.

Er streek een vlieg op het laken neer. Josh liet zijn vuist erop neerkomen en plette het insect tegen het witte linnen. Ik krijg mijn kracht weer terug, besefte Josh. *En mijn reflexen.*

Hij duwde zich omhoog uit het bed, gebruikmakend van alle kracht in zijn ellebogen. Uiterst voorzichtig zette hij zijn linkervoet op de vloer en liet die op de koude tegels rusten. De pijn was er nog steeds, maar die schoot niet meer zo brandend door zijn been zoals dat gisteren was gebeurd. Zijn ogen waren nog steeds bloeddoorlopen, maar de rode strepen die door zijn pupillen liepen waren minder dik. En de koortsachtige warmte van zijn voorhoofd leek ook iets afgenomen te zijn. Behoedzaam reikte hij naar de kruk en begon te lopen.

Vanaf de binnenplaats klonk een schot.

Josh kromp intuïtief in elkaar, terwijl zijn schouders zijwaarts draaiden zodat zijn ineengedoken houding zowel zijn hoofd als zijn lichaam zou beschermen tegen eventueel door het raam naar binnen vliegende kogels. Hij keek om zich heen, op zoek naar iets in de kamer dat hij als wapen zou kunnen gebruiken. Helemaal niets. Misschien dat hij met de kruk kon uithalen, maar tegen iemand met een vuurwapen kon hij er weinig mee uitrichten.

Er echode nog een schot door het lege landschap. Josh keek door het raam en zag Marshall met een pistool in de hand op de binnenplaats staan. Hij had vijftig meter verderop een rij lege blikjes neergezet, waar hij nu een voor een kogels op afvuurde.

Een militair, bedacht Josh. Ze zeiden dat ik volgens hen een militair was. En dat waren de instinctieve reacties van een militair die schoten hoort. Scherm jezelf zo goed mogelijk af. *Probeer in leven te blijven. En ga op zoek naar een manier om terug te vechten.*

Hij keek door het raam naar Marshall en zag het gemak waarmee de al wat oudere man het wapen hanteerde. Een Browning, zag Josh. Een Browning Buck Mark-kleinkaliberpistool, met zijn opvallende blauwmetalen loop en greepplaten op de kolf van gepolitoerd notenhout. Wie zijn deze mensen? vroeg hij zich af. Waarom hebben ze me in huis genomen? Waarom verzorgen ze me?

En wat willen ze van me?

Een van de blikjes was op de grond gevallen nadat een van Marshalls kogels er zich dwars doorheen had geboord.

'Mooi schot,' zei Josh terwijl hij vanuit de deuropening naar buiten stapte.

De hitte van de middagzon brandde nog steeds neer op de uitgedroogde grond. Het moest minstens veertig graden zijn, vermoedde Josh. Zodra hij naar buiten stapte voelde hij de zon in zijn nek branden, maar de lucht was zo droog en schraal dat er nauwelijks een zweetdruppel op zijn huid verscheen.

'Ik ben niet écht goed,' zei Marshall. 'Als het moet kan ik met een vuurwapen overweg, maar ik ben nooit gezegend met een natuurlijk richtvermogen. Dat hebben maar een paar mensen.' Hij keek Josh scherp aan en zijn ogen vernauwden zich. 'Hoe is het op dat gebied met jóú gesteld?'

Josh haalde zijn schouders op. 'Ik zou het niet weten.'

Marshall glimlachte en liep over de stoffige binnenplaats naar de achterkant van het hoofdgebouw. Josh strompelde met hem mee en probeerde tijdens het lopen zijn lichaamsgewicht zoveel mogelijk op de kruk te laten rusten. Hij had alleen zijn ochtendjas aan en de grond voelde onder zijn voetzolen gloeiend heet aan. 'Probeer het ook eens,' stelde Marshall voor. 'Ik denk dat het een goede oefening voor je is. Dan gaan de zintuigen weer een beetje functioneren.'

Josh knikte alleen maar. Tot nu toe wist hij niet wat hij van Marshall moest denken. Kate was arts, hoewel zelfs háár motieven moeilijk te doorgronden waren. Maar haar vader, vond Josh – dat was een puzzel zonder ook maar één enkele aanwijzing.

De deur zwaaide open en het volgende moment werd Josh met een opslagruimte vol vuurwapens en munitie geconfronteerd. Er stonden minstens tien, vijftien jachtgeweren, keurig in een rij aan de wand bevestigd. Josh liet zijn blik erlangs glijden en hij herkende een Saiga, een Kalashnikov, een Winchester, een Marlin en een Browning. Het waren allemaal opvallende modellen, geschikt voor intensief gebruik en stuk voor stuk voorzien van glimmende houten kolven, wapens die speciaal ontworpen waren om in het bos op tweehonderd meter een hert te vellen. Ernaast was nog een hele serie pistolen te zien.

'Kies er maar eentje uit,' zei Marshall.

Josh keek naar de wapens en liet zich leiden door zijn instincten. Hij pakte een pistool van het type Sig-Sauer P228, spande de haan, liet hem weer terugkomen en activeerde de slagpinveiligheid.

'Ik zorg ervoor dat ze altijd geladen zijn,' zei Marshall. 'Probeer maar eens.'

Terwijl Josh naar buiten strompelde hield Marshall het pistool voor hem vast. Josh liep terug naar de deuropening, zette zijn kruk tegen de muur en gebruikte de sponning van de deur om een deel van zijn lichaamsgewicht tegen aan te laten rusten.

'Denk je dat je een van die blikjes kunt raken?'

'Ik heb geen idee,' antwoordde Josh.

Hij haalde de veiligheidspal over, bracht het pistool omhoog en pakte het wapen met beide handen beet, zijn voeten iets uit elkaar, als bij een bokser. Hij bracht het pistool nog iets verder omhoog, totdat het zich op dezelfde hoogte bevond als zijn oog.

'De weaver-positie,' zei Marshall.

'Wat?' zei Josh.

Marshall glimlachte. 'Laat maar. Dat is een politieterm.'

Josh kneep zijn ogen halfdicht en concentreerde zich op de kleine vizierkorrel voor op de loop. Het blikje bevond zich vijftig meter verderop en was nog maar net zichtbaar. Hij richtte de loop van het pistool erop en haalde toen diep adem om de spieren in zijn schouders en onderarmen onder controle te brengen.

Is dit intuïtie? vroeg hij zich af. Als een hond die direct op een bot begint te knauwen. *Of ben ik ooit opgeleid om dit te doen?*

Hij haalde lichtjes de trekker over, net voldoende druk uitoefenend om een kogel af te vuren. De loop van het wapen schoot ten gevolge van de terugstoot naar achteren, maar Josh beschikte over voldoende kracht om de klap op te vangen. Zonder na te denken vuurde hij opnieuw. Een dubbele tik: twee kogels snel achter elkaar.

Het blikje sprong omhoog en schoot naar achteren toen de tweede kogel zich erdoorheen boorde.

'Een echte schutter,' zei Marshall, die twee meter achter hem stond. 'Dat dacht ik al.' Hij zweeg even. 'Probeer het nog eens een keer.'

Josh bracht het pistool omhoog, richtte en vuurde. Een schot, vrijwel direct gevolgd door een tweede. Het blikje viel rammelend op de grond.

'En nog eens,' zei Marshall.

Josh pauzeerde even, haalde adem en haalde de trekker over – één keer, toen nog een keer. Opnieuw tuimelde er een blikje in het stof.

Marshall ging voor hem staan. Hij nam een slok uit het flesje bier dat hij in zijn rechterhand hield en liet de inhoud in zijn keel verdwijnen. Hij wierp een snelle blik op Josh en zei: 'Eens kijken of je ook een bewegend doel kunt raken.'

Met een snelle handbeweging slingerde Marshall het lege bierflesje hoog de lucht in. Josh volgde het met zijn blik, hield de boog die het blikje maakte scherp in de gaten. Wacht tot het op het hoogste punt is aangekomen en begint te vallen, hield hij zich voor. Want dan verliest het vaart. *Op dat moment is het gemakkelijker te raken.*

Hij haalde de trekker over. De kogel spoot hoog de lucht in, maar raakte niets. Bijna direct daarop loste Josh een tweede schot. Deze keer hoorde hij het voldoening schenkende gekraak van staal dat zich door glas boorde, en het volgende moment regende er een baaierd aan nietige glasdeeltjes vanuit de lucht op de kurkdroge bodem neer.

'Zoals ik al zei, je bent een echte scherpschutter,' zei Marshall terwijl hij naar hem toe kwam lopen. 'Een soldaat vuurt altijd twee keer. Dat is er bij hem ingeramd.'

'U had al tegen me gezegd dat ik een militair moest zijn.'

Marshall knikte, en zijn gezicht stond plotseling ernstig. 'Er lopen heel wat soldaten rond die nauwelijks iets kunnen raken,' reageerde hij. 'Moet je eens kijken naar de manier waarop je altijd twee keer snel achter elkaar de trekker overhaalt. Dat wordt gewoonlijk door aanvalsteams gedaan – het vormt onderdeel van hun training. Als je per se een tegenstander wilt uitschakelen, zijn twee kogels altijd beter dan één kogel. Haal de trekker over, doe dat snel nóg een keer en laat dan je wapen zakken.'

'Aanvalsteams?' vroeg Josh.

Marshall haalde zijn schouders op. 'Goed, speciale troepen dan.'

Josh keek naar de grond. Een echte schutter. De herinnering waarmee hij wakker was geworden. Die was er nog steeds, deed alle mogelijke moeite bij hem naar de oppervlakte te komen, als een worm die zich uit een stuk keiharde grond omhoog probeerde te worstelen. Het schot. Het geluid ervan kon hij nu duidelijk in zijn oren horen nagalmen: hij hoorde de echo van het schot over het lege landschap nagalmen.

Heb ik iemand neergeschoten?

'Ik heb hier een biertje voor je,' zei Marshall, en hij boog zich naar de koelbox die bij de deuropening stond. 'Drink je graag bier?'

'Misschien. Dat kan ik me niet herinneren,' antwoordde Josh met een ontspannen glimlach.

Marshall gaf hem een flesje bier nadat hij dat met zijn rechterduim en -wijsvinger van zijn kroonkurk had ontdaan. 'Ik heb nog nooit een militair meegemaakt die níét van bier hield,' zei hij.

Josh zette het flesje aan zijn lippen. De smaak kwam hem bekend voor. De alcohol kwam in zijn bloedbaan terecht, waardoor er plotseling een enorme energiestoot door hem heen ging. Hij voelde zich licht in het hoofd, duizelig. Maar hij voelde ook hoe zijn hoofd bijna leek te verdwijnen. 'Eén ding is zeker: ik vind bier lekker,' zei hij, en keek achterom naar Marshall.

De oudere man knikte, liet zijn blik over de grond glijden, het bierflesje nog steeds in de hand. 'Wat ben je van plan?'

Josh draaide zich om en keek Marshall aan. 'Ik zou graag willen blijven, als u dat goedvindt.' Hij nam nog een slok bier. 'Voor een paar dagen maar, totdat ik weer een beetje op krachten ben gekomen en ik de boel weer wat op orde heb. Ik kan u betalen met het geld dat in mijn zak zat.'

'Dat geld doet niet terzake,' zei Marshall. 'Je kost ons, op de paar happen na die je eet, verder niets.'

'Ik zou natuurlijk ook naar een ziekenhuis kunnen gaan,' vervolgde Josh. 'Daar heb ik ook aan lopen denken. Maar ik weet niet wie ik ben of wat er met me is gebeurd. Zoals u al zei, er wordt niet zonder reden op je geschoten. Misschien was ik bij het een of andere illegale zaakje betrokken.'

'Ben je bang dat als je je in een ziekenhuis laat inschrijven de politie naar je op zoek zal gaan?'

Josh omklemde het flesje bier nog wat steviger. 'Ik weet het gewoonweg niet.'

'Je hebt geen flauw idee waar je mee bezig was?'

Josh schudde zijn hoofd. 'Geen enkel.'

'Rust, dat is het enige dat je nodig hebt,' zei Marshall. 'Neem er een paar dagen de tijd voor. Een geheugen is als een vrouw. Je moet het rustig op je af laten komen.'

'Nee.' Josh moest glimlachen, meer tegen zichzelf dan tegen Marshall. 'Ik zal erachteraan moeten.'

'Hoe bedoel je?'

'Ik ben een jager. Ik hou ervan achter dingen aan te zitten. Vrouwen, herinneringen, wat dan ook. Zo zit ik nu eenmaal in elkaar.'

'Je weet niet eens wie je bent, jongen,' reageerde Marshall.

'Maar dát weet ik wel van mezelf,' zei Josh snel. 'Zoals u al zei, ik ben soldaat. Wij wachten niet tot de dingen naar ons toe komen.'

Marshall moest lachen. 'Verstandige soldaten doen dat wel.'

Josh kwam overeind en gebruikte de kruk om op te steunen. Het deed nog steeds pijn, maar hij wilde verder; hij besefte dat, tenzij hij al zijn spieren weer zou oefenen, zijn kracht nooit terug zou komen. 'Misschien ben ik wel geen goede soldaat,' zei hij, een blik op Marshall werpend. Josh strekte zijn armen om de pijn in zijn schouders wat te verminderen. 'Breng me maar eens terug naar de plaats waar jullie me hebben gevonden.'

'Waarom?'

'Misschien dat dat iets bij me losmaakt,' zei Josh. 'Als ik die plek zie begrijp ik misschien iets van wat er gebeurd is. Misschien vind ik wel sporen van wie me heeft aangevallen.'

Hij ging weer zitten. De pijn in zijn been begon weer erger te worden, waardoor het hem moeite kostte lang te blijven staan. 'Nu,' zei hij. 'Ik wil er nú naar terug.'

Marshall schudde zijn hoofd. 'Het is veel te warm,' reageerde hij. 'Dat kunnen we misschien beter 's ochtends doen. Als het wat koeler is. En als Kate zegt dat je er sterk genoeg voor bent.'

Josh kon de woorden op het moment dat hij ze wilde uitspreken nog net inslikken. Er brandde een instinct in hem: om deze man te vertellen dat hij nú naar de plaats gebracht wenste te worden waar hij gevonden was. Nee, hield hij zichzelf voor. Tot ik mijn krachten terug heb ben ik van deze mensen afhankelijk. Ik ben een invalide. *Ik ben zelf nog tot niets in staat.*

'Goed, morgen dan,' zei Josh stijfjes.

Marshall zei grinnikend: 'Direct na zonsopgang, als de slangen nog niet wakker zijn.'

Josh keek naar het terrein met het struikgewas. Er reed een pick-up over de weg, zo te zien met een snelheid van zestig, zeventig kilometer per uur. Afgezien daarvan was het landschap even kaal en leeg als altijd. 'Wat doet u hier eigenlijk?' vroeg hij.

'Me met mijzelf bemoeien,' zei Marshall. 'De krijgsdienst doet dat soms met een man. Misschien dat je ooit zelf ook nog eens tot die conclusie komt.'

'Is het hier niet veel te stil?'

'Voor mij niet, hoor. Ik hou wel van stilte.'

'Wat doet u eigenlijk?' vroeg Josh, en keek de oudere man aan. 'Zo te zien is hier niet zo gek veel werk.'

Marshall nam nog een slokje bier. 'Oorlogsveteranen,' antwoordde hij. 'Ik heb een website op poten gezet die veteranen helpt in contact met elkaar te blijven. Daar kunnen ze hulp en advies krijgen over hun uitkeringen, medische zorg, alles wat erbij komt kijken. Er leven nog steeds heel wat mannen onder verdomd erbarmelijke omstandigheden, zowel mentaal als fysiek, en voor veel van hen wordt het met het klimmen der jaren alleen maar moeilijker. Veel van hen wonen in verafgelegen streken als deze omdat ze niet van het lawaai en het zweet van de stad houden. Door middel van de site kunnen ze contact met elkaar houden. Laat ze maar met elkaar praten. Ze betalen een gering abonnementsgeld, dus veel verdien ik er niet aan, maar ik hou er nog wel íéts aan over. We kunnen het hoofd boven water houden.'

'En Kate?' vroeg Josh, terwijl hij naar het hoofdgebouw knikte. 'Dat is een jonge, levenslustige vrouw. Wat doet die hier?'

Marshall zweeg even en Josh zag dat hij enigszins geagiteerd raakte: zijn hand verstrakte zich rond het flesje bier en er verschenen diepe rimpels in zijn voorhoofd. 'Dat zijn haar zaken,' zei hij.

'Oké,' zei Josh, die onmiddellijk besefte dat hij het onderwerp moest laten rusten. 'Ik was alleen maar nieuwsgierig.'

'Luister,' vervolgde Marshall. 'Ik vind het niet erg dat je hier bent. Je bent een soldaat, en ik mág soldaten. Maar zorg er wel voor dat je met je handen van mijn dochter afblijft. Zolang je je daar aan houdt zullen we uitstekend met elkaar kunnen opschieten.'

De pizza voelde in Josh' hand kleverig en zwaar aan. Er lag een dikke laag kaas bovenop, plus nog wat plakken ham en ananas. Ik kan me onmogelijk herinneren of ik pizza lekker vind of niet, zei Josh in zichzelf. *Maar die verdomde ananas erop hoeft van mij niet.*

Hij tikte met een vinger de ananas op de grond, nam een hap en begon gretig te kauwen. Zorg ervoor dat je voldoende eet, hield hij zichzelf voor. Elke hap zorgt ervoor dat je straks weer helemaal op krachten bent. *En die krachten zul je hard nodig hebben.*

'Ik herinnerde me iets,' zei Josh.

Kate keek verrast op. Ze draaide zich naar hem om en keek hem aan. Er speelde een glimlach rond haar lippen. 'Nu net?'

'Nee, al even geleden,' antwoordde Josh. 'Toen ik vanmiddag wakker werd.'

Het was even na negenen 's avonds en de laatste zonnestralen waren net achter de horizon verdwenen. Het felle rood van de zonsondergang, afstekend tegen het roodachtige bruin van het woestijnlandschap, had ruim een uur lang Josh' aandacht opgeëist: hij was blij hier zo te kunnen zitten en naar het geleidelijk aan steeds zwakker wordende licht en naar de kleurige vegen die het achterliet te kijken. Tegen de tijd dat Kate met een gigantische pizza en een kan met ijsthee uit de keuken was gekomen, had hij zich sinds de dag dat hij was neergeschoten nog nooit zo goed gevoeld. De wondpijn begon steeds verder weg te ebben en zijn hoofdpijn was verminderd tot een mild, onregelmatig kloppen.

Nu was de maan aan de hemel verschenen en volgde langzaam een baan boven de berg in de verte, waarbij hij het vlakke terrein in een zilverachtig schijnsel zette. Recht voor hem uit zag Josh een vier centimeter lang insect door het struikgewas kruipen waarvan de ogen in het duister oplichtten. Het beestje had een dikke zwarte huid en bewoog zich met vrij grote snelheid over de grond voort.

Zou hij gevaarlijk zijn? vroeg Josh zich af terwijl hij naar de vorderingen van de spin keek. Dat zijn de echte risico's wanneer je je geheugen verliest: al je kennis en ervaring van hoe je voor jezelf moest zorgen, hoe je je in leven moest houden, gingen in een fractie van een seconde verloren.

'De ochtend is over het algemeen het meest voor de hand liggende tijdstip dat er herinneringen bij je naar boven kunnen komen,' zei Kate terwijl ze naar Josh opkeek. 'Als je voelt dat je wakker gaat worden, probeer je hoofd dan leeg en ontspannen te houden. Uiteindelijk zullen zich daarin bepaalde herinneringen gaan nestelen.'

'Er was sprake van een schot,' zei Josh, Kate aankijkend. 'Een schot uit een vuurwapen.'

'Was dat wapen op jou gericht?' vroeg ze. 'Schoot iemand op jóú?'

Josh schudde zijn hoofd. 'Nee, ik geloof van niet,' antwoordde hij. 'Ik hoor een schot. En zie dan een jongen wegrennen. Door een of ander donker landschap. Dan eindigt het. De herinnering verdwijnt.'

'Het is in elk geval een begin,' merkte Kate op. 'De rest zit ergens in je hoofd opgesloten. We moeten een manier zien te vinden die deur open te krijgen.'

Josh nam weer een hap van zijn pizza, tikte nog een stukje ananas op de grond en keek toe hoe de spin op het weggegooide fruit afkoerste. 'Nou, de sleutel is voorlopig nog niet te vinden.'

'Probeer het eens met de dingen die je op de televisie hebt gezien,' zei Kate. 'Misschien maken die iets los.'

'Tot nu toe in elk geval nog niet,' zei Josh, en hij nam een slokje van de ijsthee.

'Irak,' zei Kate. 'Wat betekent dat voor jou persoonlijk? Ben je daar geweest?'

Josh zweeg enkele ogenblikken. Er was iets. Hij voelde het in zijn hersenen, een korte flits van herkenning. Maar er kwam verder niets meer. 'Nee,' antwoordde hij. 'Niets.'

'Oké,' zei Kate. 'Laten we iets anders proberen.' Ze aarzelde. 'Hoe heet ik?'

Josh keek haar grinnikend aan. 'Kate.'

'En hoe heet mijn vader?'

'Marshall.'

'Wat heb ik je gisteren als ontbijt voorgezet?'

'Cornflakes.'

Kate knikte. 'En hoe was het weer gisteren?'

'Warm,' antwoordde Josh. 'Erg warm.'

Kate schonk een glas ijsthee voor zichzelf in. Ze droeg een lichtblauwe linnen rok en een witte blouse, de elegantste kleren waarin Josh haar tot nu toe had gezien. Hij zag de vloeiende contouren van haar benen onder de stof. Haar huid had een volle, lichtbruine kleur, ongetwijfeld het gevolg van het feit dat die nagenoeg constant aan de zon werd blootgesteld. Haar helderrode lokken en gebruinde huid gaven haar een exotisch aanzien, dat nóg fascinerender werd omdat het zo ongewoon was. De meeste vrouwen met rood haar hadden een bleke huid, besefte Josh. Het was een ongewone vrouw. Op wel duizend verschillende manieren anders, daarvan was hij overtuigd.

'Er bestaan twee verschillende vormen van geheugenverlies,' zei Kate. 'Anterograde, wat inhoudt dat de patiënt geen nieuwe dingen meer kan leren. En retrograde, wat betekent dat hij zich geen dingen meer kan herinneren die zich vóór een bepaald tijdstip hebben afgespeeld. Ze kunnen zich algemene dingen herinneren, maar geen persoonlijke zaken. We hebben je wat betreft de afgelopen dagen net getest, en dat gaat je prima af. Je weet nog precies wat er sinds je komst hier met je is gebeurd. Dat betekent dat je lijdt aan retrograde amnesie. Dat houdt in dat we hersenbeschadigingen kunnen uitsluiten. Rust. Dat is de enige manier om je geheugen weer terug te krijgen.'

'En als dat nu eens niet gebeurt?'

Kate haalde haar schouders op. 'Dan zul je alles opnieuw moeten leren. Alles. Vanaf het begin, net als een kind.'

Josh wierp een snelle blik op Kate. Voor het eerst sinds hij hier twee dagen geleden wakker was geworden, voelde hij zich in staat zich wat meer te ontspannen. De jeuk in zijn nek was aan het verdwijnen en zijn been was bijna sterk genoeg om op te kunnen staan zonder daarbij een kruk nodig te hebben. Hij kon zich bewegen zonder dat zijn hele lichaam onverdragelijke pijn deed.

Alles komt in orde, zei hij tegen zichzelf. Ik weet niet hoe en wanneer, maar ik vóél het. *Ik ga dit redden.*

'Wat doe jíj hier in dit gebied?' Hij nipte aan zijn ijsthee en keek Kate aan, tegelijkertijd naar het uitgestorven landschap gebarend.

'Bevalt het je hier dan niet?' vroeg ze.

Hij meende een ondertoon van opstandigheid in haar stem te horen. 'Het is een woestenij,' antwoordde hij.

'Ik hou ervan. Het is een en al natuur. Eigenlijk zou de hele wereld zo moeten zijn.'

Josh keek naar het met struikgewas begroeide terrein. Er lag nog een stuk pizza op tafel, maar hij kon onmogelijk nog meer op. 'Dat bedoel ik niet,' zei hij. 'Je bent arts, maar je hebt geen praktijk. Je bent een aantrekkelijke jonge vrouw, maar je woont hier, honderdvijftig kilometer van de dichtstbijzijnde fatsoenlijke stad verwijderd. Het spijt me dat ik het zeggen moet, maar dat begrijp ik niet.' Hij keek Kate aan. 'Wat hou je voor me verborgen?'

Kate stond bruusk op. Haar manier van doen werd op slag kil en afstandelijk: ze had haar schouders opgetrokken en haar blik flitste langs Josh alsof ze in de verte naar iets op zoek was. 'Je hebt rust nodig,' zei ze. 'Dat is een rechtstreeks bevel van je arts.'

Josh schrok wakker. Zijn hoofd tolde en zijn ademhaling was onregelmatig. Hij stond op het punt iets te gaan zeggen, maar hij voelde hoe Kate haar hand over zijn lippen had gelegd.

'Stil,' fluisterde ze nadrukkelijk in zijn oor. 'Een stuk of wat mannen komen deze kant uit. Politie.'

Het kostte Josh enige moeite het laken om zijn naakte lichaam te wikkelen. Hij voelde hoe de spanning bezit van zijn lichaam nam. Hij keek heel even naar buiten en zag dat het nacht was: de binnenplaats was in

duisternis gehuld en het maanlicht wierp slechts enkele zwakke stralen-
bundels over het pad.

'Wat moet ik doen?'

'Je verbergen, snel,' zei Kate. 'Er is een schuilplaats onder de vloer.'

Josh kwam overeind en steunend op zijn kruk liep hij over de binnenplaats naar de keuken. Hij zag twee politieauto's een bocht maken, om
vervolgens de smalle weg die naar het huis leidde in te slaan. 'Snel,' zei
Kate opnieuw.

Marshall stond in de keuken op hen te wachten. Hij hield een reep li-
noleum omhoog en wees naar een stuk blootliggende vloer. 'Hieronder,'
zei hij kortaf, en duwde twee planken opzij waardoor er een luik zichtbaar werd. 'Net voldoende ruimte voor één persoon.'

Josh tuurde in de duisternis. Hij zag nagenoeg niets. Naast hem knipte Marshall een zaklantaarn aan. In de lichtbundel werden zes treden
zichtbaar die naar een gewelfde ruimte leidden. Josh liet zijn kruk achter en daalde voorzichtig de treden af. Zijn been begon pijnlijk te kloppen toen hij er zijn gewicht even op liet rusten. Steunend op zijn handen
liet hij zich zakken.

De rechthoekige ruimte mat zo'n anderhalf bij twee meter en was ongeveer zeventig centimeter hoog. De ruimte was onder de fundamenten
van de bungalow in de aarde uitgegraven, en de zijkanten waren van
houten schotten voorzien. Josh ging op zijn rug liggen. 'Ik doe nu de
zaklantaarn uit,' zei Marshall. 'Ik kom je weer halen als ze weg zijn.'

De lantaarn ging uit en plotseling bevond Josh zich in het pikdonker.
Hij zag helemaal niets meer en het enige dat hij hoorde waren de voetstappen boven hem. Het was erg warm in de schuilplaats – minstens
veertig graden – en het rook er muf. Josh voelde hoe er zich op zijn huid
zweetdruppeltjes begonnen te vormen. Hij was zich bewust van de gebarsten aarde om hem heen en hij rook de plastic buis – nauwelijks een
meter van hem verwijderd – die van de badkamer naar de septic tank
liep.

Waarom hebben ze een eenpersoons schuilplaats onder hun huis? bedacht Jake. *Wie zíjn deze mensen, verdomme?*

Hij hoorde hoe er op de deur werd geklopt. Een stel voetstappen, enkele ogenblikken later gevolgd door een tweede stel. Twee man. Josh was
ervan overtuigd dat het mannen waren. De voetstappen klonken zwaar
en nadrukkelijk, langzaam door het huis lopend, alsof ze naar iets op
zoek waren.

Stemmen. Ze klonken te gedempt om ze te kunnen verstaan. Hij spitste zijn oren en probeerde de woorden te onderscheiden die nauwelijks twee meter boven hem werden gesproken.

'Een Engelsman,' hoorde hij een stem zeggen. 'We zijn op zoek naar een man met een Brits accent. Hij moet zich ergens in de omgeving schuilhouden.'

Josh hoorde Kate iets zeggen, maar hij kon haar niet verstaan. Het enige wat tot hem doordrong was gefluister, onduidelijke woorden.

'Hij zou wel eens gevaarlijk kunnen zijn,' hoorde hij de man zeggen. 'Nogmaals, zóú het kunnen zijn. We zijn alleen maar naar hem op zoek omdat we hem wat vragen willen stellen.'

Ze denken dat ík het heb gedaan. Ze denken dat ik iemand heb neergeschoten. En – wie weet? – misschien héb ik het ook wel gedaan, bedacht Josh. *Wat voor soort iemand bén ik? Waartoe zou ik wel eens in staat kunnen zijn?*

Opnieuw was het even stil. Kate was weer aan het woord, maar nog steeds kon Josh haar niet verstaan.

'Hebt u niets verdachts in de omgeving gezien?' vroeg de man. 'We denken dat hij ernstig gewond is geraakt, dus ver kan hij nooit gekomen zijn.'

Eindelijk kon Josh Kate verstaan. 'We hebben niemand gezien,' zei ze. 'En zoals u weet wonen we hier behoorlijk geïsoleerd. Als er iemand is, dan hadden we hem moeten zien.'

'Vindt u het erg als we even rondkijken?'

Nu hoorde Josh Marshall over de vloer lopen. 'Ga uw gang,' zei de vader van Kate.

Josh bleef roerloos liggen. Hij hoorde de voetstappen luid en duidelijk over de vloer vlak boven hem stampen, en even later hoorde hij hoe er kasten werden open- en dichtgedaan en dat er bedden werden verschoven.

Plotseling voelde hij iets over zich heen glibberen. De huid van het ding voelde droog en ruw aan, als het oppervlak van een oude riem. Een slang. Josh voelde hoe zijn huid begon te kriebelen. Op elke vierkante centimeter van zijn huid ontstond er kippenvel en langs zijn ruggengraat liep een huivering van onverbloemde angst. Zijn hand beefde en hij moest zijn best doen om helder na te blijven denken.

Ik leer voortdurend nieuwe dingen over mezelf. Ik ben doodsbang voor slangen.

Blijf bewegingloos liggen. Blijf volkomen roerloos liggen en er overkomt je niets.

De slang bewoog zich verder langs zijn torso. Josh ving een glimp van de ogen op en keek strak terug. Zijn eigen ogen waren nu enigszins aan het duister gewend en hij kon het reptiel met zijn brede rode en zwarte banen, die op hun beurt weer werden gescheiden door smallere witte en gele, moeizaam onderscheiden. De kop was volkomen zwart, met een stompe snuit, terwijl zijn lange tong traag over Josh' borst bewoog om het zweet van zijn lichaam te likken. Zou het een giftige slang zijn?

Hou je gemak, jongen, dacht Josh terwijl hij de bewegingen van de slang scherp in de gaten hield. Probeer je zenuwen de baas te blijven.

Hij hoorde hoe er boven hem in de richting van de deur werd gelopen. 'Is er nog iets in het andere gebouw?' hoorde hij de politieman vragen.

'Alleen een logeerkamer,' antwoordde Marshall.

Nog meer geschuifel. Toen merkte Kate iets op dat Josh niet kon verstaan. De slang gleed over Josh' lichaam in de richting van zijn nek. De staart sloeg zachtjes tegen de zijkant van zijn billen.

'Zeker weten?' hoorde Josh de politieman wantrouwend zeggen.

'Absoluut,' reageerde Marshall. 'Neem er rustig een kijkje.'

Opnieuw was het even stil. Josh had de wanhopige behoefte aan de wond in zijn nek te krabben. De slang drukte zich ertegenaan.

Nog twee centimeter, bedacht Josh, en ik móét me wel bewegen.

'U kunt in Fernwood contact met ons opnemen,' hoorde hij de man zeggen. 'Als u iets vreemds ziet, wat dan ook, laat het ons dan weten. En probeer die knaap niet in uw eentje te benaderen. Hij zou wel eens gevaarlijk kunnen zijn.'

Josh haalde diep adem. De slang drukte zijn kop tegen het verband, probeerde het met het harde bot van zijn schedel open te wroeten. Hij ruikt daar natuurlijk het bloed, besefte hij. En het dier wil daar best eens van proeven.

Boven zich hoorde hij het geluid van een startmotor, en het volgende moment sloeg de motor van de auto aan. De politieauto draaide de smalle weg op. Langzaam telde hij tot vijf, er zorgvuldig op lettend dat de auto op veilige afstand van het huis was voor hij het risico nam zich met een onverhoedse beweging te verraden.

Nu weet ik zeker dat ik gezocht word, bedacht Josh somber. En Kate en Marshall beschermen me. *Ik zou ze dankbaar moeten zijn, maar waarom dóén ze dat eigenlijk?*

Met een snelle, heftige beweging schoot Josh' hand omhoog. Hij greep de slang bij de keel en drukte die zo hard mogelijk dicht, kneep net zolang in de dunne, uit weefsel, huid en bot bestaande slang tot alle lucht uit het reptielenlichaam was ontsnapt, terwijl de staart nog een laatste keer tegen Josh' benen sloeg.

Hij wierp de dode slang van zich af.

Ondertussen had Marshall het luik al geopend en richtte hij de zaklantaarn in de schuilplaats. 'Alles in orde met je?' vroeg hij.

5

Vrijdag 5 juni. Zonsopgang.
De pick-up, een Chevrolet Avalanche, stuiterde over het vol gaten zittende wegdek. Josh draaide het raampje naar beneden en liet de ochtendlucht langs zijn gezicht stromen. De lucht zat vol rode strepen. De vijf uur slaap die hij had genoten nadat de politie was weggegaan zorgde ervoor dat hij zich opgefrist voelde, en de cafeïne in de koffie die hij bij het ontbijt had gedronken kolkte nog steeds door zijn aderen.

'Is het nog veel verder?' vroeg hij, Marshall van opzij aankijkend.

De oudere man hield het stuur van de pick-up stevig beet. 'Nog een kilometer of drie,' zei hij met een vermoeide stem. 'Ik zal je waarschuwen als we er zijn.'

Ze waren om een uur of zes bij het huis weggereden en de rit had een klein uur in beslag genomen. De route liep door ruw, bergachtig terrein waarvan het oppervlak bezaaid was met rotsblokken en werd doorsneden door drooggevallen greppels. Het eerste stadje, Fernwood, lag drie kilometer verderop, maar dat bestond in feite uit niet veel meer dan een benzinestation, met daaraan verbonden een cafetaria en een winkel, terwijl er verder nog een huis of tien, vijftien omheen waren gegroepeerd. Sindsdien waren ze nog twee plaatsjes gepasseerd, maar die waren beide net zo klein en onbetekenend geweest. Langs de weg had hij een paar borden gezien die naar ranches verwezen, maar verder was er helemaal niets. Er woonden even weinig mensen in Coconino County als er zich in Josh' hoofd herinneringen bevonden.

Cowboyland, dacht Josh terwijl hij uit het raampje keek.

De pick-up begon vaart te minderen. Ze hadden de Ford Ranger thuisgelaten – Marshall was nog steeds bezig met het repareren van een

71

deel van de schade die de wagen tijdens het duel van het begin van die week had opgelopen. Direct nadat ze een bocht waren gepasseerd ging Marshall op de rem staan, waarbij de banden knarsend en piepend greep op het steenslag van de weg probeerden te krijgen.

'Hier is het,' zei Marshall.

Kate zat tussen Josh en haar vader in. Ze keek opzij naar Josh, een en al aandacht voor zijn gelaatsuitdrukking terwijl hij zijn blik over de vallei liet gaan. Rechts, schuin achter hen, bevond zich een hoge, uit rode rots bestaande heuvelrug. De weg kronkelde zich er aan de zijkant langs. Links was het land vrij vlak en liep golvend tot in de verte door, het gladde, zanderige oppervlak slechts hier en daar onderbroken door cactussen en af en toe een rotsblok.

Niets, bedacht Josh terwijl er een steek van teleurstelling door zijn borst schoot. *Ik heb toch sterk het gevoel dat ik dit nog nooit eerder in mijn leven heb gezien.*

Marshall duwde aan de bestuurderskant het portier open en liet zich op de grond zakken. Kate bood Josh haar hand aan, wilde hem helpen, maar hij schudde zijn hoofd. Met alleen de kruk moest het ook lukken. Zijn been deed nog steeds pijn, maar hij raakte gewend aan het strompelen en hij besefte dat hoe meer hij oefende hoe beter dat voor hem was.

Hij droeg een oude Gap-spijkerbroek die hij van Marshall had geleend: die was hem een maat te groot en hij had de gesp een gaatje strakker moeten aantrekken om te voorkomen dat hij zou afzakken. Verder droeg hij een overhemd van blauwe spijkerstof dat hij in een kast had gevonden. Het doet er niet toe hoe ik eruitzie, hield hij zichzelf voor. In deze kleding ga ik in het landschap op. *Gewoon een cowboy die nauwelijks geld heeft om aan een garderobe te besteden.*

'Hier ergens in de buurt,' zei Kate, terwijl ze de berm in liep. 'Hier ongeveer heb ik je gevonden.'

Josh liep een meter of twee achter haar aan tot ze naast een richel bleef staan. Hij hield ook halt en snoof de lucht op: de combinatie van het stof, de rots en de hitte vormde een onduidelijk, aards aroma dat hem ergens aan deed denken. Een kampement, wellicht. Op de helling van een heuvel. Met mannen, en lawaai. En gegil.

Josh probeerde greep op de herinnering te krijgen, maar die was alweer tussen zijn vingers door geglipt. Kwijt, bedacht hij. *In de diepe put waarin ook mijn andere herinneringen zijn verdwenen.*

Hij stapte naar voren. Kate wees naar een inzinking in het terrein die tien meter breed was en een meter of drie diep. 'Hier,' zei ze. 'Hier heb ik je gevonden.'

Josh knielde op de grond neer. Hij sloot zijn ogen in de hoop dat de duisternis iets in zijn brein in beweging zou brengen. Leeg. Hij keek neer en liet zijn vingers door het zand glijden. Een paar meter naar rechts zag hij een roestbruine vlek. Ondanks het feit dat de gloeiend hete zon er vijf dagen lang op neer had gebrand was het hem onmiddellijk duidelijk waardoor die vlek was ontstaan. Bloed. Menselijk bloed.

Mijn bloed, besefte Josh.

'Herinner je je iets?' vroeg Kate.

Josh schudde zijn hoofd. 'Ik ben nog steeds helemaal blanco,' antwoordde hij.

Hij kwam overeind en keek in de richting van de horizon. Tweehonderd, misschien driehonderd meter verderop zag hij dat een gedeelte van de weg met gele plastictape was afgezet. Er reed langzaam een auto naartoe, met een vaartje van hoogstens vijftien kilometer per uur, en nadat de auto tot stilstand was gekomen stapte er iemand uit, iemand met een uniform aan en een zonnebril op.

'Politie,' zei Josh. 'Ik ga eens kijken wat zíj aan de weet zijn gekomen.'

Kate greep zijn arm beet en trok hem aan de mouw van zijn overhemd terug. Josh stond verbaasd van de kracht waarover ze beschikte en hij merkte dat hij zijn greep op de kruk verloor. 'Nee,' zei ze kortaf. 'De politie is naar je op zoek.'

Josh maakte zich los uit haar greep. 'Ik wil alleen maar weten wat hier gebeurd is.'

'Dat is veel te gevaarlijk,' zei Kate.

'Ik bepaal zelf wel wat gevaarlijk is en wat niet.'

Marshall keek hen beiden even aan, alsof hij de respectieve kracht van twee in de ring staande boksers probeerde te bepalen. 'Ik loop met je mee,' zei hij. 'Kate, rij met de wagen achter ons aan.'

Josh volgde ietwat strompelend de weg. Hij werd met de dag bedrevener met zijn kruk en zwaaide hem ver naar voren, zodat hij grote, zelfverzekerde passen kon nemen. Na elke derde stap liet hij zijn gewicht heel even op zijn gewonde been rusten, verdroeg de pijn die elke keer dat hij de grond raakte door zijn lichaam schoot. Hij wist dat, zodra hij weer helemaal fit was, zijn spieren zich sneller dan ooit zouden herstellen.

Nog een paar dagen, dan kan ik misschien weer normaal lopen. Zolang ik mijn zenuwen en spieren maar goed oefen.

Marshall liep naast Josh, zijn armen over elkaar voor zijn borst geslagen. 'Laat mij nou maar het woord doen, jongen,' fluisterde hij. 'Als ze jouw accent horen worden ze ogenblikkelijk achterdochtig.'

De politieman was alleen. Zo'n honderddertig, -veertig kilo zwaar, met een buik die bijna door het kakikleurige shirt van het Sheriff's Department barstte. Hij stond tegen de zijkant van zijn Ford Taurus Estate geleund. Op de motorkap van de wagen stond een grote beker van piepschuim die met koffie was gevuld, en vlak ernaast een doos met zes donuts, waarvan er al drie naar binnen waren gewerkt. Duidelijk iemand die graag ontbeet.

'Wat is hier gebeurd?' vroeg Marshall, de politieman nauwelijks merkbaar toeknikkend.

Josh keek naar de agent op en glimlachte.

'Er is hier een jongen doodgeschoten, afgelopen maandag,' antwoordde de politieman. 'Heb je dat niet op de televisie gezien?'

Marshall antwoordde lachend: 'Ik ben een paar dagen weggeweest. Wie was het?'

De politieman reikte achter zich om een donut te pakken, maar hield ondertussen zijn blik onafgebroken op Marshall gericht. 'Een knaap die Ben Lippard heette,' antwoordde hij, en begon vervolgens op zijn eten te kauwen. 'Ken je hem?'

Marshall schudde langzaam zijn hoofd. 'Nee. Was hij ergens bij betrokken? Drugs?'

De politieman keek nu naar Josh, waarbij zijn blik op zijn kruk en het dikke witte verband rond zijn nek bleef rusten. Hij werkte de donut naar binnen en veegde met de rug van zijn hand wat speeksel van zijn kin. 'Wat denk je dat ik ben? Een lopende krant soms? Als je wilt weten wat er gebeurd is moet je er maar eentje kopen.'

Marshall deed een stapje achteruit en stak een hand omhoog. 'Hé, kalm aan een beetje, man,' zei hij. 'Ik wilde alleen maar weten wat er is gebeurd. Meer niet.'

De politieman maakte zich los van de auto en deed een stap naar voren. 'Wie heb je daar bij je?' wilde hij verbolgen weten, en wees met zijn duim naar Josh. 'Hoe komt het dat hij gewond is geraakt?'

'Bij het bergbeklimmen,' zei Marshall snel. 'We zijn een paar dagen in de Grand Canyon geweest. En daar heeft hij een val gemaakt.'

'Ik heb hier iets verloren,' onderbrak Josh hem. 'Mijn portefeuille. Met mijn identiteitsbewijs. Hebt u misschien iets dergelijks gevonden?'

Zodra hij zijn mond had opengedaan zag Josh dat Marshall hem een dodelijke blik toewierp: ik trek me er niets van aan, besloot Josh. Als het moet dan neem ik risico's, ook met de politie. Misschien heb ik die jongen doodgeschoten, misschien ook niet. *Als ik geen vragen stel, kom ik er nooit achter.*

'Ben jij die man?' vroeg de politieman.

'Welke man?' reageerde Josh.

De politieman deed nog een stap naar voren. Josh kon nu de jam en de suiker van de donut in de adem van de man ruiken. 'Welke man?' herhaalde Josh, en aan zijn stem was duidelijk te horen dat hij geïrriteerd raakte.

'Er was nog een derde man bij betrokken, een knaap die op de plaats van de moord gewond is geraakt,' zei de agent. 'Hij heeft bloedsporen in het zand achtergelaten. We hebben zijn DNA, dus we weten wie het is.' Hij keek Josh nog wat aandachtiger aan. 'Ik vraag me af of jíj die man misschien niet bent.' Hij zweeg even. 'Dat accent. Is dat geen Australisch of Brits, hm?'

Josh stond op het punt opnieuw iets te zeggen, maar Marshall ging snel voor hem staan. 'Hij is een veteraan. De eerste Iraakse oorlog. Hij…' Marshall zweeg. 'Hij heeft nogal wat problemen.'

De politieman keek langs Marshall naar Josh, staarde hem aandachtig aan. 'Ik neem jou mee naar het bureau. Dan zullen we eens kijken wie jij bent.'

Josh deed een stap naar achteren.

'Je hoeft er niet onmiddellijk vandoor te gaan,' zei de agent, wiens stem nu een octaaf hoger klonk. 'Ik zeg niet dat we je daar zullen houden. We kijken alleen wie je bent, stellen je een paar vragen en laten je dan weer gaan.'

Marshalls vuist trof de agent vol in de maag. Josh stond versteld van de kracht waarmee de oudere man toesloeg, een keiharde stomp waar hij het gewicht van zijn hele schouder achter had geplaatst. Het soort klap dat je van een professionele bokser zou verwachten, bedacht Josh. *Die man weet hoe hij dreunen moet uitdelen.*

De politieman klapte dubbel van de pijn. Hij was veel te dik voor dit soort werk en zijn buik zat vol suiker en lucht. De stoot zorgde ervoor dat hij in elkaar kromp, waarna hij zijn evenwicht verloor en opzij viel. Zijn rechterhand gleed naar de lederen holster die aan zijn riem bungelde en zijn vingers kregen het wapen nog net te pakken. Hij had het wapen bijna uit de holster, maar Marshall had zijn been al omhooggebracht om de man in het kruis te schoppen. Zijn laars trof de agent vol in de buik en de man slaakte een kreet, terwijl er gelijktijdig een pijnscheut door zijn lichaam zinderde.

Hij had het wapen, een Sig-Sauer P266 – een bijna elegant, compact, blauwmetalen pistool dat niet alleen door de US Navy Seals en de FBI werd gebruikt, maar ook door honderden kleinere politiekorpsen – nog steeds half tussen de vingers geklemd.

Josh deed een stap naar voren, haalde uit met zijn kruk en liet die keihard op de hand van de agent neerkomen. Hij trof hem met de kracht van een metalen roede vol op de knokkels en het pistool viel op de grond.

Marshall bukte zich razendsnel, kreeg het wapen te pakken en ramde het tegen het hoofd van de agent. De man transpireerde van angst: een dun, vloeibaar laagje stroomde langs zijn rode, vlekkerige gezicht. Hij keek verwilderd naar Marshall op, en toen naar Josh. 'Doe me geen pijn,' jammerde hij. 'Ik heb een vrouw en kinderen. Doe me alsjeblieft geen pijn.'

Josh pakte zijn kruk van de grond, gebruikte hem als steun en boog zich naar de man toe.

'Wiens bloed is er op de plaats van de moord aangetroffen?' vroeg hij scherp, vastberaden. 'Hoe heet hij?'

'Dat weet ik niet.'

Marshall drukte het pistool nog wat steviger tegen de zijkant van het hoofd van de politieman. 'Kom op met die naam,' zei hij langzaam. 'Jij komt daar nú mee over de brug, anders dienen jouw hersenen straks als kunstmest voor de cactussen.'

De man begon uit zijn neus te bloeden. 'Ik weet het niet, écht – ik weet het niet. Die naam is geheim. Ik moet alleen de plaats delict bewaken.'

'Misschien wil je dat ik de boel wat eenvoudiger voor je maak, zodat je me beter begrijpt,' gromde Marshall. 'Je komt met die naam over de brug vóór ik tot drie heb geteld, anders ben je zo dood als een pier.'

'Nee, nee,' smeekte de politieman.

'Eén,' zei Marshall.

De agent begon te trillen van angst. 'Nee, alsjeblíéft.'

'Twee,' zei Marshall, wiens stem steeds scherper klonk.

'Ik weet helemaal níéts.'

Marshall haalde de haan van de P226 over. 'Drie,' zei hij. Hij sprak het woord uit alsof de agent zijn lot niet meer kon ontlopen.

'Ik weet het niet,' zei de politieman opnieuw.

Marshalls vinger oefende een licht druk op de trekker uit. Hij wierp een zijdelingse blik op Josh.

'Jezus, nee,' zei Josh. 'Hij weet inderdaad van niets.'

'Dan maken we hem nu af,' zei Marshall.

'Dat is moord,' zei Josh boos. 'Laat hem verdomme in leven. Hij weet niets.'

'Nee, we maken hem af,' beet Marshall hem toe.

Zijn gezicht was vuurrood en zijn blik was strak op Josh gericht, die nu duidelijk zag dat de oudere man met de seconde gewelddadiger dreigde te worden. Marshall hield het pistool stevig in zijn hand geklemd, alsof hij op het punt stond te vuren.

Josh boog zich naar voren, greep Marshalls hand beet en trok het pistool weg. 'Laat dat,' snauwde hij. 'Als we een politieman vermoorden zitten we écht in de problemen.'

Kate had een hamburger op tafel gezet, en een flesje bier ernaast. Josh trok het voedsel naar zich toe, haalde er de gebakken uienringen uit en begon te eten.

'Waarom help je mij eigenlijk?' vroeg hij, naar de vrouw opkijkend.

Nadat ze weer thuis waren gekomen had Kate Josh opnieuw een injectie toegediend, waardoor hij weer acht uur had geslapen. Ze benadrukte dat hij slaap nodig had en Josh had geen behoefte gehad zich daartegen te verzetten. Uit datgene wat ze die ochtend in het droge met struiken begroeide gebied te weten waren gekomen kon hij opmaken dat er rond hetzelfde tijdstip dat hij er gewond was geraakt een jongen was doodgeschoten, en dat de politie nu op zoek was naar een man met een Engels accent.

En hij wist nu ook dat Marshall knap gewelddadig kon zijn. En misschien gold dat ook wel voor Kate.

Zou ik de jongen hebben gedood? *Of hebben zíj het gedaan?*

'Waarom zou ik je níét helpen,' zei Kate bijna koeltjes. 'Ik ben een hulpvaardig iemand.'

Ze droeg een zwarte spijkerbroek die haar rondingen strak omspande, en een wit T-shirt met op de achterkant een zwarte ruit geprint. Toen Josh eerder die middag wakker was geworden had ze de wond in zijn nek en aan zijn been opnieuw verzorgd, waarbij ze het oude verband zorgvuldig verwijderde en er vervolgens een nieuwe zwachtel op aanbracht. Zonder Kate en Marshall zou hij waarschijnlijk allang dood zijn geweest. Of ergens in een gevangenis in Arizona wegkwijnen.

Josh nam nog een hap van zijn hamburger en keek weer naar Kate op. 'Je had me voor hetzelfde geld uit die greppel kunnen plukken, me een beetje kunnen oplappen om me vervolgens de deur te wijzen – dat zou al heel behulpzaam zijn geweest. Niemand getroost zich zoveel moeite als hij of zij daar niet een heel goede reden voor heeft.'

'Ik ben arts, weet je nog?' zei Kate, en in haar ogen was heel even een opvlammende woede te zien. 'Het is mijn táák om voor zieke of gewonde mensen te zorgen.' Ze ging tegenover hem zitten, reikte over het kleine formica tafelblad, pakte de hamburger en nam er een hap van. Woede maakte haar hongerig, merkte Josh. Ze verslond haar voedsel op precies dezelfde manier waarop ze meningsverschillen verwerkte: met een honger die aan vraatzucht grensde.

'Nee,' reageerde hij, en schudde zijn hoofd. 'Een arts zou me naar een ziekenhuis hebben gebracht, had me zo nodig onderweg een beetje opgelapt, meer niet.' Hij zweeg even en liet de stilte tussen hen beiden in hangen. 'Dat wil zeggen, een reguliere arts.' Hij wierp haar een snelle blik toe. Een ogenblik lang dacht hij dat hij te ver was gegaan. Ik ken deze vrouw nauwelijks, hield hij zichzelf voor. Ik heb geen idee waar ze de grens trekt.

Toen leken de spieren in haar gezicht van het ene op het andere moment te verslappen, leek de levenslust eruit weg te vloeien als uit een autoband die net door een spijker was doorboord. Ze snoof even, en veegde een traan weg die vanuit haar linkerooghoek over haar wang rolde.

'Het is nogal pijnlijk voor me om erover te praten,' zei Kate.

'Wát is pijnlijk?'

'De reden.'

'Welke reden?'

'De reden dat ik hier ben,' zei ze. 'De reden dat ik jou help.'

Josh schoof de hamburger van zich af en boog zich over het tafeltje heen. Hij reikte naar voren en gleed met zijn vingertoppen langs de rand van haar handpalm. Heel even leek het erop dat ze haar hand wilde wegtrekken, maar ze liet hem toch liggen waar hij lag. 'Kijk me eens aan, Kate,' zei hij. 'Ik ben nagenoeg aan flarden geschoten. Ik weet niet eens wie ik ben. Ik vorm voor niemand een bedreiging. Je kunt het me rustig vertellen.' Hij zweeg even. 'Verdomme, de kans bestaat dat ik, van wat je vertelt, me straks niets meer kan herinneren.'

Kate lachte en wierp gelijktijdig haar rode lokken naar achteren, hoewel Josh zag dat haar gelaatsuitdrukking weinig vreugde uitstraalde. Ze keek naar de vloer. 'Ik ben getrouwd geweest,' zei ze. 'Met een man die Danny heette.'

'Wie was hij?'

'Een militair, net als jij.'

Josh knikte, maar zei niets.

'Een Navy Seal. We zijn samen in New Mexico opgegroeid. In een klein plaatsje. We gingen al vanaf de middelbare school met elkaar om, je kent het wel. Hij is direct nadat hij zijn eindexamen had gehaald naar de marine gegaan, terwijl ik aan m'n medische opleiding ben begonnen. Maar we zijn altijd bij elkaar gebleven, hoe ver we fysiek soms ook van elkaar verwijderd waren. Voor iemand anders hebben we nooit oog gehad.'

'Waar is hij nu?'

'Hij is overleden.'

Opnieuw stak Josh zijn hand uit in een poging haar te troosten, maar deze keer trok ze de hare terug.

'Hij is gesneuveld in Afghanistan. Ruim twee jaar geleden. Hij was gestationeerd in een oord dat Khost werd genoemd, ergens langs de Afghaans-Pakistaanse grens. Hij zat bij een onderdeel van de Special Forces. Mannen die in hun eentje naar afgelegen streken worden gestuurd om, gekleed als lid van de plaatselijke bevolking, naar Al-Qaeda-leiders op zoek te gaan.'

'Is hij door een van hen omgebracht?'

'Ik weet niet wie hem heeft gedood. Hij is gesneuveld tijdens een schermutseling, meer weet ik niet. Drie keer in de borst geschoten. Niemand weet wie dat op zijn geweten heeft. Hij is voor dood ergens langs de weg achtergelaten. Hij heeft zesendertig uur in een greppel gelegen, zonder eten en drinken, zonder ook maar enige medische verzorging. Een vrouw uit een van de dorpjes in de buurt heeft hem met zich meegenomen en verzorgd. Ze heeft hem brood en water gegeven, terwijl ze ook heeft geprobeerd zijn wonden te verbinden.' Ze zweeg en veegde nog een traan weg. 'Maar voor Danny was het al te laat. Misschien dat ze hem in een ziekenhuis nog hadden kunnen redden, maar deze vrouw beschikte niet over antibiotica – ze had zelfs geen behoorlijk desinfecterend middel. Na drie dagen is hij overleden en het Amerikaanse leger heeft een week later zijn lichaam opgehaald, toen ze er uiteindelijk achter kwamen waar hij ergens zat.'

'Maar ze heeft hem geholpen, hè?' zei Josh. 'Daar gaat het om.'

Kate keek naar hem op en haar blik was strak op Josh gericht. 'Ze vond een soldaat in een greppel, en ze deed al het mogelijke om hem te helpen, ondanks het feit dat hij best wel eens de vijand zou kunnen zijn.'

'Zoals ook ik best wel eens de vijand zou kunnen zijn.'

Kate wendde haar hoofd af. 'Dat denk ik niet,' reageerde ze. 'Maar dat doe ik hier. Ik heb me een tijdje teruggetrokken om over het verlies van Danny heen te komen. Hij was de enige man die ooit iets voor me betekend heeft, en nu is hij er niet meer.'

Ze stond op en liep naar de gootsteen om daar een glas water voor zichzelf in te schenken. 'En daarom heb ik jou geholpen. Wie weet? Misschien leeft er wel ergens een vrouw die zich wanhopig afvraagt wat er met jou is gebeurd. Ik zal doen wat ik kan, want ik weet hoe ze zich zal voelen als ze te horen krijgt dat je bent overleden.'

6

Josh zette de kruk opzij en begon te lopen. Hij liet het gewicht van het gewonde been op de kurkdroge grond rusten en probeerde uit hoeveel pijn hij kon verdragen. Er joeg een pijnscheut door het been, alsof erin gebeten werd, en de pijn golfde door tot in zijn kruis. Josh klemde zijn tanden op elkaar en wankelde in de richting van de keuken.

Ik móét die kruk kwijt. Daar trek ik veel te veel aandacht mee.

De zon stond al hoog aan de hemel en de lucht werd snel warmer. Josh had niet gekeken hoe laat het was, maar hij vermoedde dat het tussen tien en elf uur was. Hij had waarschijnlijk weer zo'n twaalf uur geslapen, dacht hij: Kate had hem de vorige avond zijn reguliere cocktail slaapmiddel en pijnstillers gegeven. *Weer een halve dag dichter bij het moment dat ik weer over al mijn kracht kan beschikken.*

Toen hij wakker werd had hij geprobeerd zijn gedachten vast te houden, maar er was die ochtend niets om vast te houden: het enige dat hij zich herinnerde was een snikkende Kate, treurend om haar overleden echtgenoot, vlak voordat hij naar bed was gegaan, en zijn pogingen haar te troosten.

Maar wat voor zin had dat? vroeg hij zich af. *Hoe kun je nou een vrouw troosten die haar man heeft verloren?*

Josh duwde de keukendeur open. Kate zat al aan tafel, een bord met een restje cornflakes voor zich. Ze keek naar Josh op en glimlachte. 'Voel je je al wat beter?' vroeg ze.

Josh knikte. 'Een beetje,' antwoordde hij.

'Waar heb je de kruk gelaten?' merkte Kate op.

'In m'n kamer,' antwoordde Josh. 'Ik wilde eens kijken of ik zonder kon lopen.'

Kate stond op en keek naar het been. 'Hoe voelt het?'

'Als ik er m'n gewicht op laat rusten,' zei Josh, 'doe het nog een beetje pijn.'

'Belast het nou niet te veel. Als het niet fatsoenlijk heelt, bestaat de kans dat je de rest van je leven kreupel blijft lopen.'

Josh schonk uit de pot die op het aanrecht stond een kop koffie voor zichzelf in. Hij voegde er een beetje melk aan toe, roerde even en nam toen een slok van het resulterende sterke brouwsel. Voor het eerst deze week had hij geen last van hoofdpijn meer. Zijn hoofd voelde zelfs verrassend helder, evenwichtig en ontspannen aan.

Ik kan weer denken.

Hij wierp een blik op de televisie die in een hoek van de keuken aanstond en zette het geluid wat hoger. De weervrouw rondde net de weersvoorspelling af. Maximumtemperaturen van rond de vijfenveertig graden en geen druppeltje regen. Er was niet eens bewolking. Waarom doen ze voor een weerbericht eigenlijk al die moeite? vroeg Josh zich af. Het is hier woestijn. *Natuurlijk is het hier hartstikke warm.*

'Opnieuw uw aandacht voor het belangrijkste nieuws van deze week,' zei de nieuwslezer. 'En dan bedoelen we de moord op Ben Lippard in Coconino County.'

Op het scherm was een foto verschenen. Een jongen. Van een jaar of zestien en te zien aan het lange zwarte haar dat tot op zijn schouders viel een fan van *thrash-metal*-muziek, vermoedde Josh. Hij had een lang, mager gezicht, maar met ogen die sprankelden van nieuwsgierigheid – een levenslustige knaap.

Wat jong nog, vond Josh, kijkend naar het gezicht dat hem aanstaarde.

'Van zijn vriend Luke Marsden, die op dezelfde dag verdween, is nog geen spoor gevonden,' vervolgde de nieuwslezer.

Er floepte een nieuw beeld op het scherm. Nog een jongen, ook van rond de zestien. Hij had een ronder gezicht dan Lippard, met zandkleurig haar dat in een soort pony was geknipt. Hij had een lichtblauw overhemd aan waarvan de bovenste paar knopen openstonden, waardoor er een krachtige borstpartij zichtbaar werd.

'Niemand heeft Luke Marsden meer gezien sinds de dag waarop Ben Lippard is vermoord, afgelopen maandag,' vervolgde de nieuwslezer. 'Volgens de politie wordt er momenteel naarstig naar Luke gezocht, maar tot nu toe is men er nog niet in geslaagd contact met hem te maken.'

Josh keek opnieuw naar de foto. Het gezicht van de jongen straalde een onschuld uit die bijna alle tieners bezaten, maar het flauwe glimlachje dat rond zijn lippen speelde had iets spottends. Die knaap was niet op zijn achterhoofd gevallen. Een jongen die meer weet dan hij laat merken.

'De politie heeft dit televisiestation laten weten dat iedereen die Luke ziet, zich onmiddellijk met het bureau van de sheriff in verbinding moet stellen,' vervolgde de nieuwslezer.

Er gebeurde iets in Josh' hersenen. Recht voor hem uit begon zich een beeld te ontrollen. Hij zag een vlak landschap, met rotsen in de verte. Hij zag de zon vanuit de hemel erop neer branden. Hij zag struikgewas, en een stofwolk. Hij kneep zijn ogen stijf dicht, sloot zich af voor het licht en probeerde zich te concentreren op zijn geheugen, ondertussen het geluid van de televisie buitensluitend. Een jongen. Hij zag een jongen.

Een schot.

Een andere jongen viel.

Ben.

Toen een stem. Josh verdubbelde zijn concentratie, probeerde zijn hersenen zodanig te ontspannen dat het beeld dat in zijn hoofd speelde niet zou worden vertroebeld. Een van de jongens, Luke, schreeuwde iets. Hij keek in de richting van Josh en zijn lippen vormden woorden, maar hoewel Josh het wel kon zien, hoorde hij niets.

Probéér het, hield hij zichzelf voor.

Wat zei hij tegen jou?

'En dan is hier Dan Smotten met het laatste sportnieuws,' zei de nieuwslezer.

Josh vloekte en deed zijn ogen open, en zag dat Kate naar hem keek. Het beeld was verdwenen, was zó uit zijn hoofd geblazen. Hij haalde diep adem, concentreerde zich opnieuw en deed alle mogelijke moeite om het terug te halen.

Niets.

'Herinner je je iets?' vroeg Kate hoopvol.

Josh knikte.

Kate stond uit haar stoel op, liep het vertrek door en pakte Josh' arm.

Hij voelde hoe haar nagels zich in zijn huid boorden. 'Wat was het?' zei ze snel. 'Wat heb je je herinnerd?'

Josh knikte naar het tv-scherm. 'Die jongen,' antwoordde hij langzaam. 'Ik was erbij. Ik heb gezien hoe Ben werd vermoord. En ik heb Luke gezien. Hij rende bij me vandaan, terwijl hij me tegelijkertijd iets toeschreeuwde.'

Kates nagels groeven zich nog dieper in de huid van Josh' onderarm. 'Wat?' drong ze aan. 'Wat heeft hij geroepen?'

Josh schudde zijn hoofd. 'Dat weet ik niet. De herinnering is erg troebel. Ik kan het zien, maar niet horen. Ik voel hoe hij naar me kijkt, en ik zie zijn lippen bewegen, maar ik weet niet wat hij zegt.'

'Probeer het, Josh. Probeer het!'

Josh maakte zich los uit Kates greep. Hij nam nog een slok koffie, liet de cafeïne door zijn aderen stromen in de hoop dat de energie hem weer terug bij zijn geheugen zou brengen. Niets. Zijn hoofd was nog steeds een en al leegte.

'Ik zie verder helemaal niets meer,' reageerde hij. 'Het is allemaal verdwenen.'

'Het is in elk geval een begin,' zei ze. 'Als jouw geheugen zich eenmaal gaat herstellen, komen de herinneringen na verloop van tijd waarschijnlijk allemaal terug.'

'Zolang je je maar gedeisd houdt,' zei Marshall terwijl hij het vertrek binnenstapte.

'Ik weet iets over die moord,' zei Josh. 'Ik weet niet exact wat er is gebeurd, maar ik weet íéts. Ik was erbij.'

'Misschien heb jíj de trekker wel overgehaald,' zei Marshall. 'De politie wil in elk geval graag een keertje met je praten.'

De vraag had de afgelopen paar dagen herhaaldelijk door zijn hoofd gespeeld. Ben ik een moordenaar? vroeg hij zich voortdurend af. *Zou ik in koelen bloede een jongen dood kunnen schieten?*

'Zeggen de letters S-A-S jou iets?' vroeg Marshall.

Josh zweeg. Zijn hersenen schoten van het een naar het ander, probeerden verbanden te leggen, maar het lukte hem niet het onder woorden te brengen. De hoofdpijn begon weer op te spelen: er werd weer stevig met de beitel in de binnenkant van zijn schedel gehakt. 'Nee, niets,' antwoordde hij uitdrukkingsloos.

'Het Regiment,' zei Marshall. 'Hereford.'

Josh schudde zijn hoofd. 'Nee. Waarom?'

Marshall kwam een stap dichterbij. Hij had nog steeds een blauwe plek op zijn arm als gevolg van de worsteling met de politieman van gisteren, en zijn ogen waren bloeddoorlopen, alsof hij erg slecht had geslapen. 'Een paar dagen geleden, toen we samen aan het schieten waren,' zei hij, 'pakte jij een Sig-Sauer P228 alsof het voor jou een natuurlijke keuze was. Alsof je altijd al met dat pistool vertrouwd bent geweest. Ik heb eens rondgevraagd bij een stuk of wat veteranen die mijn website bezoeken. Ik wilde weten welke Britse regimenten in het gebruik van dat type pistool zijn getraind. Eén knaap kwam met het antwoord.' Hij zweeg even en keek naar het licht dat door het venster naar binnen viel. 'De SAS. Britse speciale troepen. Vroeger gebruikten die de Browning High Power, maar ze zijn vervolgens overgestapt op de Sig-Sauer, zowel het model P226 als de P228.'

Josh liet de woorden tot zich doordringen en wreef met zijn hand over de stevige baardstoppels die op zijn gezicht waren verschenen. Hij herhaalde de drie letters een keer of wat binnensmonds. Hij deed zijn ogen dicht en probeerde zich zoveel mogelijk te ontspannen, waarna hij de letters in gedachten nóg een paar keer reciteerde. Nee, niets. Het maakte niets los, geen flitsen van beelden, geen herinneringen, helemaal niets. *Ik weet niet eens wat die vermaledijde letters betekenen.*

'Zegt het je iets, jongen?'

Josh schudde zijn hoofd. 'Ik heb me vandaag al iets herinnerd. Ik ben bang dat het daarbij zal blijven.' Hij probeerde te glimlachen, maar zag al snel dat die glimlach niet zou worden beantwoord.

'Jij zit bij de SAS,' volhardde Marshall. 'Je kent de wapens die die jongens gebruiken. De manier waarop je gaat staan als je vuurt. Ik ben er heilig van overtuigd.' Hij deed nog een stap in Josh' richting en stond nu zo dichtbij dat Josh de scheercrème rook die de man net van zijn gezicht had gewassen. Josh zag in Marshalls ogen plotseling dezelfde woede en gewelddadigheid opvlammen waarvan hij gisteren getuige was geweest: in die seconde besefte Josh dat Marshall iemand moeiteloos kon doden.

Heb jíj die jongen soms doodgeschoten? vroeg Josh zich af. *Misschien was je dochter dáárom wel in de buurt.*

'Wat ik wil weten is dit,' vervolgde Marshall. 'Waarom achtervolgt een lid van de Britse Special Forces in een afgelegen gebied van Arizona een tweetal weggelopen tieners?'

Josh voelde hoe nu ook bij hem de woede opborrelde. Het beitelen in zijn hoofd werd weer erger, boorde zich in de zijkant van zijn schedel en ook de wond in zijn nek speelde weer op – minuscule pijnprikkels schoten van zijn nek naar zijn ruggengraat. 'Dat wéét ik niet, verdomme!' schreeuwde Josh. 'Ik heb m'n geheugen verloren, weet je nog?'

'Wie bén jij, jongen?' beet Marshall hem toe. 'Wie bén jij, verdomme nog an toe?'

Kate stond op. 'Rustig, pa – hij is nog niet helemaal hersteld.'

Josh bracht zijn hand naar zijn voorhoofd. 'Ik kan dit niet meer aan,' zei hij. 'Ik ga vanavond nog naar dat politiebureau om erachter te komen wie ik ben en wat ik heb uitgespookt.'

'Jij gaat nérgens heen, man!' schreeuwde Marshall.

Josh ging staan. 'Níémand vertelt mij wat ik doen moet,' snauwde hij. Hij schoof voor Marshall langs en liep in de richting van de deur.

'Dan zul je het hele stuk moeten lopen!' schreeuwde Marshall. 'En het is vijftien kilometer.'

Josh en Kate hadden urenlang naar nietszeggende tv-programma's zitten kijken. Marshall was naar bed gegaan. Josh keek naar Kate. 'Ik moet hoognodig iets roken,' zei hij. 'Heb jij sigaretten hier?'

Kate schudde haar hoofd. 'Ik ben arts, weet je nog?'

Josh stond op. 'Ik smacht naar een sigaret. Misschien mag ik je auto even lenen, dan rij ik naar het stadje om een pakje te kopen. Ik neem aan dat daar, zelfs op dit tijdstip, wel een benzinestation open zal zijn.'

Kate draaide zich naar hem om. 'Je hebt tot nu ook zonder die dingen gekund.'

'Dat kan wel zijn, maar ik heb er nú een nodig.'

'Een prima tijdstip om ermee op te houden,' zei Kate. 'Als je drie dagen lang kans hebt gezien niet te roken, dan heb je het ergste al achter de rug. Neem een goede raad van me aan. Kap ermee.'

Josh moest grinniken. Hij stak zijn rechterhand in zijn zak. De autosleuteltjes die hij eerder van de keukentafel had gepakt zaten daar nog steeds. Het interesseert me geen barst wat ze zegt, hield hij zich voor. Ik móét naar dat stadje.

'Ik ga,' zei hij.

Josh draaide zich om, verliet snel de keuken en liep de halfopen binnenplaats op. De avond was stil en bewegingloos. Hij liep naar de plek waar de Avalanche stond geparkeerd, drukte op de gecombineerde afstandsbediening en contactsleutel en zag hoe de deuren van de pick-up van het slot gingen. Hij ging achter het stuur zitten en ging op zoek naar het contact en naar de plek waar de andere bedieningsorganen zich bevonden. Hij startte de motor. Plotseling werd het portier aan de passagierskant opengerukt. Kate staarde hem aan, haar ogen giftig van woede. 'Wáár had jij gedacht heen te gaan?'

'Dat heb ik je al verteld. Ik ga sigaretten halen.'

'Dan ga ik met je mee.'

Kate nam op de passagiersstoel van de Avalanche plaats en sloeg het portier hard achter zich dicht. Josh reed de pick-up de weg op en zette koers in de richting van het plaatsje. 'Direct na het binnenrijden,' zei Kate kil, 'kom je een Texaco-benzinestation tegen. Daar kun je sigaretten krijgen. Die je blijkbaar uiterst dringend nodig hebt.'

Jezus, dacht Josh. Als deze vrouw zich met jouw situatie bemoeit, ga je vanzelf roken.

Beiden hielden in de twintig minuten die ervoor nodig waren om het stadje te bereiken hun mond. Toen Josh het Texaco-logo zag, minderde hij vaart en stopte even later bij het benzinestation. 'Twee minuten,' zei hij alleen maar.

'Ik zou het maar niet veel langer laten duren,' merkte Kate op. 'En je mag niet roken in de auto. Daar houdt Marshall niet van.'

Josh liep naar de kassa. Hij was helemaal niet van plan om sigaretten te kopen. Voorzover hij wist rookte hij helemaal niet, en hij was absoluut niet van plan om daar nu mee te beginnen. Het was alleen een excuus om even bij Kate weg te zijn. Voor de balie bleef hij staan, pakte twee pakjes kauwgom en keek op naar de jongen achter de kassa. 'Waar is het herentoilet?' vroeg hij, terwijl hij een biljet van één dollar gaf.

De jongen knikte naar een deur achter in de zaak. Josh liep ernaartoe en ging naar binnen. Een deur gaf toegang tot de toiletten en een andere leidde naar buiten. Hij nam snel de tweede en zag dat het benzinestation aan de achterzijde aan een met struikgewas begroeid terrein grensde dat tot aan de rand van het stadje liep. Ondanks zijn pijnlijke been begon Josh op een sukkeldrafje de duisternis in te hollen.

Tegen de tijd dat Kate zou beseffen dat hij verdwenen was, zou het al te laat zijn.

De rotsen boden enige dekking. Josh strompelde ertussendoor, af en toe er even tegen steunend om op adem te komen, maar verder voortdurend in beweging blijvend. Je móét in beweging blijven, hield hij zichzelf voor.

Hoog boven hem wierp de maan een zilverachtig licht over het terrein. Het stadje Boisdale had een bevolking van tien- tot vijftienduizend inwoners, dacht Josh, afgaande op de kaart die hij in Kates huis had geraadpleegd. Er was een Wal-Mart, een Motel 6 en een tapijtfabriek die de grootste werkgever van het stadje was. Als je rust wilde was Boisdale hét plaatsje om die te vinden, vermoedde Josh toen hij naar de keurige woonhuizen keek die de weg naar het centrum omzoomden.

Komt hier eigenlijk wel eens iemand naartoe? *Waarom ben ík hier dan verzeild geraakt?*

Het politiebureau stond aan de rand van het stadje, aan Roosevelt Avenue. Het was een vrij fors, rechthoekig betonnen gebouw, dat vijftig meter van de weg verwijderd lag. Het was ongeveer dertig meter lang en tien meter breed, en werd omgeven door een muur. Aan de achterkant bevond zich een binnenplaats van zo'n honderd vierkante meter. Josh had een verrekijker meegenomen, die hij nu naar zijn ogen bracht, en bestudeerde de binnenplaats: hij zag een schietbaan, een omheinde ruimte voor de honden en een rij motorfietsen.

Als het me lukt uit de buurt van de honden te blijven, wordt dát mijn route om binnen te komen.

Behoedzaam liep hij naar voren. Het met struikgewas begroeide terrein was bezaaid met rotsblokken en grensde aan de rand van het stadje. Van hieruit was het nog zo'n dertig meter tot aan het politiebureau. Hij had een rol touw met een haak bij zich – die hij in de garage van Marshall had gevonden – en de Sig-Sauer P228. Het is het politiebureau van een klein stadje maar, hield hij zich voor. Het was al twee uur in de nacht. Er is waarschijnlijk maar één enkele, veel te dikke agent aanwezig, die ondanks het feit dat hij dienst heeft ongetwijfeld voor de televisie in slaap is gevallen. Het moet geen enkele moeite kosten daar naar binnen te klimmen.

Ergens in dat gebouw hebben ze misschien wel een bloedmonster van mij. Als ze dat op DNA hebben getest, weten ze wie ik ben. *Over een paar minuten weet ik het misschien ook.*

Josh strompelde naar de muur aan de achterkant, hoewel hij dat zo snel probeerde te doen als zijn gewonde been toestond, en hij voelde hoe de adrenaline door zijn aderen begon te kolken. Toen hield hij halt. Er kronkelde een slang over de grond. Josh bleef bewegingloos staan, liet het dier passeren, maar besefte dat het angstzweet hem was uitgebroken. Hij keek omhoog naar de muur. Die was twee meter hoog en opgebouwd uit gasbetonblokken. Ongeveer vijftien, twintig jaar oud, vermoedde hij. Oud genoeg om de specie tussen de stenen al enigszins broos te laten zijn. Hij zette zijn nagels in de ruimte tussen de blokken. Er zat enige speling in. Voldoende om een man houvast te geven.

Wie ik ook mag zijn, dit soort werk gaat me op bijna natuurlijke wijze af.

Josh gooide het touw naast zich neer en begon tegen de muur op te klimmen. Hij gebruikte vooral de kracht in zijn schouders en deed zijn best geen druk op zijn gewonde been uit te oefenen. Hij klauwde zijn vingers in de specie, trok zich omhoog, zocht steun voor zijn benen, slaagde erin zijn evenwicht te bewaren, en klom verder. In drie snelle bewegingen kregen zijn vingers de bovenkant van de muur te pakken. Hij trok zich verder omhoog, lag plat op zijn buik op de dertig centimeter brede bovenkant van de muur en keek in de twee meter lager gelegen binnenplaats. Zolang ik maar niet op mijn gewonde been terechtkom, of op mijn nek, is er niets aan de hand.

Maar plotseling hoorde Josh een sirene loeien: zijn trommelvliezen deden pijn toen het hoge, krijsende geluid tot in zijn hersenen doordrong.

Zijn blik schoot naar voren. Aan de achterzijde van de binnenplaats was een zoeklicht aangegaan, waardoor het gebouw in een scherp, verblindend schijnsel werd gezet. Josh voelde dat het zijn ogen verblindde. Hij hoorde een schot. Toen nog een. Josh probeerde nog een blik op de binnenplaats te werpen, maar het licht was veel te fel.

Rennen, man, zei hij tegen zichzelf. *Ren alsof alle hellehonden achter je aan zitten.*

Josh liet zich aan zijn armen van de muur naar beneden zakken. Hij drukte zijn voeten en knieën tegen elkaar, dezelfde houding die hij zou aannemen vlak voordat hij met een parachute de grond zou raken. Zijn voeten vingen de eerste schok op, waarna hij naar links rolde om de onzachte landing zoveel mogelijk te neutraliseren.

Hij draaide zich om en tuurde in de richting van waaruit hij was gekomen, tussen de rotsblokken door, twee-, driehonderd meter, naar de plek waar Kate de Avalanche had geparkeerd.

Als ze daar nog staat lukt het me misschien.

Vanuit het politiebureau klonk opnieuw een serie schoten. Josh zag op de plaatsen waar de kogels het beton raakten stofwolkjes van de muur opdwarrelen, terwijl de schilfers ervan af sprongen.

Jezus, mompelde hij in zichzelf. Die zijn absoluut niet van plan om een arrestatie te verrichten. *Die schieten om te doden.*

Hij begon terug naar de auto te strompelen, waarbij hij de vele rotsblokken die de route omzoomden zo goed mogelijk probeerde te ontwijken. Zijn gewonde been was nagenoeg gevoelloos – de klap die het bij de val van de muur had opgelopen had alle gevoel eruit laten verdwijnen. Achter een rotsblok bleef hij even staan en wierp een snelle blik in de richting van de weg. Hij kon de lichten van het Texaco-benzinestation duidelijk zien. Kate stond er vlak in de buurt, op een parkeerhaven langs de weg, ongeveer vijftig meter van het tankstation verwijderd.

De nachtelijke stilte werd opnieuw door een schot verbroken. Josh hoorde hoe de kogel tegen een van de rotsen ricocheerde. Hij vermoedde dat er al enkele scherpschutters in positie waren gebracht. Maar al te bereid om op alles te schieten wat maar enigszins bewoog.

Tot een iets hoger liggende zandrug, die vlak bij de weg uitkwam, was het nog vijftig meter. Tussen die plek en hier bevonden zich drie rotsblokken, telde Josh: voldoende om hem enige dekking te geven, mits hij zich snel genoeg wist voort te bewegen.

Nog een schot. Opnieuw sprongen de schilfers van het stuk rots af. Verdomme, dacht Josh. *Veel tijd heb ik niet meer.* Hij begon te hollen. Een man die voor zijn leven rent, kan een hoop pijn hebben, bedacht hij terwijl hij achter het tweede rotsblok wegdook. Hij keek op. Nog dertig meter.

Met een beetje geluk red ik het. De ellende is dat ik van de week het overgrote gedeelte van mijn geluk al heb opgebruikt.

Josh zette zich af met alle kracht waarover hij nog beschikte. De grond onder zijn voeten voelde rul aan en hij deed zijn best niet uit te glijden. Als hij struikelde was hij zo goed als dood. Achter zich zag hij nog net hoe steeds meer zoeklichten met hun scherpe schijnsel het nachtelijke duister doorboorden.

Nog één rotsblok.

Josh dook erachter weg en tuurde in de richting van de weg. Hij hoorde hoe de motor van de Avalanche werd gestart.

Toen hoorde hij nog iets. Een andere motor. Het geluid van rotorbladen. En de geur van kerosine die vanuit de lucht op hem neersloeg: een nadrukkelijke, misselijkmakende geur die er steevast voor zorgde dat Josh kotsmisselijk werd.

Josh keek omhoog, terwijl de angst hem om het hart sloeg.

Een helikopter.

Het onder de neus gemonteerde zoeklicht gleed over het lege landschap.

'Kom tevoorschijn, en steek je handen omhoog,' dreunde een stem uit een luidspreker die aan de zijkant van de heli vastzat.

De lichtbundel zwiepte over de zandrug, en miste Josh op een haar, omdat hij net achter het rotsblok was weggedoken. Dóórgaan, hield hij zichzelf voor. Blijf in beweging, vóór die helikopter zijn rondje heeft voltooid.

Hij zette zich weer af, negeerde de pijn die door hem heen sneed, legde de paar meter die hem van de pick-up scheidden af met de snelheid van een haas die net uit zijn gevangenschap is bevrijd. Het hoge gehuil van de heli, die op een hoogte van pakweg veertig meter vloog, vulde de lucht met een oorverdovend lawaai dat zijn trommelvliezen bijna deed bezwijken. Het gehuil van de turbine werd alleen maar onderbroken door geweerschoten.

Nog een meter of vijf, hield hij zichzelf voor.

Links van hem wierp een kogel een miniem stofwolkje op. Hij veranderde even van richting en schoot toen weer naar voren, kreeg het portier van de Avalanche te pakken, rukte dat open en schoof zo snel als hij kon naar binnen.

'Wat heb je verdorie allemaal in gang gezet daar?' wilde Kate weten, en keek hem met een woedende blik in haar ogen aan. 'De Derde Wereldoorlog?'

'Rij nou maar,' beet Josh haar toe.

De motor liep al; Kate gaf een dot gas en stuurde de wagen de hoofdweg op.

'Niet de weg!' beet Josh haar toe. 'En doe het licht uit.'

'O, mooi is dat,' reageerde Kate. 'En hoe moet ik hier dan zonder ongelukken wegkomen?'

Josh boog zich naar opzij en haalde de verlichtingsschakelaar over. De koplampen doofden en de Avalanche werd plotseling door duisternis omringd. Hij greep het stuurwiel en gaf een harde ruk naar rechts, waardoor de pick-up van de asfaltweg schoot en het met struikgewas begroeide terrein op denderde. Josh had het gebied eerder al een keertje verkend en wist dat het land dat zich vanuit Boisdale deze kant uitstrekte vrij vlak was: je kon zo'n vijftien kilometer door blijven rijden voor je op een bergrug stuitte die bijna kaarsrecht uit de woestenij omhoogrees. Het terrein zat alleen vol kraters en er lagen talloze rotsblokken. Je diende er met de allergrootste behoedzaamheid doorheen te rijden.

Maar niet 's nachts met gedoofde koplampen, bedacht Josh. *Tenzij het je enige kans is om in leven te blijven.*

De Avalanche stuiterde over het met struikgewas begroeide terrein, waarbij de vering bij elke klap die het chassis moest incasseren het zwaar te verduren kreeg. Josh had bij elke bult waarmee ze werden geconfronteerd het gevoel dat hij met een zweep werd gegeseld. Kate omklemde het stuurwiel met een kracht alsof ze een touw vasthield waaraan ze boven aan een afgrond bungelde.

Hij wierp haar een snelle zijdelingse blik toe. 'Op de weg kan de heli ons moeiteloos vinden en het vuur op ons openen. In dat geval zouden we net zo goed met een vlag kunnen zwaaien met daarop de tekst: "Schiet maar op me". Maar een eenzame pick-up in een terrein vol struikgewas, die ook nog eens met gedoofde lichten rijdt, díé heeft nog een kans.'

'O ja, maar ze vinden morgenochtend wél een aan flarden gereden pick-up,' zei Kate. 'Met twee lijken erin.'

'Dat is inderdaad een mogelijkheid,' zei Josh bars. 'Maar als we de weg blijven volgen zijn we zéker dood. Ze zijn absoluut niet van plan ons aan te houden voor een verhoor. Ze willen ons om het leven brengen.'

De Avalanche maakte een schuiver toen het linkervoorwiel over een stuk steen stuiterde, om vervolgens in een ondiepe krater terecht te komen. De wagen sidderde alsof hij elk moment uit elkaar kon vallen, kreeg toen weer greep op het terrein en schoot met een ruk naar voren.

Josh keek achterom. Er schoof een wolkenbank voor de maan en even later werd de vlakte ondergedompeld in totale duisternis. Josh kon de heli nog duidelijk horen en het geluid van haar rotorbladen die door de lucht klauwden leek hen te omhullen. Achter hen vormde het zoeklicht van de heli een smalle lichtbundel die ietwat schokkerig over de grond gleed, op zoek naar het doelwit. Toen hij naar voren keek zag hij slechts een zwarte muur, waar ze met een verschrikkelijke snelheid op af reden.

Tijd om te bidden.

'Je doet het grandioos,' zei Josh nadat hij haar opnieuw van opzij had aangekeken. 'Hou je stuur recht en probeer zoveel mogelijk met alle klappen mee te geven. Dan redden we het wel.'

Ze reden naar hun gevoel wel een uur door, maar toen Josh later op zijn horloge keek bleken er nauwelijks twintig minuten verstreken te zijn. Het zoeklicht van de helikopter kon slechts een kleine strook land tegelijk bestrijken: door de heli in de gaten te houden wisten ze dat ze zich steeds verder en verder van het toestel verwijderden. Josh vermoedde dat ze nu een kleine drie kilometer bij de heli vandaan zaten. Beiden zwegen ze, waarbij Kate zich aan het stuurwiel vastklampte en Josh naar de lucht luisterde, gespitst op het geluid van de heli.

'Hier,' zei Josh uiteindelijk. 'Stop hier maar.'

Tijdens de afgelopen twintig minuten hadden ze een behoorlijk aantal kilometers door het open terrein afgelegd. De heli was uit het zicht verdwenen. De laatste vijf minuten hadden ze er niets meer van gezien of gehoord. Als de politie geen idee had in welke richting ze waren gereden, konden ze voor hen binnen een straal van vijftig kilometer overal zitten. Ze waren spoorloos verdwenen. Althans, voorlopig.

Ze zullen morgenochtend ongetwijfeld opnieuw naar ons op zoek gaan, bedacht Josh. *Tot die tijd kan ons niets gebeuren.*

Hij stapte uit de Avalanche. De temperatuur was van de verzengende hitte van overdag gezakt tot een milde tien graden Celsius 's nachts, en er stond een lichte bries, waardoor de gevoelstemperatuur nog wat lager werd. De maan werd nog steeds door wolken aan het oog onttrokken. Het was onmogelijk om meer dan een paar meter voor je uit te kijken, maar hij durfde het risico niet te nemen de koplampen van het voertuig in te schakelen. Met duisternis kan ik omgaan, hield hij zich voor. *Zolang er maar niemand op me schiet.*

'Wat is daar allemaal gebeurd?' wilde Kate boos weten. 'Je hebt me verdomme belazerd. Je wilde in het politiebureau inbreken om te kijken of je je dossier kon vinden, hè? Je bent hartstikke gek.'

Ze had zich pal voor hem geposteerd. Haar blouse was drijfnat van het zweet: door de vochtige stof heen kon Josh duidelijk de contouren van haar borsten onderscheiden. 'Toen ik over de muur klom heb ik een alarm geactiveerd,' zei hij. 'Dat bureau wordt even goed beschermd als het Pentagon. Dit is niet zomaar een politiebureau van een provinciestadje. De omgeving moet hier vol zitten met FBI-agenten.' Hij zweeg even. 'Wat hebben ze in Boisdale dat met zoveel vuurkracht beschermd moet worden?'

'Niets,' zei Kate. 'Het is een klein fabrieksstadje. Vijftienduizend inwoners. Dat waren er vroeger vijfentwintigduizend, maar de afgelopen jaren zijn voor de tapijtindustrie minder florissant geweest.'

Josh nam een slok water uit de fles die naast de passagiersstoel van de Avalanche lag. 'Er zal toch íéts moeten zijn,' zei hij beslist. 'Er móét daar iets te vinden zijn, en ik durf er mijn hoofd onder te verwedden dat het iets met die jongens te maken heeft.'

'Dat zijn nog maar tieners,' zei Kate. 'Althans, dat zeiden ze op het televisiejournaal. Opgeschoten jongelui.'

Josh gaf Kate de fles met water. 'Flauwekul,' zei hij. 'Tenzij ik naast mijn geheugen ook nog mijn gezond verstand kwijt ben, ga ik ervan uit dat er iets in dit stadje aan de hand is. En ik hou er rekening mee dat die twee jongens daarbij een centrale plaats innemen.'

'Wat dan?' zei Kate. 'Wat zou dat dan moeten zijn?'

Josh schudde zijn hoofd. 'Dat weet ik niet.'

'Denk eens goed na,' beval ze hem.

'We rusten eerst even uit,' zei Josh.

Hij keek om zich heen en nam de directe omgeving van de plek waar de Avalanche tot stilstand was gekomen in zich op. Hij zag een richel in het terrein, die in het zwakke schijnsel van de nog steeds gedeeltelijk aan het oog onttrokken maan uitkwam bij iets dat nog het meest op een droge rivierbedding leek. Aan de overkant lagen grote rotsblokken, en Josh vermoedde dat ze in de door het water uitgesleten plooien daar misschien wel wat beschutting zouden kunnen vinden. 'Daar,' zei hij. 'Het is nu twee uur 's nachts. Rond zessen komt de zon op. We proberen twee uur te slapen en gaan dan lopen. Direct na zonsopgang kunnen ze de bandensporen van de pick-up tussen de struiken door volgen. Als ze de auto vinden moeten we zo ver mogelijk uit de buurt zijn.'

Josh keek Kate aan. 'Je moet naar huis. Het is hier veel te gevaarlijk voor jou.'

'Ik blijf,' zei ze.

7

Zondag 7 juni. 's Ochtends.
In de verte zag Josh het politiekordon waarmee de hoofdweg was afgezet. Twee patrouillewagens waren scheef op het wegdek gepositioneerd, en iedereen die de stad binnenreed werd aangehouden en gecontroleerd. Ze moeten mij hebben, besefte Josh. Ze zijn naar mij op zoek.

Een gevaarlijk tijdstip om op onderzoek uit te gaan. Maar ik heb geen andere keus.

'Waar beginnen we?' vroeg Kate.

'Laten we het spoor oppikken bij het motel,' zei Josh. 'In dit soort oorden nemen vreemdelingen op doorreis altijd hun intrek in een motel.'

Josh keek vanaf de heuvel naar beneden. Ze bevonden zich anderhalve kilometer buiten het stadje, aan de oostkant, op een van de hellingen die geleidelijk aan omhoogliepen tot aan de in de verte liggende canyons. Josh was om vier uur die ochtend wakker geworden, gewekt door het alarm van zijn polshorloge, en was verrast geweest toen hij een nog steeds in diepe slaap zijnde Kate tegen zijn borst opgerold had aangetroffen. De rotsen waren van een roodachtig zandsteen, niet van dat harde graniet: je kon er redelijk comfortabel op slapen. Zijn wonden waren nog gevoelig, maar niet erger dan gewoonlijk. Hij schudde Kate behoedzaam wakker en stond toen op. Zodra de zon boven de horizon verscheen, zou de helikopter de Avalanche waarschijnlijk al binnen een paar uur weten op te sporen. Ze moesten op dat moment al minstens zeven, acht kilometer uit de buurt zijn: dat betekende dat ze twee uur stevig moesten doorstappen.

Josh' eerste handeling was de Avalanche zo veel mogelijk aan het oog te onttrekken. Bij het eerste licht zouden politiehelikopters het met struikgewas begroeide terrein gaan uitkammen. Als ze de auto open en bloot zouden achterlaten, zou dat hen rechtstreeks naar Kate leiden. Ze moesten hem ergens zien achter te laten waar hij vanuit de lucht niet te zien was. Als dat lukte, zou het wel eens weken kunnen duren voor hij werd gevonden.

Hij had al in het donker de directe omgeving afgezocht en was op een droge bedding gestuit, maar was met die plek niet tevreden geweest omdat de auto vanuit de lucht nog steeds zichtbaar zou zijn. Daarna vond hij een groepje bomen, maar ook die plek was niet geschikt, besefte hij. De Avalanche was een vrij grote pick-up en als een helikopter maar laag genoeg vloog, zou de piloot het voertuig – onder wat voor een soort boom hij ook geparkeerd stond – binnen de kortste keren ontdekken. Uiteindelijk vond hij een groep zware rotsblokken, die in een grillige cirkel lagen gegroepeerd en die in feite een natuurlijke schuilplaats vormden. Hij reed de Avalanche naar binnen. Dat lukte maar net, en toen hij probeerde het voertuig de uiterst beperkte ruimte in te manoeuvreren, liep de auto daarbij aan een van de zijkanten een diepe kras op.

'Als de verzekering niet uitkeert,' grapte hij tegen Kate, 'zal ik de schade persoonlijk vergoeden.'

Nadat ze de Avalanche hadden verborgen, begonnen ze aan hun lange wandeling naar het stadje. Josh liep behoedzaam over het ruwe terrein en zei tegen Kate, die een paar meter voor hem uit liep, dat ze hetzelfde moest doen. Lopen in het donker was erg moeilijk, en ze moesten zich een weg banen tussen de rotsblokken, braamstruiken en cactussen door. Josh sleepte een stok achter zich aan om hun eventuele sporen zo goed mogelijk uit te wissen, wat hun tempo natuurlijk enigszins vertraagde, hoewel ze alles bij elkaar toch nog een behoorlijke voortgang boekten bij hun cirkelvormige tocht die hen volgens Josh' berekeningen weer in de buurt van het stadje uit moest laten komen.

Na drie kilometer bereikten ze de nagenoeg droge bedding van een beekje waarin ze een ondiepe plas aantroffen die omringd was door een dichte groep dennen. Omdat er toch niemand in de buurt was kleedde Josh zich tot op zijn boxershort uit en waste hij zich in het koele water. Kate stapte in haar blauwkatoenen beha en onderbroekje het water in, om zich even later met haar T-shirt af te drogen, waarna ze het kledingstuk doodgemoedereerd weer aantrok. In het schemerlicht zag Josh hoe ze water over haar haar en gezicht spetterde, en concludeerde dat ze een slank en lenig lichaam had, behoorlijk gebruind ook, eerder het lichaam van een sportvrouw dan van een fotomodel, maar desalniettemin uiterst soepel en sexy.

Ze mag dan wel arts zijn, bedacht Josh, maar het is geen meisje uit de stad. *Ze weet precies hoe ze in de woestenij moet overleven.*

'Hoe wil je proberen er te komen?' vroeg Kate, en wees naar het stadje.

'Te voet,' antwoordde Josh met een scheve grijns. 'Maar als jij een taxi ziet, mag je die natuurlijk altijd aanhouden.'

Kate glimlachte terug en begon te lopen. Er liep een pad vanaf de helling naar beneden, bij de patrouilleauto's vandaan, waarna het eerste stuk van het geplaveide gedeelte naar een truckdepot leidde, dat op deze ochtend echter gesloten was. Er stonden slechts enkele chromen monsters op het omheinde terrein geparkeerd. Recht voor zich uit, op ongeveer anderhalve kilometer afstand, zag Josh een circa tien meter hoge paal met daarop het logo van Motel 6. Ze liepen door, met kalme pas door de eerste straat met woonhuizen die uiteindelijk in het centrum van het stadje moest uitkomen. Het was nog maar acht uur in de ochtend, en hoewel de zon al een stuk boven de horizon uit was gekomen, was het nog maar een graad of vijftien, terwijl er een licht briesje stond.

Kate stelde voor bij het eethuisje op de hoek van Coral Street en Roosevelt Avenue langs te gaan en daar koffie te halen. 'Ga jij het maar halen,' zei Josh. 'Dan zal ik buiten op je wachten.'

Toen Kate terugkwam, overhandigde ze hem een extra grote beker met schuim bedekte, melkachtige koffie, en twee in wit tissuepapier gewikkelde honingwafels. Josh ging op zijn hurken tegen het hek van het parkeerterrein zitten en begon te eten. De wafels waren net iets te dik en te klef, en Josh vond er nauwelijks smaak aan zitten. Maar, hield hij zichzelf voor, dat deed er niet toe: ik heb alle calorieën nodig die ik maar te pakken kan krijgen.

'Heb je die man met die blauwe sweater gezien?' vroeg Josh, terwijl hij een snelle blik in de richting van een van de ramen van het eethuisje wierp.

Kate knikte.

'Wat vind je van hem?'

Kate haalde haar schouders op. 'Een kale knaap die de sportkatern van het plaatselijke sufferdje leest,' reageerde ze. 'Ik zou niet weten wat ik van hem moet vinden.'

'Het is een federaal agent.'

Kate nam traag een slok van haar koffie en keek bedachtzaam voor zich uit. 'Bedoel je een FBI-agent?'

Josh knikte. 'Er is iets aan de manier waarop hij zit, de manier waarop hij zich uitsluitend met zijn eigen zaken lijkt te bemoeien. Het heeft iets gemaakts, kunstmatigs – alsof hij het tijdens een cursus heeft geleerd.' Hij draaide zich weer naar Kate om. 'Hij houdt de omgeving in de gaten.'

'Moet hij jóú in de gaten houden?'

Josh schudde zijn hoofd. 'Dat weet ik niet, maar ik durf er alles onder te verwedden dat het in dit stadje wemelt van de agenten – dat móét haast wel als ze er een helikopter hebben gestationeerd. Ze zijn naar iemand op zoek.'

En als ze niet naar míj op zoek zijn, naar wie dan wel, verdomme?

Josh liet de rest van de koffie in zijn keelgat verdwijnen, werkte het laatste restje van de wafels naar binnen, kwam weer overeind en liep verder. De slepende gang ten gevolge van zijn gewonde been was aan het verdwijnen: hij was nu net in staat het feit te maskeren dat hij een paar dagen geleden een kogel had moeten incasseren. Sinds hij gewond was geraakt had hij zich niet meer geschoren en hij liep nu rond met een dikke zwarte baard. Als hij hem een beetje bijknipte zou het net lijken of hij die al jaren had. Dat, plus de burgerkleren, gaf hem een heel ander uiterlijk dan op eventuele foto's die van hem in dossiers zouden kunnen zitten.

Zolang ik maar geen aandacht op mezelf vestig.

Ze weten wie ik ben, bedacht Josh terwijl hij rustig doorliep. Maar weten ze ook hoe ik eruitzie?

Tot het Motel 6 was het nog maar een kleine kilometer, een afstand die ze met hun stevige tempo in iets meer dan tien minuten aflegden. Het gebouw bevond zich aan het eind van een lange parallelweg waaraan alleen bedrijfspanden stonden: een paar autobedrijven, een kapsalon, een gereedschaps- en ijzerwarenwinkel, en ten slotte het motel. Toen hij het gebouw in zich opnam, vroeg hij zich onwillekeurig af of hij hier niet eerder was geweest. Er was geen flits van herkenning, maar als hij in dit stadje was geweest, moest hij ongetwijfeld van dit motel gebruik hebben gemaakt.

En ook al herken ik dít niet, dan bestaat wel degelijk de kans dat iemand míj herkent.

Josh knikte naar de entree. 'We gaan samen naar binnen.'

'Misschien denken ze wel dat we een kamer willen.' Glimlachend voegde ze eraan toe: 'Voor een uurtje of zo.'

Josh stapte naar binnen. De baliemedewerker keek naar de een of andere honkbalwedstrijd op tv. Een jongen van een jaar of negentien, twintig, schatte Josh, met slap naar achteren gekamd haar, en twee prominente moedervlekken op zijn linkerwang. 'Bent u op zoek naar een kamer?' vroeg hij terwijl hij Josh aankeek.

Josh liet zijn blik snel maar aandachtig over het gezicht van de jongen glijden, op zoek naar eventuele blijken van herkenning, maar uit niets bleek dat de jongen hem eerder had gezien. De receptie was even standaard als de rest van het als bouwpakket neergezette motel, met precies hetzelfde geel-en-zwarte meubilair dat je in elke Motel 6-lobby vond, wáár die zich ook mocht bevinden. Vanuit de receptie had je uitzicht op de hoofdweg, en achter de balie hing een serie foto's van de belangrijkste toeristische attracties die er in de buurt te vinden waren: de Grand Canyon, Death Valley, Phoenix, en ten slotte Las Vegas. Wel allemaal bestemmingen die hier minstens honderdvijftig kilometer van verwijderd lagen, besefte Josh. Hij vermoedde dat vertegenwoordigers zo'n beetje de enigen waren die gebruikmaakten van dit motel.

'We zijn op zoek naar informatie,' zei Josh.

De jongen keek eerst naar Josh, en toen naar Kate. Hij heette Darren, zag Josh op het naamplaatje dat op zijn reguliere gele overhemd zat vastgepind. Zijn blik vertoonde iets van wantrouwen, maar ook van nieuwsgierigheid. De uren duurden lang achter de balie van dit Motel 6, besefte Josh. Darren zat wanhopig verlegen om iets wat deze ochtend een beetje zou breken.

'Wat voor soort informatie?' vroeg hij.

'Informatie over bepaalde gasten, Darren,' vervolgde Josh.

Darren zette het geluid van de tv iets zachter.

'Wij zijn freelance journalisten,' ging Josh verder. 'We doen research voor een BBC-programma. We zijn geïnteresseerd in de gebeurtenissen rond Lippard. Wij vroegen ons af of er nog andere verslaggevers in de stad zijn, bij wie we ons misschien kunnen aansluiten.'

Hij sprak langzaam en hield zijn toon ontspannen. Alleen leugenaars spreken snel, bracht Josh zichzelf in herinnering.

Darrens gelaatsuitdrukking was er een van een man die besefte dat hij naar alle waarschijnlijkheid niet kon helpen, maar de verleiding desalniettemin niet kon weerstaan. 'De BBC?' zei hij. 'Hoe heet u?'

Josh aarzelde. 'Ben,' zei hij. 'Ben Webster, en dit is Kate. We doen alleen de research.'

'Ja, we hébben inderdaad een paar verslaggevers als gast mogen inschrijven,' zei Darren.

'Wie?' zei Josh.

Darren keek in het register dat geopend voor hem op de balie lag. 'Een tv-ploeg uit Phoenix heeft hier een paar nachten gelogeerd. News Five. Ze hebben hun busje hier midden op het parkeerterrein neergezet. Maar die mensen zijn vanochtend vertrokken.'

'Wie nog meer?'

Darren keek opnieuw in het boek. 'Dat was het zo'n beetje. Ik neem aan dat de moord op Lippard buiten het stadje nauwelijks belangrijk wordt gevonden. We hebben hier een vrouw die bij de plaatselijk krant werkt maar ook artikelen schrijft voor de *Phoenix Republic* en de *Las Vegas Sun*. Misschien kan zij u helpen.'

'Hoe heet ze?' vroeg Kate.

'Elaine,' antwoordde Darren. 'Elaine Johnston. De krant verschijnt op maandag, dus de kans is groot dat ze vanmorgen op kantoor te vinden is.'

'Mag ik even in het motelregister kijken?' vroeg Josh.

Als ik hier heb gelogeerd, moet ik mijn naam en adres hebben gegeven, redeneerde hij. Als ik die zie, herken ik ze misschien wel.

Darren trok een benauwd gezicht. 'Dat mag ik niet doen,' zei hij. 'Bedrijfsvoorschriften.'

'Alleen een snelle blik,' zei Josh, die een glimlach probeerde te forceren.

'Zeker weten van niet, man,' reageerde Darren bits.

Josh reikte naar de bundel met dollarbiljetten in zijn zak. Hij haalde hem tevoorschijn. 'Misschien zou ik je iets te drinken kunnen aanbieden.'

'Zoals ik al zei, ik moet me aan de bedrijfsvoorschriften houden,' zei Darren snel.

Kate keek naar hem op. 'We zouden je zeer erkentelijk zijn,' zei ze.

'Dit is het enige baantje dat ik heb,' zei Darren kwaad. 'Als u niet onmiddellijk ophoudt, waarschuw ik de politie.'

'Oké, oké,' reageerde Josh snel. Hij pakte Kate bij haar arm. 'Kom op, we gaan.'

Buiten stond de zon al een stuk hoger aan de hemel en het was aanzienlijk drukker op straat. Josh aarzelde toen hij het Motel 6 verliet, en keek over zijn schouder naar de twee verdiepingen met kamers die zich uitstrekten tot honderd meter bij de lobby vandaan. Ik ben hier eerder geweest, besefte hij.

Ik heb hier misschien wel gelogeerd voor ik werd neergeschoten.

'Ik heb zin in nog een kop koffie,' zei Josh tegen Kate. Hij had weer dorst: dezelfde droge, brandende dorst waarvan hij al sinds hij was neergeschoten last had. 'Dan gaan we eens kijken of die Elaine op zondagochtend werkt.'

Nog een man die in z'n eentje van zijn koffie nipte. Deze knaap had een honkbalpet op die hij diep over zijn ogen had getrokken. Josh wierp hem door het raam van het restaurant een snelle blik toe en wendde toen onmiddellijk zijn hoofd af. Nóg iemand die de omgeving in de gaten hield, vermoedde hij. Hij had geen flauw idee waarom hij daar zo zeker van was. Misschien heb ik zelf wel zo'n soort training gehad, bedacht hij. Misschien herken ik dat soort lieden daarom onmiddellijk.

Kate kwam met twee bekers koffie en twee broodjes kalkoen het restaurant uit en liep naar de plek waar Josh op haar stond te wachten. Tien meter verderop liet een echtpaar hun kinderen uit de auto stappen en een stelletje motorrijders – bikers – scheurde op dat moment het parkeerterrein van het eettentje op. Het waren er zes: zware, forse mannen met lang haar en spieren die onder hun T-shirts rolden en bierbuiken die over de riemen van hun spijkerbroeken puilden. Het was halfelf. Boisdale stond op het punt wakker te worden.

'Laten we hier weggaan,' zei Kate. 'We kunnen tijdens het lopen ons broodje opeten. Als we graag willen dat we die verslaggeefster op haar kantoor aantreffen, moeten we daar nú naartoe.'

Josh begon langs de weg te lopen, ondertussen een hap van zijn broodje nemend.

'Josh,' klonk een vrouwenstem vanaf de parkeerplaats.

Hij negeerde de stem en bleef rustig doorlopen. Wie zou die Josh zijn? vroeg hij zich alleen maar af.

'Josh!' riep de stem opnieuw.

Zou ze soms naar mij roepen?

Rustig, dame, dacht hij. Te veel commotie en je trekt de aandacht van de stille die achter in het eettentje zit.

'Verdómme, Josh, zeg je me dan helemaal geen gedag meer?'

Plotseling trok degene die hem had geroepen aan zijn mouw. Een eindje voor zich uit zag Josh hoe Kate zich met een ruk omdraaide om te kijken wat er aan de hand was.

Josh keek opzij. De vrouw was een jaar of twintig, eenentwintig. Ze had lang blond haar dat in haar nek was samengebonden en een dik, rond gezicht. Ze had maatje tweeënveertig, hoewel het ook vierenveertig kon zijn. Ze droeg een strakke blauwe spijkerbroek en een geel Madonna-T-shirt dat een gebruinde vleesrol rond haar middel onbedekt liet. Haar navel was voorzien van een piercing en om haar nek hing een gouden kruis, terwijl er aan haar lelletjes grote zilveren oorringen hingen.

'Hóé noemde je me?'

Plotseling bang geworden deed de jonge vrouw een stapje achteruit en liet Josh' mouw los. Het was nu zíjn beurt om haar bij haar arm vast te pakken.

'Hóé noemde je me?' wilde Josh weten, een stuk venijniger dan de eerste keer.

'Josh.' Ze aarzelde, en haar gelaatsuitdrukking was er een vol gekwetstheid en verwarring. 'Josh, ik… ik…'

'Josh – noemde je me Jósh?'

De vrouw trok haar arm los. 'Laat me los, klootzak.'

Ze draaide zich om en liep snel terug over het asfalt van de parkeerplaats. Josh snelde achter haar aan. 'Hé, blijf staan,' snauwde hij.

Hij zag hoe links van hem een van de bikers van zijn Harley Davidson was gestapt – het waren allemaal Harley Tourings, waarvan er sommige van een afwijkend stuur waren voorzien – en zijn machine op de standaard zette. De man droeg een leren broek, een witlinnen shirt en stevige, van beslag voorziene handschoenen.

'Valt deze knaap u soms lastig, dame?' vroeg hij de vrouw.

'Zorg ervoor dat hij bij me uit de buurt blijft,' reageerde ze.

Er liep al een traan over haar wang.

'Ik wilde alleen maar w- ' Maar toen zag Josh dat de motorrijder hun kant uit kwam lopen en dat nog eens twee anderen van hun Harley stapten en aandachtig toekeken.

'Deze dame heeft geen zin om met je te praten,' zei de eerste motorrijder. 'Opdonderen, jongen.'

Josh wist dat hij niet in de conditie was om een gevecht aan te gaan: en al helemaal niet een knokpartij met drie bikers die minstens honderdtwintig kilo wogen.

Plotseling stond Kate achter hem en trok hem aan zijn mouw. 'Laat dat,' snauwde ze.

'Ja, laat dat, man,' zei de biker terwijl hij Kate een wellustige blik toewierp. 'Je hebt al een vriendinnetje.'

'We gaan,' zei Kate, ze pakte Josh bij zijn arm en duwde hem in de richting van de weg. Er denderde een vrachtwagen voorbij, die op dat moment een dikke wolk vuile uitlaatgassen uitspuwde. Josh had het gevoel dat hij heel even geen adem kreeg. Achteromkijkend zag hij hoe de vrouw naar het eettentje liep, pratend met de motorrijder die haar te hulp was geschoten. Sir Galahad, schoot het door Josh heen. *De ridder van haar dromen.*

'Waar ben je nou mee bezig, idioot?' beet Kate hem toe. 'Als jij met iemand slaags raakt komt de politie je binnen de kortste keren arresteren.'

'Die vrouw,' zei Josh. 'Ze wist hoe ik heette.'

'Wist hoe je heette?'

'Josh. Ze noemde me Josh.'

Kate glimlachte, en haar hele gezicht leek op te lichten.

'Josh,' herhaalde Kate, en ze liet de klank over haar tong rollen. 'Dat vind ik wel een mooie naam. Past wel bij je. Ik had voor mezelf de namen Sam of Ed voor jou in gedachten, maar Josh is ook prima.'

'Hoe kon ze nou weten wie ik was?' zei Josh.

'Herinner je je dan nog steeds helemaal niets?' vroeg Kate.

Josh schudde zijn hoofd. 'Ik moet hier een tijdje hebben doorgebracht,' zei hij. 'Vlak voor ik werd neergeschoten misschien?'

Maar waarom? vroeg hij zich af. *Wat deed ik hier?*

Josh keek nog een keertje achterom naar het eettentje. De stille waarnemer, de man die hij direct had opgemerkt, had zijn koffie blijkbaar opgedronken en vouwde zijn krant dicht. Hij keek recht hun kant uit.

Josh nam Kate bij de arm. 'Snel,' zei hij. 'Volgens mij heeft hij het op ons voorzien.'

Kate wierp een snelle blik in de richting van het eettentje.

'Niet kijken,' beet hij haar toe.

Hij liep verder langs de weg. Vanuit zijn ooghoek zag hij de stille uit het eettentje komen en links en rechts de straat af kijken. Josh probeerde hem in te schatten. *Ik vermoed nog steeds dat hij niet weet wie ik ben. Ik ben slechts iemand die zich op verdachte wijze door het stadje beweegt, en daar wil hij graag het zijne van weten.*

'Het kantoor van de krant,' zei Josh.

Volgens de aanwijzingen van Darran kon dat kantoor niet meer dan een paar honderd meter verderop liggen.

'Weet je het zeker?' informeerde Kate nerveus.

'Nee,' snauwde Josh. 'Maar het is de enige keuze die we hebben. En loop niet zo snel, anders zorgt die knaap er straks nog voor dat de halve FBI tegen ons wordt ingezet.'

Nadat Kate en Josh in een stoel tegenover haar hadden plaatsgenomen, liet Elaine Johnston een professionele blik over het tweetal glijden. *Adverteerders of lieden met een verhaal,* dacht Josh. *We moeten in een van beide categorieën vallen. Anders is ze niet in ons geïnteresseerd.*

'Waarover wilt u iets weten?' vroeg ze.

'De moord op Lippard,' antwoordde Jake.

Het kantoor van de *Boisdale Ledger* was gehuisvest in twee vertrekken op de tweede etage van een modern betonnen gebouw waarin verder ook nog een accountantsbureau, een reisbureau en een paar distributeurs van landbouwmachines onderdak hadden gevonden. Johnstons bureau was één papierzee. Op een stapeltje oude archiefmappen balanceerden vijf lege koffiebekertjes, terwijl er ook twee pakjes met nicotinepleisters te zien waren, die beide geopend waren. Vandaag was Johnston de enige die in het kantoor aanwezig was.

'Daar wil iedereen het fijne van weten,' reageerde ze.

Johnston was een vrouw van in de vijftig, gekleed in een grijze lange broek en een zwarte sweater. Ze had grijzend, kortgeknipt haar, maar ze had een fris en nieuwsgierig gezicht. Ze was, stelde Josh vast, misschien wel de enige persoon in Arizona die níét diepgebruind was.

'Wij zijn bezig met de research ten behoeve van een tv-documentaire voor de BBC,' vervolgde Josh. 'Een documentaire over moordzaken in kleinere steden. Mijn naam is Ben Webster, en dit is mijn assistente Kate. We hoopten dat u in staat zou zijn om ons iets meer over deze zaak te vertellen.' Hij zweeg even. 'De kans bestaat zelfs dat u voor de camera wat vragen zullen worden gesteld.'

'Voor de BBC?' Johnston lachte. 'Net als de koningin zeker?'

'Wellicht,' zei Josh glimlachend. 'En uiteraard staat daar een vergoeding tegenover.'

'Wat wilt u weten?'

Kate boog zich iets naar voren. 'Alles wat u over deze zaak te weten bent gekomen. Begint u maar bij het begin.'

Johnston wierp Kate een blik toe waaruit opgemaakt zou kunnen worden dat ze haar niet bepaald mocht, maar keek toen weer naar Josh. Ze speelde met haar pen alsof het om een sigaret ging. 'Ben en Luke waren in feite niet meer dan een paar computerfreaks,' begon ze. 'Daar hebben we er hier in de buurt heel wat van rondlopen. En dit tweetal verschilde in niets van de anderen. Ze waren vijftien en zaten op de plaatselijke middelbare school. Ze waren bevriend met elkaar, en trokken nauwelijks op met de andere kinderen. De meisjes waren niet in hen geïnteresseerd. Te veel jeugdpuistjes en te weinig geld. Niet bepaald een combinatie waarvan cheerleaders oververhit raken.' Johnston moest even lachen. 'Zelfs hier in Boisdale niet.'

'Uit wat voor soort gezinnen kwamen ze?' vroeg Josh.

Johnston haalde haar schouders op. 'De ouders zijn niet bepaald miljonairs, dat kun je wel zeggen. Bens vader werkte als monteur in een garage. Ben woonde nog bij zijn ouders, zo'n tien kilometer buiten het stadje. Geen indrukwekkende woning, maar het is best een aardig huis, met een paar honderd vierkante meter grond eromheen en een klein zwembad.'

'En Luke? Hoe zit het met Luke?'

'Die woonde bij zijn moeder, Emily. Ongeveer vijftien kilometer buiten de stad, aan een zijweg van Havertree Road. Je hoeft maar bij wat oudere inwoners te informeren, en ze beginnen je spontaan over Emily te vertellen. Vroeger was ze de plaatselijke dronkaard en viel ze steevast elke nacht om twee uur van haar barkruk. Volgens de bevolking fungeerde ze ook als de plaatselijke hoer. Niemand weet wie Lukes vader is.

Misschien weet Emily het zelf niet eens. Maar als ze het wel weet, dan heeft ze het nog nooit iemand verteld.'

Josh keek naar de waterkoeler die aan de andere kant van het vertrek stond. 'Vindt u het goed dat ik een glaasje water pak?'

Johnston knikte. Josh liep naar de andere kant van de ruimte, liet een plastic bekertje vollopen en sloeg het koude water in een paar teugen achterover. Zijn keel voelde nog steeds kurkdroog aan. Hij drukte het verband wat steviger tegen zijn hals: er was wat lucht tot de wond doorgedrongen waardoor de ruwe huid eronder geïrriteerd was.

'Wat is er met u gebeurd?' vroeg Johnston.

'Ik ben van mijn fiets gevallen,' zei Josh. 'Emily? Drinkt ze nog steeds?'

Johnston schudde haar hoofd. 'Nee. Ze is er een jaar of vijf, zes geleden mee gekapt. Raakte in de ban van het geloof, hoewel dat volgens mij maar een paar jaar heeft geduurd. Hoe dan ook, het heeft haar geholpen de boel eens op een rijtje te zetten. Ze woont nu buiten de stad, in wat de plaatselijke bevolking het "lege kwartier" noemt, in een huisje waar vroeger mijnwerkers woonden. Alleen zij en Luke. Ze is volkomen toegewijd aan die jongen.'

'Waren die knapen ergens mee bezig?'

'Zoals ik al zei hadden ze erg veel belangstelling voor computers,' zei Johnston. 'Misschien zou je zelfs kunnen zeggen dat ze erdoor geobsedeerd waren, op een manier die vandaag de dag bij de jeugd wel vaker voorkomt. Ze raakten op school in de problemen toen bleek dat ze in de schoolcomputer hadden ingebroken en daar de cijfers van zo'n beetje alle leerlingen hadden veranderd. Daaraan hebben we toen een heel artikel in de krant gewijd. Ik geloof niet dat ze daarbij boosaardige bedoelingen hebben gehad. Het waren op hun manier best aardige jongens. Het is doodzonde wat er met Ben is gebeurd.'

'Gebruikten ze drugs?' wilde Kate weten.

Johnston knikte. Haar pen bungelde nu uit de zijkant van haar mond. 'Af en toe, neem ik aan. Alleen hasj waarschijnlijk.' Ze lachte, en de pen viel op de vloer. 'Dit is niet het opwindendste stadje van de wereld. Ook een behoorlijk deel van de volwassen bevolking gebruikt van tijd tot tijd wel wat wiet. Het verdrijft de tijd een beetje. Emily teelt dat spul zelfs in haar eigen tuin. De verkoop van dat spul en wat parttimewerk als serveerster vormen haar enige bron van inkomsten.'

'Hoe zit het met de misdaad hier?' vroeg Josh. 'Waren de jongens daar ook op enige wijze bij betrokken?'

'Afgezien van het hacken van computers en de wiet?' reageerde Johnston. 'Nee, voorzover ik weet niet. Het waren in feite prima jongens. Ik heb gisteren met de sheriff, Jim Kelly, gesproken. Hebben jullie al met hém gepraat?'

Josh schudde zijn hoofd.

'Nou, er zal niets anders voor jullie opzitten.' Ze keek Josh glimlachend aan, een glimlach die hij onmogelijk kon doorgronden. 'Ik zou jullie met elkaar in contact kunnen brengen, als je wilt.'

'Bedankt,' antwoordde Josh zo neutraal mogelijk. 'Ga verder.'

Johnston leunde achterover in haar stoel. Het raam stond open en het ochtendlicht stroomde het rommelige vertrek binnen. 'Momenteel hebben ze nog geen duidelijke aanwijzingen. De beste theorie die ze momenteel hebben is dat de jongens zich op school verveelden en toen besloten een paar dagen te spijbelen. Misschien raakten ze door hun geld heen en hebben ze geprobeerd een van de plaatselijke dealers te tillen. Op zich is dat al reden om doodgeschoten te worden. Ze gaan ervan uit dat Luke over een paar dagen wel weer tevoorschijn zal komen; dat hij doodsbang is. Hij zal hun wel vertellen wat er gebeurd is, en daarna wordt de zaak gesloten.'

Josh stond op en wierp een blik op de deur. 'Dank u,' zei hij. 'U was buitengewoon behulpzaam.'

'Ik heb jullie niets verteld waar jullie na het lezen van de krant van morgen zelf ook niet achter waren gekomen.'

Josh glimlachte. 'Toch is het prettig om het uit iemands mond te horen,' zei hij. 'Van iemand die van de hoed en de rand weet.'

'Denk je dat dat programma daadwerkelijk zal worden opgenomen?'

'We zullen moeten afwachten.'

'Zo ja, dan ben ik uiteraard bereid om daaraan mee te doen.'

De glimlach waarmee Johnston dat aanbod gepaard liet gaan, maakte Josh duidelijk dat ze niet verwachtte ooit voor een televisieopname gevraagd te zullen worden. 'We houden contact,' zei hij.

Toen pakte hij Kate bij haar arm en leidde haar naar de deur.

'Wie zijn jullie eigenlijk écht?' merkte Johnston op.

'Zoals ik al zei, doen we research,' reageerde Josh. 'Voor de Britse tv.'

Johnston liep achter hen aan naar de deur. 'Ik ben verslaggever,' zei ze. 'Ik beschik over bepaalde instincten, en ik heb geleerd daarop te vertrouwen. Uiteraard besef ik dat jullie proberen me met een kluitje in het riet te sturen.' Ze reikte over haar bureau en haalde een visite-kaartje uit een doos die naast haar computer stond. 'Jullie zijn hierbij betrokken,' zei ze, en gaf Josh het kaartje. 'Ik weet uiteraard niet op welke manier. Maar als jullie ooit de behoefte hebben om mij dat te vertellen, bel me dan maar op. Ik weet zeker dat het een interessant verhaal zal worden.'

8

Zondag 7 juni. 's Avonds/'s nachts.
Voor Josh het kantoor van de krant verliet speurde hij eerst snel de straat af. Van de stille – de man die volgens hem een FBI-spion was – was geen spoor te bekennen. Josh had geen flauw idee of de man nog steeds naar hem op zoek was of versterkingen te hulp had geroepen.

Ook de motoren waren verdwenen. De straat lag er verlaten bij. 'Ik denk dat het oké is,' zei hij tegen Kate, en hij stapte snel het asfalt op.

Ze liep achter hem aan naar buiten. Josh zette er de pas in, maar bleef op zijn hoede. Iedereen die in een stilstaande auto zat, of ergens op een hoek rondhing zou onmiddellijk zijn argwaan wekken. Tot nu toe had hij nog steeds niets gezien. *Misschien zijn we buiten gevaar.*

'Ik geloof niet dat die knapen drugsgebruikers waren,' merkte Josh op.

'Dat lijkt anders wel de plaatselijke theorie te zijn,' zei Kate.

Josh schudde zijn hoofd. 'Er klopt iets niet. Er moet in dit stadje iets veel groters aan de hand zijn. Een paar weggelopen tieners veroorzaken nooit ofte nimmer zo'n opwinding.'

'Kijk eens,' zei Kate.

Ze knikte in de richting van een auto die aan de overkant van de weg stond geparkeerd.

Josh keek op. Twee mannen zaten op de voorbank van een auto die twintig meter voor het eettentje stond geparkeerd. Een van hen dronk uit een plastic flesje met water, terwijl de ander een stukje kauwgom uitpakte. Josh herkende beide mannen onmiddellijk. De twee stillen die hij al eerder had opgemerkt.

Als ik hén herken, is de kans groot dat ze mij ook herkennen.

'Blijf kalm,' zei hij. 'Doe net alsof er niets aan de hand is en loop gewoon door.'

110

Josh versnelde zijn pas enigszins. Het been begon opnieuw pijn te doen, en het kostte hem echt moeite het tempo te verhogen.

Kate leidde hem verder. Honderd meter, toen tweehonderd, driehonderd. Josh keek één keer om. De twee mannen zaten nog steeds in hun auto. Geen van hen had zich bewogen. Het is oké, concludeerde hij. Ze zijn niet nadrukkelijk naar óns op zoek. Maar ze houden wel degelijk iemand in de gaten.

'We moeten hoognodig de stad uit,' merkte Kate op.

'Waarheen dan?' vroeg Josh.

'Marshall kent veel mensen,' zei Kate. 'In de woestijn. Die weten precies waar we ons het beste schuil kunnen houden.'

Ze liepen gestaag door. Recht voor zich uit zag Josh de felgele lichtreclame van het Motel 6. Hij wierp Kate een snelle blik toe, maar die leek geheel in haar eigen gedachten op te gaan. Achter het motel rezen in de verte een stuk of wat stoffige heuvels hoog op. We lopen er recht naartoe, besefte hij. Een prima gebied om je in te verbergen.

Josh probeerde zich te concentreren. Een nieuwe herinnering klopte voortdurend bij zijn bewustzijn aan, om het volgende moment weer weg te zakken, als een slecht afgesteld radiosignaal. Maar een vergissing was niet mogelijk. Het meisje dat hij eerder had gezien, het meisje dat hem buiten het eettentje had aangesproken. Ze heette Madge. Een grote fan van Madonna: op haar iPod stonden alle nummers die ze ooit had opgenomen, en ze had dat constant in haar oor ingeplugd. Ze was naakt. En ze lag op een bed in het motel. Met mij.

Jezus, ik kan me voorstellen dat ze kwaad was. *Ik ben met haar naar bed geweest en ik kon me haar naam niet eens meer herinneren.*

Josh bleef staan en draaide zich naar Kate om. 'Ik moet naar het motel terug,' zei hij.

Ze hadden het stadje nu bijna twee kilometer achter zich liggen en bevonden zich op een onverharde weg die van de hoofdweg naar de heuvels leidde. 'Wat?' reageerde Kate geïrriteerd.

'Dat meisje op de parkeerplaats,' zei Josh. 'Ze werkt in het motel. De avondploeg. Ze...' Hij zweeg even. 'Ik heb haar eerder gezien.'

Kate lachte grimmig. 'Eerder ontmoet?'

'Ja.'

'Je bedoelt te zeggen dat je met haar geneukt hebt.'

Josh knikte. 'Zij weet wie ik ben,' zei hij. 'Ik moet terug om met haar te praten.'

Hij voelde hoe Kate zijn pols beetgreep met een kracht waaruit duidelijk bleek dat ze niet van plan was snel los te laten. 'Nee,' zei ze beslist.

'Maar ze weet wie ik ben,' herhaalde Josh. 'Ik móét met haar praten.'

Hij merkte dat Kate zijn pols nóg krachtiger omklemde en echt moeite moest doen haar woede in toom te houden. 'Oké,' zei ze, en liet hem los. 'Als je dan zo nodig moet.'

'Ik kan niet anders,' reageerde Josh.

'Ik ga op zoek naar Marshalls vrienden,' zei Kate. 'Die kijken waarschijnlijk al naar ons uit. Blijf deze weg drie kilometer volgen. Als je een verlaten mijn ziet, moet je het pad nemen dat pal naar het noorden loopt. Dat volg je anderhalve kilometer, dan zie je rechts van je een rotsformatie. Daar brengen we de nacht door.'

Josh draaide zich om en begon aan de terugweg naar het stadje.

Voor het motel bleef Josh staan en liet zijn blik over het gebouw glijden. Het stadje zat vol politie en FBI-agenten, hielp hij zichzelf herinneren. Het zou best kunnen dat een ervan zich hier in de buurt ophield.

Toen hij de lobby van het Motel 6 binnenstapte veranderde Madge' gelaatsuitdrukking van een pruillip in een fronsende, stuurse blik. Ze was alleen, gekleed in de gele tuniek die het reguliere uniform van de keten vormde: onder het nylon shirt kon Josh de blauwe stof van haar beha onderscheiden; haar stevige borsten zorgden voor nadrukkelijke rondingen. 'Wat wil je?' vroeg ze.

Josh deed een stap naar voren en leunde op de rand van de balie.

'Dit motel is trouwens vol,' vervolgde ze, met een gezicht dat steeds roder werd van woede.

'Madge, het spijt me enorm.'

'We zijn vol,' herhaalde ze.

Josh deed of hij het niet hoorde. 'Je begrijpt het niet, Madge,' ging hij door. 'Ik was gewond. Ik heb twee schotwonden opgelopen en die hebben mijn geheugen aangetast. Ik wist mijn eigen naam niet eens meer, wie ik was of waar ik vandaan kwam. Ik wist vanochtend absoluut niet wie je was.' Hij aarzelde, en zorgde ervoor dat ze de brok in zijn keel zou opmerken. 'En hoeveel je voor mij hebt betekend.'

Madge' gelaatsuitdrukking verzachtte wat. Ze schoof het haar opzij dat voor haar gezicht gevallen was. 'Wat is er gebeurd?' vroeg ze.

'Dat weet ik niet,' antwoordde Josh. 'Afgelopen maandag was ik betrokken bij een of ander ongeluk. Of erger.'

Plotseling sloeg Madge haar armen om hem heen en drukte met haar natte lippen een kus op zijn wang. 'Ik heb tegen je gelogen,' fluisterde ze in zijn oor. 'We hebben kamers genoeg. En ik was van plan de balie over vijf minuten te sluiten.'

Twintig minuten later lagen ze samen in bed, hun naakte lichamen uitgestrekt tussen de verkreukelde lakens.

Josh trok Madge dichter tegen zich aan. Hun lijven waren warm en plakkerig, en ze hield haar armen om zijn borst geslagen. Ze bracht haar hoofd naar het zijne en kuste hem op de lippen, terwijl ze met haar hand langs het verband rond zijn nek streek.

'Ik was zo boos toen ik merkte dat je mijn naam was vergeten,' zei ze. 'Ik had zin om je te vermoorden.'

Josh glimlachte en haalde haar hand van het verband. 'Als je me naar de andere wereld wilt hebben, zul je achteraan in de rij moeten aansluiten.'

Madge ging op haar zij liggen, haar wang op het kussen. Kamer 19 was in feite weinig meer dan een kleine, geprefabriceerde doos, met een tweepersoonsbed, een paar nachtlampjes en een prent van de Californische kust aan de wand. Verder waren er nog een tv en een douchecel, maar dat was het dan wel zo'n beetje. Het gebruik kunnen maken van een kamer wanneer ze zin had om met een knaap naar bed te gaan, was onmiskenbaar een van de voordelen van Madge' baantje, concludeerde Josh.

'Ze hebben me ondervraagd,' zei ze.

Met een ruk schoot Josh overeind uit de postcoïtale sluimer waarin hij weggezakt was. 'Wie?'

'Federale agenten,' zei ze. 'Ze lieten me hun visitekaartje en legitimatie zien. Ze zeiden dat ik met hen moest praten. Volgens hen was jij er getuige van dat Ben Lippard werd doodgeschoten.'

Haar zorgelijke blik kruiste die van Josh. 'Is dat zo?'

'Ik denk van wel,' antwoordde Josh. 'Ik weet het niet zeker, want ik kan me niets meer herinneren.'

Madge trok het witkatoenen laken wat verder omhoog, zodat het haar borsten bedekte. 'Ik heb hun verteld dat ik van niets wist. Ik heb alleen gezegd dat Josh een aardige man is. Dat hij niemand kwaad zou doen.'

Ik hoop maar dat dat waar is, bedacht Josh. *Momenteel ben ik daar nog niet zo zeker van.*

'Hebben ze dat geaccepteerd?'

'Ze waren nogal pissig. Maar uiteindelijk zijn ze vertrokken.'

'Hoe lang ben ik hier geweest?'

'Jij?'

Josh knikte. 'Hoe lang heb ik hier in het motel gelogeerd?'

'Negen dagen,' zei Madge. 'Je viel me op zodra je hier incheckte. Je had zo'n aardige glimlach.'

'En wat kwam ik hier doen?'

'Je weet niet meer wat je hier kwam dóén?'

Josh schudde zijn hoofd. 'Zoals ik je al zei, ik herinner me helemaal niets meer.'

'Je bent hiernaartoe gekomen om te kijken of de omgeving toeristische mogelijkheden bood,' zei Madge, die de vraag zo te horen niet bepaald interessant vond. 'Je zei dat je voor een touroperator in Engeland werkte. Dat je bezig was met het samenstellen van routes, op zoek was naar hotels en fatsoenlijke restaurants.'

Ik heb tegen haar gelogen, besefte Josh. *Wat ik hier ook gedaan mocht hebben, dát in elk geval niet.*

Josh drukte haar nog eens stevig tegen zich aan en streelde haar schouders. 'Wie zaten er nog meer in het hotel toen ik hier logeerde?'

Madge dacht diep na. 'De gebruikelijke mensen,' antwoordde ze. 'Vertegenwoordigers. Een paar verdwaalde toeristen. Mensen die bezig waren te verhuizen. Mannen die door hun vrouwen het huis uit waren gegooid. Ik schenk nooit veel aandacht aan de gasten van dit Motel 6.' Ze schurkte wat dichter tegen Josh aan. 'En dít doe ik zéker niet met ze.'

'Nog iets ongebruikelijks opgemerkt?'

Madge' neus ging minachtend omhoog. 'Eén knaap.'

'Wie?'

'Een Italiaan,' zei Madge. 'Althans, hij liet bij het inchecken een Italiaans paspoort zien. Dat kan ik me nog herinneren omdat ik zo'n paspoort nog nooit eerder had gezien, en er komen sowieso niet zoveel buitenlanders naar Boisdale. Verdorie, we krijgen hier nauwelijks mensen op bezoek van buiten Arizona. Nou, eerst een Engelsman, en dan deze Italiaan. Het was echt opvallend.'

'Bedoel je te zeggen dat je direct wantrouwen ging koesteren ten opzichte van die knaap?'

Madge knikte. 'De manier waarop hij zich gedroeg. Die beviel me niet.'

'Wat voor een manier was dat dan?'

'Dat kan ik niet precies onder woorden brengen.'

Josh keek haar strak aan. 'Beschrijf eens hoe hij eruitzag.'

'Ik kan je een foto laten zien.'

Josh kwam overeind, stapte het bed uit en liep naar de douche. Hij moest bij het wassen oppassen dat hij het verband in zijn hals niet lostrok. Hij droogde zich af, hing de handdoek over het rek en trok snel zijn spijkerbroek en shirt aan.

'Laat me die foto maar eens zien, Madge, en ik zal voor altijd van je blijven houden,' merkte hij op. Hij had het gevoel dat het drama en de geheimzinnigheid van dit alles haar wel aanspraken.

Ze liep achter hem aan naar buiten. Het was elf uur 's avonds, maar het was nog steeds warm en het briesje was gaan liggen, waardoor de nacht plakkerig en zweterig was geworden. Josh zag hoe op het parkeerterrein een auto stopte, maar de man van middelbare leeftijd die uitstapte zag er onschuldig uit: de stad zat waarschijnlijk vol met agenten van de FBI, maar deze man hoorde daar niet bij. Madge daalde de metalen trap af en opende de lobby met haar personeelssleutel: gewoonlijk was de receptie op dit tijdstip van de avond gesloten.

'Hier,' zei ze, nadat ze een grijze archiefkast had opengetrokken die in het kleine kantoortje achter de balie stond. 'Hier bewaren we de gegevens van onze gasten. We maken van het paspoort van buitenlanders altijd een fotokopietje, en bewaren dat dan drie maanden, samen met het inschrijvingsformulier.'

'Mag ik die van mij eens zien?' vroeg Josh.

Ze pakte de betreffende kopieën en legde die voor hem neer. Een ogenblik lang voelde Josh het bloed door zijn aderen kolken. Ik sta op het punt erachter te komen wie ik ben.

Josh keek naar de kopie van zijn paspoort. Josh Bellamy, geboren in Sunderland.

Dat kan niet, ik kom daar niet vandaan. Ik reisde onder een valse naam,

en met een vals paspoort. *Misschien is Josh niet eens mijn echte naam.*
Waarom zou ik onder een valse naam reizen?
Madge zocht verder in de lade met mappen en haalde er even later één enkele fotokopie uit. Op het papier was de afbeelding van een man te zien. Josh keek ernaar. Net als alle pasfoto's was hij vrij klein en had een witte achtergrond. De afgebeelde persoon keek uiterst somber in de camera.

De man op de fotokopie had een donkere, gladde huid, precies zoals Madge hem had beschreven. Hij had zwart haar dat uit zijn gezicht was gekamd, terwijl zijn donkere ogen net iets te ver uit elkaar stonden. Zijn kaak zag eruit alsof hij uit graniet was gehouwen, maar de neus stond een tikkeltje scheef, alsof hij ooit gebroken was geweest. Het was een opvallend gezicht, vond Josh: het masker van een man die niet alleen wist wat hij wilde, maar die dat ook nog eens heel goed wist te verbergen.

Ik heb hem eerder gezien, dacht Josh. Ik weet niet waar en onder welke omstandigheden, maar ik kén deze man.

En ik weet zeker dat ik hem opnieuw tegen het lijf zal lopen.

'Hoe lang heeft hij hier gelogeerd?'

'Twee nachten; van zondag op maandag en van maandag op dinsdag,' antwoordde Madge.

Hij verschijnt kort nadat ik ben neergeschoten ten tonele, bedacht Josh. *En vrijwel onmiddellijk daarna vertrekt hij weer.*

Het was vanaf het motel een wandeling van ruim zes kilometer, waarvoor hij een klein uur nodig had: anderhalve kilometer het stadje uit, vier kilometer langs de onverharde weg en daarna, terwijl het schijnsel van de stad steeds zwakker werd, nog eens ruim een kilometer de heuvels in naar de plaats waar ze volgens Kate de nacht zouden doorbrengen. Onderweg had Josh voortdurend aan de dingen moeten denken die hij van Madge had gehoord. Honderd verschillende mogelijkheden speelden door zijn hoofd: hij had tijd nodig om alles eens op een rijtje te zetten, en zou daarna proberen vast te stellen wat hem overkomen was.

Wat weet ik? vroeg hij zich af. Mijn naam is Josh – misschien. Ik logeerde in Boisdale. Ik heb gelogen over dat waarmee ik bezig was en misschien heb ik wel onder een valse naam gereisd. Een man die ik ergens van ken heeft in hetzelfde motel gelogeerd. Daarna ben ik neergeschoten. Hoe meer hij erover nadacht, hoe minder hij ervan begreep.

Zijn beenspieren deden pijn van de vele kilometers die hij die dag had gelopen. Zijn wonden hadden dringend rust nodig, maar dat was niet mogelijk, nóg niet. Er moest nog veel worden gedaan.

Hij nam de onverharde weg en liet zich op zijn pad bijlichten door de maan. Op een gegeven moment bereikte hij de verlaten mijn. Daarna sloeg hij het pad in waarover Kate het had gehad. Moeizaam legde hij opnieuw een kilometer af. Hij wist niet of hij dit nog veel langer vol kon houden. Hij had de afgelopen vierentwintig uur misschien wel dertig kilometer gelopen: een afmattende aangelegenheid, ook voor mannen die kortgeleden géén schotwonden hadden opgelopen.

Uiteindelijk kreeg hij de rotsformatie in het oog. Hij snoof de lucht op en meende een kampvuur te kunnen ruiken, hoewel hij nergens vlammen zag. Wie degenen ook mochten zijn die zich hier verborgen hielden, ze wisten in elk geval precies hoe ze een vuur moesten aanleggen en hoe ze het licht ervan moesten afschermen. Josh stapte naar voren en liep de rotsformatie binnen, waarbij hij zich liet leiden door zijn neus.

Toen, vlak voor hem, ontwaarde hij twee mannen die in het landschap leken op te gaan als rotsblokken in een puinhelling. Hun huid was gebruind en verweerd. Beiden hadden grijs haar en een grijze baard, hoewel ze nauwelijks ouder dan een jaar of veertig waren. Voor een spelonk brandde een vuur, en iele rookpluimpjes stegen op in de heldere nachtlucht: boven de vlammen, doorboord door een kromme tak, hing een of ander dier. Een soort vogel, vermoedde Josh, en hij rook het verschroeide vlees. Jezus, het kon ook nog een slang zijn. *Deze knapen zien eruit alsof ze álles eten.*

'Alles goed met je?' vroeg Kate met een bezorgde ondertoon in haar stem, terwijl ze uit de schaduw naar voren stapte.

Josh knikte. 'Wie zijn deze mensen?'

Een van de mannen keek naar Josh op en prikte toen met een stok in het nietige schepsel. Het vet spoot uit het lijfje en viel in het vuur, waardoor er een vonkenregen de lucht in kolkte.

Kate nam Josh bij de arm. 'Dit is Danny O'Brien,' zei ze, 'en dit is Richie Morant.' Ze keek Josh aan. 'Nadat we waren verdwenen heeft Marshall hun gevraagd naar ons op zoek te gaan,' vervolgde ze. 'Ze zijn hier om ons te helpen.'

117

'Wat is dit voor een oord?' vroeg Josh, en hij keek om zich heen naar het kleine, eenvoudige kampement.

'Dit is een basis voor mensen die willen overleven,' zei Kate. 'Veel mensen zijn van mening dat er ooit een dag zal komen waarop de VN de Verenigde Staten zal binnenvallen. Ze beschikken hier over alle spullen die nodig zijn om een plaatselijke verzetsgroep op te zetten. Voedsel, brandstof, explosieven, wat munitie. De hele rimram.'

Grandioos, dacht Josh. Een stelletje gekken.

Hij keek op. O'Brien was de kleinste van de twee. Zijn ogen waren lichtgrijs en je kon nog steeds zien dat hij van Ierse komaf was: hij had een breed en hoekig hoofd, als een betonblok, en zijn schouders mochten zonder meer omvangrijk worden genoemd, maar zijn optreden was ontspannen en vriendelijk. Morant, de grote kerel, had op zijn linkerwang een diep litteken, en bezat de lichaamsbouw van een metselaar: zijn schouders en biceps waren veel te groot, en hij bezat een gespierde torso die uitliep in een smal middel, met daaronder twee benen met de omvang van boomstammen. Beide mannen maakten een krachtige, gezonde indruk, hoewel hun uiterlijk een ietwat verwilderde uitstraling had. Hun haar stond stijf van het vuil en ze werden omgeven door het droge, stoffige aroma van de woestijn.

'Ben jij het?' vroeg O'Brien.

'Wie zou ik moeten zijn?' vroeg Josh, en hij keek hem aan.

'De man die ervoor heeft gezorgd dat de federale agenten zo'n beetje het hele stadje in bezit hebben genomen,' antwoordde O'Brien.

'Je kunt er je kont niet keren of je loopt tegen zo'n klootzak aan,' merkte Morant op. 'Het was hier ooit een rustig stukje woestijn. Nu barst het er van de agenten. Verenigde Naties. Buitenlanders.'

Jezus, dacht Josh. *Waar heeft Kate deze lui opgeduikeld?*

'Ik probeer mezelf ook voor deze lieden onvindbaar te maken,' zei Josh.

O'Brien knikte en plotseling verscheen er een glimlach op zijn gezicht. 'Marshall zegt dat je oké bent, dat je soldaat bent.'

'Ik dacht van wel,' zei Josh. 'Wat heeft hij over me verteld?'

'Hij zei dat je misschien hulp nodig had,' zei Morant.

Hij stak zijn hand uit naar het gedierte dat hij op het eigengemaakte spit aan het roosteren was en haalde het boven het vuur weg. Het was lang en dun, maar het had twee pootjes: dat hield in dat het in elk geval geen slang was. Het vlees was door het vuur enigszins verschroeid, maar het rook prima: een sappige, vettige geur die ergens tussen kip en varkensvlees in lag. Josh barstte van de honger.

'Wil je ook wat?' vroeg Morant, en bood hem een stuk vlees aan. 'Het is kraanvogel.'

Josh knikte. Hij nam een hap uit de vette lap vlees die hij met beide handen vasthield. Het was nogal draderig en had de structuur van konijnenvlees.

'Ik heb inderdaad hulp nodig,' zei hij nadat hij het naar binnen had gewerkt. 'Daar heeft Marshall groot gelijk in.'

'Wat voor een soort hulp?' wilde O'Brien weten.

Josh zat nu vlak bij het vuur. De temperatuur was een stuk gezakt, waardoor de warmte na de kilte van een woestijn een welkome afwisseling vormde. In het licht van de vlammen zag hij de gezichten van beide mannen nu een stuk duidelijker. Beiden straalden vastberadenheid uit, bezaten een soort innerlijke kracht. Maar ook een klaarheid van geest.

Josh tikte tegen de zijkant van zijn hoofd. 'Nadat ik ben neergeschoten bleek mijn geheugen verdwenen te zijn,' zei hij. 'Op het politiebureau weten ze wie ik ben. Ik wilde daar eigenlijk naartoe om eens een kijkje in mijn dossier te nemen.'

'Die klote-overheid,' zei O'Brien. 'Ze hebben het recht niet om van iedereen dossiers aan te leggen.'

'Als die klote-VN het land overneemt,' zei Morant, 'neutraliseren ze iedereen die zich tegen hen probeert te verzetten. Dan is het met dit verdoemde land gedaan.'

'Klootzakken,' zei O'Brien. Tussen zijn tanden bungelde een dik stuk gekookt vlees. 'Maar ze hebben in elk geval geen dossier over ons, dat staat vast. Wat de overheid betreft bestaan we niet eens. En dat willen we graag zo houden.'

'Willen jullie me helpen?'

'Jij bent een verdomde buitenlander,' beet O'Brien hem toe. 'Wij bemoeien ons alleen maar met Amerikanen.'

'We vertrouwen je niet,' zei Morant.

'Wij vertrouwen uitsluitend ons eigen soort,' voegde O'Brien eraantoe.

'Zelfs als ik de federale agenten ook als mijn tegenstanders beschouw?' zei Josh.

119

Even was het stil terwijl de beide mannen hierover nadachten.

'Marshall heeft jullie gezegd… ' begon Kate.

'Marshall was behoorlijk pissig op jou toen bleek dat je midden in de nacht zomaar was verdwenen,' merkte O'Brien op.

9

Maandag 8 juni. 's Avonds.
Madge gaf Josh een lange, langzame kus op de lippen. Hij nam haar in zijn armen en drukte haar stevig tegen zijn borst.

'Mijn dienst zit er pas over twee uur op,' zei ze. 'Maar ik wilde je per se spreken.'

'Waarom?' vroeg Josh.

Madge keek om zich heen en liet haar blik door de naargeestige lobby van het Motel 6 glijden. Haar uniform zag er vandaag strakker uit, alsof het in de was gekrompen was, of Madge was een paar kilo aangekomen. 'Omdat gisteravond een stuk of wat mannen in de buurt van het hotel aan het rondsnuffelen waren.'

Josh en Kate hadden de nacht in de bergen doorgebracht, waar ze zich samen met O'Brien en Morant schuilhielden. Ze hadden in dit kampement voor overlevers – of *survivalists* zoals ze zichzelf noemden – een ietwat onrustige nacht doorgebracht. Josh was er allesbehalve van overtuigd dat hij de mannen kon vertrouwen, en hij had het gevoel dat ze hem ook niet vertrouwden.

's Ochtends had hij gezegd dat hij terug naar de stad moest om daar een nieuw aanvalsplan op het politiebureau te ontwikkelen, terwijl O'Brien en Morant wat gereedschap zouden verzamelen.

O'Brien had een rode Mustang, waarvan hij Josh verzekerde dat hij clean was en onmogelijk door de politie getraceerd kon worden. Hij liet Kate rijden, die hem bij de rand van het stadje afzette.

Toen Josh langs het motel liep was Madge naar buiten komen hollen en had hem aangeklampt.

'Wat voor mannen?' vroeg Josh.

'Bikers, motorrijders,' antwoordde Madge, die zijn hand pakte en hem meetroonde naar het motel. 'Kom, ik zal het je laten zien.'

De ruimte achter de balie van het Motel 6 was lichtgrijs geschilderd en er stond slechts één bureau, met daarop twee telefoons en een computerscherm. Naast het bureau bevonden zich vier schermen waarop de beelden van evenzoveel beveiligingscamera's te zien waren. Het waren dertig-centimeterschermen en ze boden uitzicht op vier verschillende punten in en rond het hotel: het parkeerterrein, de hal, en de twee lange gangen waarop alle kamers uitkwamen. Er mankeerde maar één ding aan, besefte Josh. Niemand hield de schermen in de gaten. De camera's konden dan wel een misdaad vastleggen, maar er zou niemand zijn om het plegen ervan te voorkomen.

'Dit is er gisteravond gebeurd,' zei Madge. Ze ging op de rand van het bureau zitten en spoelde de band terug tot ze het gedeelte had bereikt dat ze wilde laten zien. Het tijdstip 23:19 was in kleine cijfers in een hoekje van het beeld te zien. 'Kijk,' zei ze, en priemde haar vinger tegen het scherm. 'Hier.'

Josh boog zich iets naar voren, terwijl hij zijn handen op het blad liet rusten, en tuurde naar het scherm. Hij zag hoe drie mannen hun motorfietsen op de parkeerplaats op de standaard zetten, waarna ze om het gebouw heen naar de achterkant van het motel liepen. Daar namen ze de brandtrap en wierpen vervolgens methodisch een blik door alle vensters die in de achterzijde van de kamers waren aangebracht. Alledrie wogen minstens honderdtwintig kilo en hadden een lange baard, maar ze waren verrassend lenig, en bewogen zich dan ook snel en geluidloos rond het gebouw. Ze zagen er anders uit dan de bikers die Madge op de parkeerplaats van het eettentje te hulp hadden willen schieten: meedogenlozer, kwaadaardiger, en ze gingen met bijna militaire precisie te werk. Vervolgens liep de man die zo te zien de leider van het groepje was naar de lobby, waarvan hij het zwakke slot met zijn blote handen openrukte. Eenmaal binnen pakte hij onmiddellijk het gastenboek, waarin hij druk begon te bladeren. Daarna zat hij nog eens tien minuten in de receptie achter de computer. Op een gegeven ogenblik keek hij op, en op dat moment bevroor het beeld van de beveiligingscamera, waardoor er een perfect beeld van zijn gezicht te zien was. Ondanks de valhelm die hij steeds op had gehouden, waren zijn belangrijkste gelaatstrekken moeiteloos te onderscheiden. Hij had de dikke, gedrongen schedel van een piraat, met diepliggende, donkere ogen die de indruk wekten in zijn gezicht te zijn geboord. Hij had lang haar dat in zijn nek was samengebonden tot een paardenstaart, terwijl hij verder nog een dertig centimeter lange, pikzwarte en keurig geborstelde baard had. Zijn huid, voorzover Josh die tussen de helm en de baard kon waarnemen – en dat was niet veel – zag eruit alsof de man de afgelopen vier decennia onafgebroken aan acute acne had geleden. De maan heeft een gladder oppervlak dan jouw wangen, jongen, concludeerde Josh.

Ik heb hem eerder gezien, dacht Josh. *Ik weet niet waar, maar ik heb dat beest ergens eerder gezien.*

'Waar zouden ze naar op zoek zijn geweest?' vroeg Madge.

'Naar mij,' antwoordde Josh. 'En je kunt ervan op aan dat ze terug zullen komen.'

Op de motelcomputer printte hij de twee stilstaande beelden van de bewakingscamera's uit, en stopte die in zijn shirt. 'Motel 6 zal een paar beelden toch niet missen, hè?'

Madge schudde haar hoofd.

Josh drukte haar een stevige kus op de lippen. 'Ik hou van je,' zei hij.

O'Brien en Morant waren al op het kampvuur aan het koken. De vlammen lekten rond een klein dier, en de geur van gloeiend vet en houtskool vulde de lucht reeds. 'Weer kraanvogel?' vroeg Josh, naar het kampvuur kijkend.

'Geen kraanvogel deze keer,' reageerde O'Brien. 'We hebben vanavond geen kraanvogel kunnen vinden. Althans, niet eentje die bereid was zich te laten vangen.'

'We vinden het niet erg om het tegen het gezag op te moeten nemen, maar dat doen we bij voorkeur met een volle maag,' merkte Morant op.

Beide mannen moesten lachen.

Kate zat pal achter hen, haar haren samengebonden in haar nek. Ze keek Josh eens aan en glimlachte. Het was nog maar even na achten 's avonds, maar het was al donker.

Josh nam een bout aan die hem door O'Brien werd aangeboden en zette zijn tanden in het warme vlees. Een druppel vet liep langs zijn kin en hij veegde die met een zakdoek weg. Het deed hem aan wild zwijn denken, maar het smaakte wat scherper, pittiger. Niets vragen, hield hij zich voor. *Als je vraagt wat het is, heb je op slag geen trek meer.*

'Zijn jullie klaar?' vroeg hij terwijl hij naar de twee mannen tegenover zich keek.

O'Brien en Morant knikten om de beurt. 'Er bestaat geen beter tijdstip om de strijd tegen de politie op te nemen dan vandaag.'

'Laten we het plan nog eens doorlopen,' zei Josh. 'We gaan de stad in. Maar eerst maken we de FBI-agent onschadelijk, zodat we zijn pasje kunnen gebruiken om het politiebureau binnen te gaan. Zodra we binnen zijn trekken we de bijzonderheden na die ze over mij in huis hebben, om er vervolgens weer zo snel mogelijk vandoor te gaan.'

O'Brien knikte. 'Vooral het eerste gedeelte van de actie bevalt me,' zei hij. 'Waar we die verdomde agent onschadelijk mogen maken.'

Het plan was dat Kate hen aan de rand van het stadje af zou zetten, om daarna naar Marshall te rijden, waar ze op hen zou wachten.

O'Brien zag het als zijn taak om de bewegingen na te trekken van elke politie- en FBI-man die in de omgeving actief was en hij was er trots op exact van hun gewoontes op de hoogte te zijn. Elke avond stopte er bij het drie kilometer buiten het stadje gelegen Texaco-station even na middernacht een federaal agent om daar koffie en een donut te scoren. Zodra ze deze agent hadden weten te neutraliseren zouden ze met zíjn auto de stad in rijden.

Maar nu liepen de drie mannen zwijgend door: dit pad was te hobbelig om er met een auto of motorfiets overheen te rijden. Josh gebruikte een stok om de druk op zijn been iets te verminderen, maar verder kon hij zich nagenoeg onbelemmerd bewegen. *Ik wil niet dat dit been mijn tempo belemmert,* bleef hij zichzelf inprenten wanneer er weer eens een pijnscheut langs zijn ruggengraat omhoogschoot.

Toen ze het benzinestation naderden voelde hij hoe er zich van O'Brien en Morant een zekere opwinding meester maakte. Ze stonden bij wijze van spreken te trappelen van ongeduld om de federale agenten te laten zien wie het in dit land voor het zeggen had.

'Hij kan elk moment komen,' zei O'Brien terwijl ze een omtrekkende beweging maakten over het met struikgewas begroeide terrein achter het Texaco-station. 'Gewoonlijk stopt hij hier tussen halfeen en een uur.'

'Meestal gaat hij naar het toilet om een plas te doen,' zei Morant. 'Zwakke blaas, neem ik aan. Daar pakken we hem.' Hij moest grinniken.

'Ik heb altijd al graag een agent in elkaar willen slaan als-ie zijn broek rond zijn enkels had hangen.'

Josh hield zijn mond. Hij zag hoe er een Ford Taurus voor het benzinestation tot stilstand kwam, waarvan de chauffeur uitstapte en zijn tank begon te vullen. De man was rond de vijfendertig, had dof lichtbruin haar en een saai, nietszeggend gelaat dat in de buurt van de wangen al wat pafferig begon te worden. Hij droeg een grijze pantalon en een beige overhemd met korte mouwen.

'Klootzak,' mompelde Morant binnensmonds. 'Die denkt dat hij zomaar vanuit Washington hier neer kan strijken om wat rond te neuzen.'

De man hing het mondstuk van de slang weer terug in de houder en liep toen naar het herentoilet. Josh hield zich even schuil achter twee enorme plastic vaten die tot aan de rand toe gevuld waren met het afval van het benzinestation: nog half met koffie gevulde bekertjes en resten in de magnetron opgewarmde hamburgers die in het station werden verkocht. De geur daarvan vermengde zich met benzine- en dieseldampen én de stank van het toilet, en dat geheel zorgde ervoor dat Josh zich behoorlijk onpasselijk ging voelen. Laat dit alsjeblieft snel achter de rug zijn, hield hij zichzelf voor. *Ik denk niet dat ik deze stank nog veel langer kan verdragen.*

Op dat moment werd de deur van het toilet dichtgeslagen.

De mannen gingen het halletje binnen en stapten vervolgens de toiletruimte in. Die was grijs geschilderd, met witte tegeltjes tot halverwege de wand en Texaco-logo's boven de wastafels. De man stond met zijn rug naar hen toe in een van de pisbakken te urineren. Josh wierp een snelle blik op hem en voerde in zijn hoofd een ruwe calculatie uit om, rekening houdend met 's mans lengte, gewicht en lichaamskracht, te kijken hoe hard de klap moest zijn die nodig was om hem bewusteloos te slaan. De man keek heel even achterom, knikte en keek toen weer op de pisbak neer. Josh balde zijn hand tot een vuist en haalde zijn arm naar achteren, spande de spieren in zijn schouder. Toen sloeg hij toe.

De klap trof de man op de zijkant van zijn hals. De spieren daar waren los en ontspannen: de man had geen flauw idee dat hij aangevallen zou worden en was dan ook nergens op voorbereid. De lucht werd met kracht uit zijn luchtpijp geslagen en hij hapte naar adem. Pal naast hem stond O'Brien klaar om hem een tweede dreun toe te dienen, die hem keihard in de onderbuik trof. Het volgende moment kwam Morants laars omhoog, die de agent vol in het kruis raakte, zodat er een gemene pijnscheut door zijn lichaam omhoogschoot, precies op het moment dat alle zuurstof uit zijn longen werd geperst.

Nog steeds zijn penis vasthoudend, waaruit nog wat urine druppelde, zakte de man op de vloer in elkaar.

Josh reikte naar beneden, greep de man bij de keel en drukte alle lucht uit hem weg. Hij zag hoe de ogen van de agent dichtvielen: het gebrek aan zuurstof maakte dat hij het bewustzijn verloor.

Maar plotseling vlogen zijn ogen wijdopen en keek hij recht in het gezicht van Josh, terwijl hij met één hand Josh' been vastgreep en het verband onder zijn spijkerbroek losrukte, waardoor het katoen van de jeans met de rauwe wond in aanraking kwam. Josh beet op zijn lip om te voorkomen dat hij het van pijn uit zou schreeuwen. 'Klootzak,' siste hij. Hij ramde zijn vuist meedogenloos in de zijkant van het gezicht van de agent. De agent zakte achterover, zijn hand viel opzij en zijn hoofd klapte tegen de vloer.

Aan de zijkant van Josh' been sijpelde een dun straaltje bloed naar beneden.

'Veel vechtlust heeft-ie niet, hè?' gromde Morant. 'Laten we zijn ballen afsnijden en ze in de deuropening ophangen. Als waarschuwing voor de anderen.'

Jezus, dacht Josh. Ik weet dat de vijand van mijn vijand mijn vriend moet zijn en zo. *Maar deze knapen zijn volkomen geschift.*

Josh haalde wat tissues uit zijn broekzak en propte die in de mond van de man. Vervolgens haalde hij een rol isolatieband tevoorschijn en bracht een stuk over de mond van de agent aan, waarna hij met diezelfde tape zijn handen samenbond. 'We stoppen hem in het wc-hokje,' zei hij. 'Het is al zo laat, dat het ongetwijfeld een paar uur zal duren voor hij door iemand wordt gevonden. Op die manier hebben we tijd genoeg om te doen wat we moeten doen.'

Als toegift ramde O'Brien zijn vuist nog eens in de onderbuik van de agent, waardoor er een schok door diens bewusteloze lichaam leek te gaan. 'Waarom maken we hem niet gewoon af?'

'Als we een agent naar de andere wereld helpen, daalt de hele FBI op dit stadje neer, dáárom,' beet Josh hem toe. Zijn been deed vreselijk pijn, zijn hoofd begon weer te kloppen en zijn stemming was tot ver onder het absolute nulpunt gedaald. Hij kon elk moment exploderen.

'Laat ze maar komen,' mompelde Morant. 'Laat ze maar komen.'

'Kloteliberaal,' zei O'Brien, daarbij Josh heel even aankijkend.

'Jezus, laten we hier verdwijnen,' zei Josh geïrriteerd. Hij pakte de agent bij de schouders en tilde zijn bovenlichaam op. 'Pak hem bij zijn benen vast,' snauwde hij tegen O'Brien. Hij keek hoe O'Brien de man bij de benen greep, waarna ze hem samen in het wc-hokje deponeerden. 'Weg hier,' zei Josh.

O'Brien en Morant volgden hem op de voet. Bij de uitgang bleef Josh even staan om te kijken of niemand hen had gezien. Het was nu kwart voor een 's nachts en het halletje was leeg. De tankbediende achter de kassa was de enige aanwezige, en de man had alleen maar oog voor de op de balie staande televisie. Er waren een paar bewakingscamera's geïnstalleerd, maar die stonden allemaal op de kassa gericht. De mensen die naar het toilet liepen of ervan af kwamen werden niet gefilmd.

'Jullie stappen vast in,' siste Josh. 'Ik ga betalen.'

Hij had de agent van zijn jasje ontdaan en dat nu zelf aangetrokken.

'We gaan toch niet de benzine van zo'n schoft betalen?' snauwde Morant. 'We hadden die knaap gewoon koud moeten maken.'

'Grandioos,' zei Josh. 'En jíj denkt dat we zonder te betalen ongemerkt bij dit tankstation weg kunnen rijden? Ga in de auto zitten!'

Mijn god, dacht Josh. *Het is niet te geloven dat die debielen al niet veel eerder zijn opgepakt.*

Nadat hij zich ervan had overtuigd dat O'Brien en Morant naar de auto waren gelopen, liep hij snel naar de kassa. Ik neem een groot risico, hield hij zich voor, maar een beheersbaar risico. De kans bestond dat de jongen achter de kassa niet de moeite had genomen naar de man te kijken toen die uit zijn auto was gestapt en na het tanken naar het toilet was gelopen. En ik draag het jasje van die knaap. Zolang de benzine maar wordt betaald zal het hem waarschijnlijk een rotzorg zijn.

Zwijgend reden ze bij het tankstation vandaan en zetten koers naar het politiebureau. Ze moesten na het gevecht alle drie even op adem komen, en richtten hun aandacht vervolgens op de actie die voor hen lag.

Vanaf de voorgevel van het politiebureau wierpen een stuk of wat buitenlampen een fel schijnsel op de directe omgeving. Net buiten de lichtcirkels bracht Josh de Taurus tot stilstand, en doofde de verlichting.

Hij voelde hoe de zenuwen rond zijn maag enigszins begonnen op te spelen. Uiteraard was het gevaarlijk, maar hij moest weten wie hij was.

Morant had hem verzekerd dat het politiebureau 's nachts nauwelijks bemand was: één patrouilleauto en een wachtcommandant. Maar desalniettemin zat het stadje vol FBI-agenten. Het was onmogelijk te voorspellen hoeveel man er aanwezig zouden zijn.

En hij was bang dat de agent die door Marshall te grazen was genomen er zou zijn. Als dat zo was, dan zou hij Josh ongetwijfeld onmiddellijk herkennen.

Ik spring wel heel erg gemakkelijk met mijn leven om.

Josh haalde de portefeuille uit het jasje van de agent en keek naar het identiteitsbewijs. De naam op het plastic plaatje was Arnie Canestra, FBI-agent nummer 2234B. Op het plaatje stond ook een foto, maar die was vrij klein. De uitgebreide beveiligingsmaatregelen waarmee het gebouw omgeven was toen hij de avond tevoren had geprobeerd binnen te komen stonden hem nog duidelijk voor ogen: wilden ze er zonder kleerscheuren van afkomen, dan diende dit optreden maar beter zo overtuigend mogelijk te zijn. En dan maar hopen dat O'Brien en Morant geen waanzinnige invallen zouden krijgen.

'Jij blijft in de auto,' zei Josh, Morant aankijkend. 'Je zet de motor uit, anders trek je te veel aandacht. Maar zorg er wel voor dat je ogenblikkelijk kunt wegrijden. Misschien dat we straks overhaast moeten vertrekken.'

Een Amerikaan van Italiaanse afkomst, bedacht Josh toen hij naar de entree van het politiebureau liep. Agent Canestra. *Misschien moet ik wel als Al Pacino praten.*

'Stevig doorlopen,' fluisterde Josh tegen O'Brien. 'Als iemand met een stevige tred een gebouw binnenloopt gaan de mensen er bijna automatisch van uit dat hij met iets belangrijks bezig is. Dan zul je niet zo snel door een portier worden tegengehouden.'

De gang was lichtgeel geschilderd. Er was een balie, die op dit nachtelijke tijdstip echter gesloten was. In de gang hing een hele serie portretten van lieden die gezocht werden: onbehouwen uitziende knapen, concludeerde Josh, met magere, gewelddadige gezichten vol boosaardigheid en woede. *Ik zou het helemaal niet gek vinden als ik tussen al deze psychopaten en losers de koppen van O'Brien en Morant zou aantreffen.*

'Deze kant op,' zei hij zacht. Josh liep met snelle tred in de richting van het kantoor aan de achterzijde. Hij voelde hoe zijn hart sneller begon te kloppen. De laatste keer dat hij hier was geweest, was hij door een helikopter achtervolgd en had hij maar ternauwernood kunnen ontsnappen. Voorzover hij kon zien was het hier vannacht een stuk rustiger. Maar misschien was dat slechts schijn.

De gang kwam uit op een grote kantoortuin. In de lucht hing een geur van suiker en koffie. Een stuk of twintig bureaus – allemaal van hetzelfde goedkope hout gemaakt – stonden paarsgewijs tegenover elkaar opgesteld, met ernaast dezelfde grijs geschilderde standaardprullenbakken. Vlak bij de deur zat een agent alleen, zo te zien een plaatselijke jongen. Een eindje verderop stonden twee agenten hun revolvers te controleren; blijkbaar stonden ze op het punt aan een nachtelijke patrouillerit te beginnen. Zo te zien waren er dus maar een man of drie aanwezig.

Ik zie er met mijn T-shirt en spijkerbroek niet bepaald uit als een FBI-agent, bedacht Josh. *Maar midden in de nacht moet het ermee door kunnen gaan.*

'Agent Canestra,' zei hij, en liet de man achter het bureau zijn identiteitsbewijs zien, zijn gebaren kortaf en doelbewust. De man, die al tegen de vijftig liep en kaal begon te worden, was druk met een stapeltje papieren in de weer, waarop hij een voor een vierkantjes afvinkte.

'Ik wil even iets op de computer nakijken,' vervolgde Josh. 'Is dat goed?'

De man keek even op, gromde iets dat Josh niet kon verstaan en ging weer door met zijn werk. Wij federale agenten zijn hier niet bepaald populair, besefte Josh. *We bemoeien ons met hun zaken, en dat vindt niemand leuk.* Hij zag hoe de twee agenten, vlak voordat ze vertrokken om aan hun patrouille te beginnen, heel even zijn kant uit keken.

Rechts achter in de kantoortuin ging hij achter een bureau zitten. Tot nu toe loopt alles gesmeerd, zei hij tegen zichzelf met kalme tevredenheid. Misschien dat het me lukt hier heelhuids vandaan te komen.

Nadat hij was gaan zitten en het menu op het computerscherm had laten verschijnen, kwam O'Brien schuin achter hem staan. Josh' ogen gleden langs de lange rijen bestanden. Het duurde even voor hij precies doorhad hoe hij het handigst door het systeem kon navigeren. Er waren bestanden die betrekking hadden op plaatselijke wetten, staatswetten en federale wetten. Bestanden met procedures en bestanden betreffende opleidingen. Begrotingen en dienstroosters. Die waren allemaal in één grote database opgeslagen. Josh wist het natuurlijk niet zeker, maar het leek niet onlogisch dat de plaatselijke politie dossiers bijhield over alle moorden die in de county waren gepleegd. En de meest waarschijnlijke plaats om al die dossiers op te slaan was de computer.

'Open bestanden,' gaf een pictogram aan op het scherm.

Josh klikte het aan. Er verscheen een alfabetische lijst met namen op het scherm. Josh liet de lijst scrollen tot hij vond waarnaar hij op zoek was. Lippard. Met één klik van zijn muis gaf hij de computer het commando 'openen'.

Josh begon te lezen. In het hoofdrapport stond weinig dat hij al niet wist. Ben was op de ochtend van maandag 1 juni ergens tussen elven en twaalven neergeschoten. Er waren in zijn lichaam vier kogels aangetroffen, afkomstig uit een revolver van het type Smith & Wesson Mountain Lite. Het vuurwapen had op de kogels geen specifieke sporen achtergelaten, en de revolver zelf was ook nog niet teruggevonden. Er waren geen ooggetuigen van de schietpartij en tot dusverre had de politie nog geen sporen gevonden, laat staan dat er al verdachten waren.

Precies zoals ik dacht. Ze tasten volkomen in het duister.

Korte, gemene pijnscheuten teisterden de binnenkant van Josh' been. Hij keek naar beneden en zag dat er bloed uit zijn dij kwam. Dat was door de stof van zijn spijkerbroek gedrongen en druppelde nu op de betegelde vloer. Een iel spoor van rode druppels liep van de deur naar zijn bureau. Hij wierp een bezorgde blik op de agent in de hoek.

Hij stond op. Zoiets kan hij nauwelijks missen, de klootzak, besefte Josh. Zelfs de slaperigste agent móést zo'n bloedspoor dat dwars door zijn bureau liep wel opmerken.

Ik heb niet zo gek veel tijd.

Hij scrolde verder door de bestanden, zijn vingers bewogen zich geroutineerd over het toetsenbord. Hij voelde hoe O'Brien zwaar in zijn nek stond te ademen. 'Snel,' mompelde O'Brien. 'Ik voel me niet op m'n gemak met al die agenten om me heen.'

Drie woorden lichtten op: 'De derde man'. Josh klikte het bestand aan, waardoor het Word-document op het scherm verscheen. Hij wierp een bezorgde blik op de deur. Nog steeds geen spoor van de agent te bekennen.

Josh begon te lezen. 'Rapport plaats delict, 1/6/05: rapport dossier nr. 34521DF. Rapporterend agent: Dick McNamara. Er werden ook bloedsporen gevonden in de directe omgeving van de plaats delict, een paar meter van het lichaam van Lippard verwijderd. Aanvankelijk werd ervan uitgegaan dat het om Lippards bloed ging, maar aan de hand van een test werd vastgesteld dat het het bloed van iemand anders moet zijn. Het bloedmonster is naar het National Crime Laboratory in Washington verstuurd om aldaar een DNA-analyse te ondergaan. Drie dagen later kwam het NCL met een reactie. Ze hadden de persoon geïdentificeerd en wachtten nu op toestemming van de veiligheidsdienst om de naam en andere details betreffende deze persoon aan de politie van Boisdale door te geven.'

De derde man? dacht Josh, en hij ging weer zitten, hoewel hij met strakke blik naar het scherm bleef kijken. Toestemming van de veiligheidsdienst? *Jezus, wat dóé ik in godsnaam in dit land?*

'Hoe zei je ook alweer dat je heette?' zei een stem achter hem.

Josh draaide zich met een ruk om.

De agent keek recht op hem neer.

Zijn gelaat was ietwat opgezwollen en hij zag er moe uit, maar de boodschap in zijn blik was duidelijk genoeg. Hij was tot de conclusie gekomen dat Josh niet was wie hij beweerde te zijn. Nu probeerde hij tot een besluit te komen wat hij zou gaan doen.

'Agent Canestra,' snauwde Josh. 'En dit is mijn collega Dave Freemantle. We zijn druk bezig, als je het niet erg vindt.'

'Jullie zien er helemaal niet uit als agenten,' zei de agent langzaam sprekend. 'Jullie hebben een vreemd accent. En er loopt een bloedspoor van de deur naar jouw bureau.'

Ik kan uit twee dingen kiezen, besefte Josh, terwijl hij in gedachten razendsnel alle opties de revue liet passeren. Ik kan proberen me hieruit te bluffen. Of ik kan er als een haas vandoor gaan.

Hij heeft waarschijnlijk al versterkingen aan laten rukken. Misschien is daarom iedereen al zo'n tijd weg. Die patrouillewagen is mogelijk al gekeerd en nu op de terugweg hiernaartoe. Hij probeert me alleen maar aan de praat te houden tot ze hier naar binnen komen stormen. Me proberen eruit te praten heeft geen enkele zin. *Wegwezen, man, nu je de kans nog hebt.*

'Zoals ik al zei, we hebben het druk,' beet Josh hem toe. Zijn stem had een schrille ondertoon gekregen.

'Hoe zit het dan met dat bloed?' vroeg de agent.

Josh' elleboog schoot naar achteren en kwam keihard in aanraking met de zijkant van de kaak van de agent. Josh voelde hoe zijn bot contact maakte met het kaakbeen van de ander, terwijl de punt van zijn ellebooggewricht zich diep in het zachte vlees van de wang van de politieman boorde. Op datzelfde moment liet O'Brien zijn vuist op de nek van de man neerkomen.

De agent wankelde even, maar slaagde erin zijn evenwicht te bewaren. Hij bezat meer kracht dan Josh had verwacht: het was een zware kerel en zijn vleesrollen bleken evenveel spieren als vet te bevatten. Zijn handen sloegen met een klap op het bureaublad, waardoor hij zich overeind wist te houden, maar vrijwel ogenblikkelijk rukte hij zijn knie omhoog, die Josh vol tegen de borst trof. Hij voelde zijn ribbenkast onder de kracht van de stoot sidderen, een pijnscheut die dwars door zijn lichaam trok. Josh deed een stap achteruit, slaagde erin overeind te blijven, en haalde toen uit met zijn goede been, waarbij hij de agent in zijn zij trof. Op dat moment zette O'Brien 's mans nek tussen zijn onderarmen klem en rukte zijn hoofd naar achteren, en Josh zag dat het hoofd van de agent onmiddellijk rood werd.

Josh hoorde een knappend geluid. *Jezus, hij breekt hem zijn nek toch niet?*

'Sla hem bewusteloos,' siste O'Brien. 'Sla hem bewusteloos.'

Josh trok zijn vuist naar achteren. Hij zag hoe het gezicht van de agent heel even vertrokken was van doodsangst. Hij kronkelde als een vis aan een haak, maar O'Brien hield zijn hoofd in een ijzeren greep.

Ik zal er een snel eind aan maken, jongen, dacht Josh. *Je bent er een stuk beter aan toe als ik je buiten westen sla, dan dat je met een van deze gekken te maken krijgt.*

Josh diende hem eerst met zijn rechterhand een harde klap toe, en vervolgens eentje met zijn linker, een snelle uppercut pal onder de kaak van de politieman. Er begon wat bloed uit zijn mond en neus te druppelen, en zijn ogen waren dichtgevallen.

'Hij is bewusteloos,' zei O'Brien kortaf.

'Dan moeten we hier onmiddellijk weg,' reageerde Josh.

Hij liep gehaast in de richting van de deur die naar de entree leidde. Ze waren er tien meter van verwijderd en er stroomde nu steeds meer bloed uit de open beenwond, zodat de druppels op de vloer steeds groter werden. *Ze beschikken al over mijn* DNA, *ook al weten ze niet wie ik ben.*

Ze zullen ongetwijfeld doorkrijgen dat de derde man hier is geweest. En ze zullen zo nodig de hele woestijn omploegen om me te vinden.

De stilte van de nachtlucht werd ruw verscheurd door het huilende geluid van een sirene. Josh snelde naar de deur en keek naar buiten. Morant zat in de Taurus op hen te wachten. De wagen draaide nu de weg op en kwam hun kant uit. Maar Josh zag ook dat er over de hoofdweg, ongeveer driehonderd meter van hen verwijderd, met hoge snelheid een patrouillewagen hun kant uit kwam. De sirene ervan loeide en de zwaailichten trokken traag ronddraaiende blauwe lichtbundels langs de nachtelijke hemel.

'Ze zitten verdomme pal boven op ons,' schreeuwde Josh terwijl hij zich op de passagiersstoel van de Taurus liet vallen. Pal achter hem trok O'Brien met een harde klap het portier achter zich dicht.

'Rijen! En snel een beetje,' bulderde Josh.

Morant klemde het stuurwiel van de Taurus stevig beet en gaf vol gas, en het volgende moment spoot de auto in de richting van de weg die het stadje uit leidde. Josh keek heel even achterom. De patrouillewagen was in volle vaart gekeerd en zat nu op topsnelheid achter hen aan. Hij had een vaart van minstens honderdvijftig kilometer per uur, misschien wel honderdzestig, en leek hen met de seconde in te halen.

'Sneller,' mompelde Josh binnensmonds.

Ik heb hun politiebureau overvallen en een van hun eigen mensen buiten westen geslagen. Ik denk niet dat ze in de stemming zijn om me gevangen te nemen.

'Ik ga verder in het donker,' waarschuwde Morant. Hij schakelde de koplampen uit, waardoor de weg vóór hen in duisternis werd gehuld. De patrouillewagen wierp nog wel wat schijnsel vooruit, maar dat lag een kleine tweehonderd meter áchter hen. Buiten het centrum van het stadje stonden geen straatlantaarns. Josh kon geen hand voor ogen zien, laat staan bochten.

Hij greep de zijkant van zijn stoel vast. Dit zou wel eens een enerverende rit kunnen worden.

Hij keek naar de snelheidsmeter en zag dat de Taurus steeds meer vaart wist te maken. Die liep nu tegen de honderdnegentig en Josh hoorde de motor zijn uiterste best doen om het vermogen op te hoesten dat voor zo'n snelheid nodig was. Hij keek opnieuw achterom. De patrouillewagen kwam nog steeds dichterbij. Die bevond zich nu zo'n honderd meter achter hen, vermoedde Josh. Honderdvijftig misschien.

'Die klootzakken kunnen er wat van,' schreeuwde Morant, wiens stem een vrolijke, ietwat waanzinnige ondertoon had gekregen.

'Dwars door het terrein,' riep O'Brien vanaf de achterbank.

Josh wist niet of dat als vraag of commando was bedoeld.

'Ja, leuk!' schreeuwde Morant, die zijn best moest doen om zich boven het zware motorgeluid hoorbaar te maken.

De Taurus maakte een onheilspellende zwieper naar rechts, en de schokdempers hadden het zwaar te verduren toen de wielen met het ruige, met struikgewas begroeide landschap in aanraking kwamen. Dit is een sedan waarmee je geacht werd alleen maar over keurig geplaveide wegen te rijden, besefte Josh. Dit is geen suv of een 4×4; dit ding was helemaal niet gemaakt om door ruw, onherbergzaam terrein te rijden. *Elke geul, bocht en rots zal een pijnscheut door mijn ruggengraat jagen.*

'De rivier,' schreeuwde O'Brien vanaf de achterbank. 'Rij naar de rivier.'

Josh probeerde iets van het terrein recht voor hen te onderscheiden. Hij tuurde door de voorruit en poogde erachter te komen waar ze naartoe gingen, maar op een paar vage vormen na was het onmogelijk iets te onderscheiden. Dat konden rotsblokken zijn, maar voor hetzelfde geld waren het struiken. Het was niet te zien. De auto stoof over de rulle grond als een steentje dat over het gladde oppervlak van een meer stuiterde en daarbij nauwelijks het water raakte.

De rivier? Wat bedoelden ze in godsnaam met de rivier?

Hij keek in het achteruitkijkspiegeltje. Nadat ze de weg hadden verlaten was de patrouillewagen nog een stukje doorgeschoten omdat de bestuurder een paar seconden nodig had gehad te reageren. Maar nu speelden de krachtige koplampen over het open terrein en slaagde de chauffeur er al snel in het spoor van de Taurus op te pikken.

Hij mag dan wel vier-, vijfhonderd meter achterstand hebben, besefte Josh. *Maar hij heeft ons nog altijd in het vizier.*

'Naar links, links!' schreeuwde O'Brien.

Josh voelde hoe hij tegen het portier werd gedrukt toen de auto een scherpe bocht naar links maakte. Iets sloeg met een misselijkmakende klap tegen de zijkant van de auto en schuurde langs het metaal. Hij hoorde krakende en scheurende geluiden en had de indruk dat het chassis van de Taurus langzaam maar zeker uit zijn verband werd getrokken.

'Nog méér naar links!' riep O'Brien.

134

Josh haalde eens diep adem. Morant wierp hem snel een glimlach toe en zei: 'Ik zou me maar goed vasthouden als ik jou was.'

'Waarom?'

Morant lachte. 'Neem maar van mij aan dat je dat niét wilt weten.'

Josh sloeg zijn nagels in de zwarte stoffen bekleding van de auto. Hij vroeg zich even af of hij zijn veiligheidsriem vast zou maken, maar besloot dat toch maar niet te doen. Wat de autoriteiten ook zeiden, autogordels waren voor evenveel doden verantwoordelijk als dat ze levens redden, want ze zorgden er ook regelmatig voor dat je niet snel genoeg uit je wagen kon komen.

En de kans is groot dat ik deze auto straks erg snel moet zien te verlaten.

Josh keek voor zich uit. Het enige dat hij zag was duisternis. Hij had geen flauw idee waardoor Morant zich bij het rijden liet leiden. Instinct, of een encyclopedische kennis van het terrein. Maar hoe dan ook, het werkte. *Tot nu toe althans.*

Plotseling hoorde hij niets meer. Het geluid van de banden die protesterend over het ruwe terrein stuiterden was verdwenen. Jezus, zei Josh vol ongeloof tegen zichzelf. *We vlíégen.*

Deze idioot is van een klif af gereden!

Tijd om te bidden.

Het volgende waarmee hij werd geconfronteerd was de oorverdovende klap waarmee de auto de grond raakte. Elke bout in de Taurus was op slag los komen zitten en onder de motorkap vandaan kwam een enorme wolk witte stoom, terwijl op het dashboard alle waarschuwingslampjes begonnen te knipperen. Overal klotste water om hen heen, sloeg tegen de voorruit en zocht zich een weg tussen de openingen van het portier totdat het tapijt bij Josh' voeten één doorweekte massa was.

Kennelijk bedoelde hij dít met de rivier.

De motor sputterde en leek vervolgens op hol te slaan. Josh zag dat Morant verwoede pogingen deed te remmen, maar dat had maar weinig effect. Defect geraakt, besefte Josh. De besturing was onregelmatig en de vering had het op minimaal twee punten begeven, zodat elke bocht een nóg vernietigender uitwerking op de wagen had. *Eén ding is zeker. Deze auto komt nooit meer door de periodieke keuring.*

'Draai naar rechts!' riep O'Brien.

Morant draaide als een bezetene aan het stuurwiel, maar de stuurbekrachtiging deed het niet meer en Josh zag dat de wielen in zestig centimeter snelstromend water ondergedompeld waren. Van rijden was in feite geen sprake meer, het was eerder een kwestie van doorglijden. Morant rukte nog harder aan het stuur, en de auto schoof naar rechts, zich een weg banend door stenen en kiezels, om vervolgens weer vaart te maken in de bedding van een smalle zijrivier die – gezien de richting die ze nu volgden – bij de hoofdrivier vandaan leidde.

Josh keek achterom. Hij zag niets, alleen maar duisternis.

Geen spoor van de patrouillewagen. *Misschien hebben we die van ons afgeschud.*

De remmen werkten nog steeds niet, dus schakelde Morant de motor uit en liet de auto rustig tot stilstand komen. 'Shit, dát was leuk,' zei hij, en stapte de auto uit.

Josh stond op en sloeg het portier achter zich dicht. Hij bleek met zijn voeten in pakweg vijftien centimeter water te staan. Hij bukte zich, schepte een handvol water op en begon te drinken. De vloeistof bracht zijn zenuwen weer enigszins tot kalmeren en vervolgens bekeek hij zijn verwondingen. Er druppelde nog steeds bloed langs zijn been en de stof van zijn spijkerbroek was aan die kant donkerrood. Zijn kuit en zijn borst vertoonden enige schaafwonden op de plaatsen waar hij tegen het portier van de auto was gedrukt en de politieman hem had weten te raken. Verder ben ik oké, zei hij tegen zichzelf. *Niet veel erger dan gewoonlijk.*

'Direct rechts van hier ligt een droge kreek,' zei O'Brien, en hij wees naar een bocht in de rivier, een meter of honderd van de plaats verwijderd waar ze nu stonden. 'Volg die maar. Dan kom je vanzelf in Ferndale uit. Van daaruit kun je teruglopen naar het huis van Marshall.'

'Waar gaan júllie dan heen?' vroeg Josh

'Terug naar de wildernis,' zei O'Brien. 'Overal in dit gebied hebben we bases. Ze zullen ons nooit kunnen vinden, aangezien ze de omgeving lang niet zo goed kennen als wij.'

'Nou, bedankt voor de hulp.'

Morant lachte rauw. 'Eerlijk gezegd hebben we helemaal geen aanmoediging nodig om het tegen de FBI op te nemen. Ik heb alleen de pest in dat we die knaap in het benzinestation niet gewoon koud hebben gemaakt.'

God heeft rare kostgangers, besefte Josh terwijl hij op pad ging. Zelfs hier.

Het was even na tweeën 's nachts. Het was donker, maar dankzij de maansikkel kon hij nog net de droge bedding onderscheiden waarover O'Brien hem had verteld. Ik kan dat spoor blijven volgen, zei hij in zichzelf. Het zou tot aan Marshalls huis wel eens een kilometer of dertig kunnen zijn, een wandeling van vier tot vijf uur, afhankelijk van hoe zijn been zich zou houden.

Er zat weinig anders op dan zich lopend zo ver mogelijk van de problemen te verwijderen, concludeerde hij en zette zijn tanden op elkaar. *Als hier straks de zon opgaat, wil ik niet meer in de buurt zijn.*

Het zou niet lang meer duren voor de zon opkwam, besefte Josh. Hij zag aan de horizon nog niets waaruit op te maken viel dat het elk moment licht kon worden, terwijl er aan de donkere hemel ook nog geen eerste oranje stralen te zien waren. Maar hij kon het ruiken. Vlak voordat de zon boven de horizon omhoog zou komen, hing er een soort frisheid in de lucht. Je voelde het aan de dauw die zich aankondigde, aan het feit dat het volkomen windstil was, vlak voordat de vogels zouden ontwaken.

Sinds hij op pad was gegaan had hij verschillende malen achteromgekeken, maar hij was ervan overtuigd dat de politieauto die hen had achtervolgd de weg was kwijtgeraakt.

Ze zullen ongetwijfeld naar me blijven uitkijken. Maar voorlopig zijn ze het spoor bijster.

Josh begon de contouren van het terrein te herkennen. Hij was hoogstens nog maar een kilometer of twee van het huis verwijderd. De kreek had Josh inderdaad terug naar Ferndale geleid, precies zoals O'Brien had voorspeld.

Josh bleef even staan. Hij liet zijn blik over het lege landschap dwalen, op zoek naar patrouilleauto's, helikopters of andere signalen die erop wezen dat hij gevolgd werd. Maar er was niets te zien. Er stond alleen een licht briesje over de lege vlakte.

De politie weet niets van Kate en Marshall, besefte hij. *Ze weten niet dat zij mij helpen.*

Toen Josh het huis naderde maakte dat een verlaten indruk. Er brandde geen licht en er was geen geluid te horen. Hij duwde behoedzaam tegen de deur die toegang bood tot de keuken en het niet al te solide slot begaf het binnen de kortste keren. Josh stond in zijn eentje in de keuken. Hij was buiten adem en de wandeling had ervoor gezorgd dat zijn tong aanvoelde als een stuk leer. Zweetdruppeltjes rolden over zijn rug. Hij boog zich over het aanrecht, draaide de kraan open en maakte zijn gezicht nat. Het voelde heerlijk aan, dat water op zijn huid. Vervolgens haalde hij een snee brood uit het pak dat open op het keukenblad lag.

Water en brood, hield Josh zich voor. *Meer heb je eigenlijk niet nodig om in leven te blijven.*

Het licht sprong aan. Kate stond in de deuropening. Ze had een badhanddoek strak rond haar lichaam gewikkeld, die vlak boven haar borsten met behulp van een knoop bijeen werd gehouden. De handdoek reikte tot een centimeter of vijf onder haar heupen. 'Wat is er verdomme met jóú gebeurd?'

'Nationale veiligheid,' zei Josh. 'Het is me gelukt mijn dossier te vinden. De federale agenten weten wie ik ben, maar die info hebben ze nog niet aan de plaatselijke politie doorgegeven.' Hij keek Kate aan. 'Wie bén ik, verdómme!'

'Ik weet het niet, Josh.'

Ze liep dichter naar hem toe en haar ogen schoten naar de donkerrode plek op zijn spijkerbroek. 'Je bent gewond.'

Josh knikte. 'Een stukje metaal.'

Er gleed een bezorgde blik over haar gezicht. 'Is er weer op je geschoten?'

'Nee,' reageerde Josh. 'De oude wond is weer gaan bloeden.' Hij keek haar strak in de ogen. 'Hij is in het politiebureau opnieuw opengegaan, zodat ik daar een heel bloedspoor achter me aan heb getrokken.'

'Kom hier,' zei Kate, 'dan zal ik het weer schoonmaken.'

Ze leidde hem naar haar slaapkamer. Josh was nog niet eerder aan de achterzijde van het huis geweest. Het was een vrij klein vertrek, hoogstens drie bij vierenhalve meter, met aan één kant een eenpersoonsbed. Het was er lichtgeel geschilderd: de enige kamer in het huis die eruitzag alsof hij het afgelopen decennium wél een lik verf had gehad.

Dit kan onmogelijk de kamer zijn waar ze haar tijd gewoonlijk doorbrengt, dacht Josh toen hij om zich heen keek.

Dit is geen vrouwenkamer. Geen kussens die op geraffineerde wijze op het bed zijn neergelegd. Er is geen enkele poging ondernomen de lakens op de kleur van de gordijnen af te stemmen. Geen knuffels of ingelijste foto's. Alleen een bed, een toilettafel en een koffer die half geopend was.

'Doe je spijkerbroek uit,' zei Kate.

'Jazeker, dokter,' reageerde Josh en hij keek haar grijnzend aan.

Hij maakte zijn riem los en keek op het bed neer. Eén blik van haar was voldoende om duidelijk te maken dat hij moest gaan liggen. Josh liet zich op het witte laken zakken: hij rook Kates parfum op het kussen waarop ze nog maar een paar minuten geleden had liggen slapen. De matras was hard en veerkrachtig, en Josh voelde hoe de blauwe plekken en schrammen op zijn lichaam plotseling weer pijn begonnen te doen. Zijn voeten zaten vol blaren en waren moe van de lange wandeling, terwijl elke vierkante centimeter van zijn huid nat was van het zweet.

Geef me een fles gin en ik pas moeiteloos tussen het volkje dat gewoonlijk onder de Londense spoorwegviaducten bivakkeert.

De flanellen doek voelde vochtig en koel aan tegen de zijkant van zijn been. Josh keek op. Kate had het losgetrokken verband al verwijderd. De huid zag er kapot getrokken en verschroeid uit; het gat dat de kogel had veroorzaakt was nog steeds duidelijk te zien. Het bloed was langs zijn been gedruppeld en was tussen de haartjes opgedroogd, waardoor er een smal, donkerrood korstje was ontstaan. Kate schudde wat ontsmettingsmiddel op een doek en wreef daarmee over de huid. Vrijwel onmiddellijk raakten zijn zenuwuiteinden geïrriteerd en joegen er felle pijnscheuten door zijn lichaam, om vervolgens plaats te maken voor een tintelend gevoel – het gevoel dat je hebt als je net een lichte stroomstoot is toegediend.

'Dat doet pijn, hè?' zei Kate.

Josh kon onmogelijk zeggen of ze zich oprecht zorgen over hem maakte of alleen maar geamuseerd was. 'Ik kan er wel tegen,' reageerde hij.

Ze boog zich over hem heen en bracht opnieuw wat ontsmettingsmiddel op zijn been aan. Hij voelde hoe haar rode lokken over zijn borst gleden en een kietelende sensatie bij hem teweegbrachten. Haar lichaam werd slechts bedekt door de badhanddoek, en haar naakte benen raakten heel even zijn huid.

Hij keek op en hun blikken kruisten elkaar.

Hij wachtte een ogenblik en liet zijn blik vervolgens nog een fractie langer op haar gelaat rusten, bracht toen zijn hand omhoog en liet zijn vingers door haar haar glijden. Dat was zacht en onberispelijk geborsteld. Hij hoorde haar zachtjes kirren van plezier toen hij haar hoofdhuid begon te strelen.

Plotseling tilde hij zijn hoofd enigszins op en kuste hij haar op de mond.

Een fractie van een seconde leek het of er niets was gebeurd. Kates lippen bevonden zich bewegingloos vlak bij die van hem, en haar ademhaling was rustig. Toen, als een auto waarvan het gaspedaal plotseling werd ingetrapt, begon ze te reageren. Haar tong schoot tevoorschijn, op zoek naar de zijne, terwijl ze haar armen over zijn borst naar beneden liet glijden. Ze leek hem met heel haar lichaam te bedekken en drukte haar heupen tegen zijn kruis. Josh slaagde erin zijn armen omhoog te brengen en maakte de simpele knoop los die haar badhanddoek op z'n plaats hield, waardoor haar borsten bevrijd werden. Hij drukte ze met zijn handen tegen elkaar, liet zijn tong even over haar tepels spelen en wreef vervolgens met zijn handen lichtjes over haar gewelfde rug.

'Als ik me niet vergis staat er in de medische richtlijnen iets heel specifieks over het neuken van patiënten,' zei ze, en ze moest moeite doen om niet te giechelen.

'Wat staat er dan?'

Het puntje van haar tong gleed langzaam langs de zijkant van zijn borstkas. 'Het mag alleen maar in het geval van een leuke patiënt.'

Josh draaide Kate op haar rug. De seks die volgde was teder, maar niet minder bevredigend. Ze reageerde op elke aanraking en liefkozing, leidde hem naar die delen van haar lichaam die het snelst genot zouden opleveren: Josh stond versteld hoe snel hun lichamen zich aan elkaar aanpasten, alsof ze zich er wekenlang op hadden voorbereid.

Even later lag ze op zijn borst. Josh voelde haar hart tegen zijn huid pulseren. 'Jij woont hier niet, hè?' zei hij. 'Althans, niet altijd.'

'Nu ben ik hier,' zei Kate alleen maar.

Haar stem klonk vermoeid, ongeïnteresseerd.

'Dit is geen omgeving voor jou, Kate,' zei Josh. 'Je zit hier midden in de woestijn. Je echtgenoot is overleden; je moet verder.'

Ze keek hem glimlachend aan. 'Misschien heb ik dat zojuist gedaan.'

'Ga hier dan weg.'

Kate legde de vingertoppen van haar rechterhand op zijn lippen. 'Jij bent nog niet helemaal hersteld,' zei ze. 'Jij hebt rust nodig; je moet slapen.'

Kate maakte zich van hem los en ging naast het bed staan. Josh zag hoe ze een injectienaald tussen haar vingers hield. Door het raam viel het eerste oranje ochtendlicht naar binnen. De naald glinsterde. 'Dat heb ik niet nodig,' zei Josh. 'Het gaat prima met me en…'

Voor hij de zin ook maar kon voltooien doorboorde de naald de huid van zijn arm en werd de lichte vloeistof in zijn bloedbaan gebracht. Josh voelde hoe hij met de seconde slaperiger werd.

'Ik ben jouw arts,' zei Kate zacht. 'Als ik zeg dat je dit nodig hebt, dan héb je het nodig.'

Josh probeerde uit alle macht zijn ogen open te houden, maar de slaap haalde hem razendsnel in, dwong hem zich over te geven. Toen zijn ogen zich sloten zag hij iets. Een woestijn. Een rotsblok. Een jongen die schreeuwde, en toen nog een jongen die iets zei. Tegen hém.

Luke. En Ben.

Hij worstelde uit alle macht om dat beeld vast te houden. Maar het volgende moment werd hij door de slaap overmand.

10

Dinsdag 9 juni. 's Ochtends.
Hoewel zijn ogen nog steeds gesloten waren, voelde Josh hoe de eerste stralen van de dageraad over hem heen gleden. Hij kneep zijn ogen stijf dicht en probeerde de duisternis nog heel even vast te houden. Er speelde een beeld door zijn hoofd. Een man in een soort uniform die iets schreeuwde. Een betonnen ruimte. Hij deed zijn ogen nóg steviger dicht en probeerde alle andere gewaarwordingen uit zijn hersenen te bannen, richtte al zijn energie op het scherp krijgen van die herinnering. De man rukte een foto van de wand, schreeuwde iets tegen Josh terwijl hij dat deed. Maar de woorden waren niet te verstaan, terwijl Josh ook niet zeker wist of er wel tegen hém werd geschreeuwd.
Wat betekent dat verdomme allemaal?
Een geluid.
Josh schrok wakker. Hij keek bezorgd om zich heen. De kamer kwam hem onbekend voor. Pas toen hij Kates parfum op de verkreukelde lakens herkende, herinnerde hij zich weer wat er was voorgevallen. Die geur? *Hoe heette die ook alweer?*
Josh geeuwde, rekte zich uit en kwam overeind. De ochtendlucht was koel en fris. Kate lag naast hem, nog steeds in diepe slaap: haar rode haar was over haar gezicht gevallen. Het langzame bewegen van haar lippen maakte duidelijk dat het nog wel even zou duren voor ze wakker werd. Hij boog zich opzij en liet zijn lippen lichtjes langs haar voorhoofd gaan, waarna hij een lichte kus op haar koele huid drukte.
Als jij er niet was geweest, was ik nu dood, zei hij tegen zichzelf.
Hij liep naar de keuken en zette water op. In het huis was nog nergens een spoor van Marshall te bekennen.

Kate had gisteravond opnieuw zijn nek verbonden en had daarbij wat pure alcohol gebruikt die Marshall in huis had: of dat spul nou om te drinken was of voor gebruik in medische noodgevallen, Josh zou het niet kunnen zeggen. Misschien beide. Het stak als de hel toen ze ermee over de dikke korst wreef die zich aan de zijkant van zijn nek had gevormd. Maar nadat ze er een nieuw, kleiner verband op had aangebracht voelde het al een stuk beter aan: de huid jeukte nu een stuk minder en hij kon zijn nek bewegen zonder dat er pijnscheuten langs zijn ruggengraat schoten.

Het been is sterk genoeg om op te lopen; zo nodig kan ik er zelfs mee hollen. En de nek begint nu ook te genezen, bedacht Josh.

Maar nog steeds laat mijn geheugen, op een paar kleine flitsen na, het volkomen afweten.

Josh nam nog een slokje van zijn koffie en keek toe hoe de zon boven de horizon klom: het uit rotsen en aarde bestaande roodachtige landschap vermengde zich met de vroege stralen en zette de wereld in een oranje gloed. Alsof ik op een andere planeet ben geland, dacht Josh.

Ik vraag me af wat voor soort familie ik heb. Een vrouw? Kinderen, misschien? Ik moet een vader en moeder hebben, zoals iedereen die heeft. Een plaats waar ik geboren ben. Plaatsen die ik herken en mensen die ik ken. Maar zal ik die ooit nog terugzien? *En áls ik ze ooit terugzie, zal ik ze dan herkennen?*

Geen hersenspinsels, hield Josh zich voor. Verman jezelf, kerel. *Er is werk aan de winkel.*

Josh schonk een tweede beker koffie in en liep naar de slaapkamer. Kate had zich omgedraaid; haar hand lag half over haar gezicht gedrapeerd en hij zag hoe haar borsten met haar ademhaling traag op en neer gingen. Hij legde zijn hand op haar schouder en schudde er zachtjes aan.

'Koffie op bed,' zei hij met een brede glimlach. 'En als ontbijt heb ik bonen voor je.'

Kate kwam overeind en boog zich naar voren. Haar ogen stonden nog steeds slaperig. 'Wat gaan we doen vandaag?' vroeg ze.

Josh aarzelde. Hij was constant met die vraag bezig geweest. 'De moeder van Luke,' zei hij. 'Zij vormt het enige spoor dat we hebben.'

Uit het huis klonk keiharde muziek: iemand had de volumeknop van de installatie blijkbaar helemaal opengedraaid. In de auto boog Josh zich nog wat verder naar voren in een poging wat meer te zien. Er stond één auto op de oprit. Er brandde binnen geen licht. De kans was groot dat Emily Marsden alleen thuis was.

'Zullen we naar binnen gaan?' vroeg Kate.

Josh knikte en stapte uit de rode Ford Mustang. Het liep tegen lunchtijd en de zon verspreidde al een verzengende hitte. Het was een gebouw met één verdieping erop, opgetrokken uit steen en met een dak dat deels bestond uit verzinkte golfplaten en deels uit leien. Achter het huis bevond zich een soort erf van dertig meter lang en zo'n vijftien meter breed. Een stuk van de muur was neergehaald, terwijl tussen de stenen struikgewas groeide. Als je geen muziek zou horen, bedacht Josh, zou je de indruk krijgen dat het een verlaten ruïne was.

Terwijl ze samen over het grindpad liepen dat naar de oprit leidde, zwol de muziek steeds verder aan.

'*Dogs begin to bark and hounds begin to howl / Watch out, strange cat people / Little red rooster's on the prowl,*' luidde de tekst.

Josh bleef even staan. Die song ken ik, besefte hij.

Plotseling zag hij een beeld voor zich. Een huis. Ergens in Engeland, daarvan was hij overtuigd. Een vrouw met donker haar en een fraai figuur. Een meisje. Van een jaar of twee, misschien drie. Met een fopspeen in haar mond.

'*If you see my little red rooster / Please drive him home / Ain't had no peace in the farmyard / Since my little red rooster's been gone,*' ging de tekst van de song verder, terwijl de aanzwellende stem de woorden zong, begeleid door drums en gitaar.

De vrouw zei iets tegen Josh. Het meisje huilde. Ze was op zoek naar haar fopspeen. Josh probeerde haar te troosten.

Een stilte. De song was afgelopen, en het volgende nummer op de cd was nog niet begonnen. Toen de muziek wegstierf, gebeurde dat ook met de herinnering, die weer in de spelonken van Josh' geheugen verdween.

Dat meisje, vroeg Josh zich af. Was dat een kind van míj?

'De zanger?' vroeg Josh. 'Weet jij wie dat is?'

Kate moest lachen. 'Jij bent je geheugen écht kwijt, hè?'

'Wie was dat dan?' vroeg Josh enigszins geïrriteerd.

'Het zijn de Rolling Stones,' zei Kate. '"Little Red Rooster" heet het nummer. Afkomstig van de elpee *Rolling Stones Now*, uitgekomen in

1965, als ik me niet vergis. Toen jij en ik nog geboren moesten worden.'

Josh knikte. Hij besloot de plaat, zodra hij daartoe kans zou zien aan te schaffen. Die bracht herinneringen bij hem boven. Misschien was ik wel een fan van de Stones? Er zijn ergere dingen. Elton John kwam hem op de een of andere manier bekend voor, maar niet in gunstige zin.

Hij drukte op de deurbel, wachtte een ogenblik om te zien of er werd gereageerd, en drukte toen opnieuw. Het volgende nummer – 'Surprise, surprise' – was al begonnen, en de met harde hand bewerkte gitaren spetterden zo hard uit de luidsprekers dat de specie tussen de bakstenen leek los te trillen. Josh belde opnieuw en gaf vervolgens een paar harde klappen op de deur. Geen reactie. Dit schiet niet op, zei hij tegen zichzelf. Je kunt je boven deze muziek uit niet eens horen denken. *Laat staan dat je de deurbel kunt horen.*

Josh zette zijn schouder tegen de deur, die vervolgens moeiteloos openzwaaide. De hal was hoog en donker, met aan één kant een bank, terwijl er tegen de andere wand twee fietsen stonden. Josh stapte naar binnen, op de voet gevolgd door Kate. De hal kwam uit op twee vertrekken, terwijl er aan de achterkant van het bouwsel een trap naar boven was. De muziek kwam van achter een deur aan de linkerkant. Hij duwde ook die deur open en stapte naar binnen.

In het midden van het vertrek stond een vrouw. Ze liep tegen de vijftig, had blond haar dat van een coup soleil was voorzien, een smal, pezig lichaam, en een gezicht dat ooit aantrekkelijk was geweest maar door de tand des tijds en afmatting zwaar was geteisterd. Een overdaad aan drank had ervoor gezorgd dat de huid van haar gezicht diepe rimpels vertoonde. Het licht dat door twee hoge vensters naar binnen stroomde vulde een vertrek waarin twee oude banken stonden, waar de bewoonster oosterse tapijten overheen had gedrapeerd. Aan de ene muur hing een enorm wandtapijt, terwijl op de andere een muurschildering was aangebracht. Achter in de kamer stond een duur uitziende stereo-installatie van NAD, het enige voorwerp in het hele vertrek dat niét de indruk wekte voor een paar dollar in een uitdragerij aangeschaft te zijn.

De vrouw draaide zich langzaam om, haar lippen nog steeds meebewegend met de muziek. Josh zag dat ze een hagelgeweer in haar handen had, dat ze nu recht op zijn borst gericht hield. 'Sodemieter onmiddellijk op uit mijn huis,' zei ze.

Josh stak kalm zijn handen omhoog. Hij had het gevoel dat hij in zijn vroegere leven al heel wat keren in de loop van een vuurwapen had gekeken.

Je ontwikkelde een instinct voor wie daadwerkelijk de trekker zou overhalen, en wie niet. Deze vrouw behoorde duidelijk tot de laatste categorie. *Mensen die op het punt staan je af te schieten, kijken op een speciale manier naar je, en deze vrouw doet dat niet.*

'Ik neem aan dat jij Emily bent,' zei hij, en probeerde zijn stem zo ontspannen en vriendelijk mogelijk te laten klinken.

Ze bleef zwijgen.

Zou ze me hebben gehoord? vroeg Josh zich af. Hij liep langzaam het vertrek door, maar hield zijn handen omhoog, zodat ze die duidelijk zou zien. Het volgende moment zette hij het volume van de NAD een stuk zachter, zodat de muziek in feite alleen nog maar als achtergrondgeluid fungeerde. Plotseling kon hij zichzelf weer horen nadenken.

'Ik neem aan dat jij Emily bent,' herhaalde hij.

Emily lachte schril. 'In dit land mogen we iemand die ongevraagd jouw muziek zachter zet zonder meer overhoopschieten.'

'En je mag twéé keer schieten als het om de Stones gaat?' reageerde Josh met een grijns. Langzaam liep hij naar haar toe tot de geweerloop nog maar een paar centimeter van zijn borst verwijderd was. 'Mijn naam is Josh. En dit is Kate.'

Ze bleef het geweer op zijn borstkas gericht houden. 'Wat wil je?'

'Hasj,' zei Josh. 'Ik heb van wederzijdse vrienden gehoord dat dit daarvoor het beste adres is.'

Emily Marsden liet haar geweer zakken en gooide het vervolgens op een van de banken. Josh deinsde even achteruit. De vrouw had blijkbaar geen idee hoe gemakkelijk een vuurwapen per ongeluk af kon gaan. 'Wat voor een accent hoor ik hier? Engels?'

'Engels.'

'Dat is een heel eind voor een beetje wiet.'

'Ik heb gehoord dat jij de beste kweekt.'

Emily glimlachte. 'Dan zijn jullie juist voorgelicht. Ik stel voor dat jij en je vriendin gaan zitten, dan zal ik wat van dat spul gaan halen.'

Ze verliet het vertrek, waarna Josh zich op een van de banken liet zakken. Nu pas merkte hij dat in de kamer een geur van whisky, hasj en parfum hing; een niet onplezierig aroma, maar eentje waar je wel slaperig van werd. Hij keek Kate eens aan en zag een achterdochtige blik op haar gezicht verschijnen. 'Laat mij het woord maar doen,' zei hij. 'Doe maar net of je mijn vriendinnetje bent.'

Emily kwam de kamer weer in en had een plastic zakje bij zich met wat bladeren erin. Ze haalde een pakje tabak en wat Rizla-vloeitjes tevoorschijn, en begon een joint te rollen. Haar vingers bewogen zich razendsnel, zag Josh. Ze hoefde er niet eens naar te kijken. 'Hier,' zei ze, en gaf hem – nadat ze hem eerst had aangestoken – de taps toelopende joint. 'Eerst proberen voor je wat van me koopt – dat is een van mijn stelregels.'

Josh inhaleerde diep en liet de rook zijn longen vullen. Hij herinnerde zich vaag dat dit spul ook als pijnstiller werd gebruikt en daarvoor minstens even geschikt was als voor dat andere doel – wat dat doel dan ook precies mocht zijn.

'Prima spul,' zei hij.

Emily glimlachte. 'Dit is een uitstekend gebied voor het kweken van dit soort warm-weerplanten. Zolang je ze maar vaak genoeg water geeft. Het regent hier nooit. De afgelopen vijf jaar is er geen druppel neerslag gevallen.'

Josh nam nog een trekje van de joint, en gaf hem toen aan Kate door. Niet te veel van dit spul, hield hij zich voor. *Je wilt toch geconcentreerd blijven?*

'Hier, probeer jij het ook maar eens, liefje,' zei hij.

Hij keek Emily weer aan. 'Ik koop voor vijftig dollar van dit spul. Stop het maar in een plastic tas.'

Hij zag hoe Kate op de andere bank achterover ging zitten, drie keer een lange trek van de joint nam, om hem toen pas aan Emily terug te geven. Het vertrek stond plotseling vol rook. 'Ik heb gehoord over je zoon Luke,' zei Josh. Emily nog steeds aankijkend. 'Vreselijk voor je.'

Ze begon in een oog te wrijven en pas op dat moment zag Josh hoe bloeddoorlopen die waren. Ze hield de joint tussen de duim en wijsvinger van haar linkerhand, maar die begon plotseling hevig te trillen en er viel een askegel op de vloer. Ze keek eerst Kate aan, en toen pas Josh. 'Het is nu negen dagen geleden dat ik voor het laatst iets van hem heb gehoord,' zei ze met een breekbaar en trillend stemmetje. 'En Luke zit zo helemaal niet in elkaar. Hij is af en toe best wild geweest, op de manier zoals jongens dat kunnen zijn. Moeilijk ook. Maar verdomme, we zijn hartstikke close. Het zou niet in hem opkomen zo lang te verdwijnen zonder contact met me op te nemen. Hij weet hoeveel zorgen ik me dan over hem zou maken.' Ze zweeg even, zoog aan de joint alsof het om een zuurstoftank ging nadat ze een hele tijd onder water had gezeten. 'Dat doet hij niet – tenzij hem iets is overkomen.'

'Misschien kunnen we je helpen,' zei Josh.

Op Emily's gelaat verscheen plotseling een geschrokken uitdrukking. 'Jullie zijn toch geen FBI-agenten, hè?' zei ze, en haar stem trilde van angst. 'Ik teel niet zo gek veel wiet, weet je. Een beetje voor mezelf, meer niet. En om aan mijn vrienden te kunnen geven.'

'Wij zijn niet van de politie,' antwoordde Kate.

'Wie zijn jullie dan wél, verdomme?'

Josh zag dat ze haar blik heel even in de richting van het hagelgeweer liet glijden. 'Ik heb iets gezien,' zei hij.

Het bleef stil. Josh zag hoe Emily opnieuw een trek aan de joint nam; haar lippen trilden. 'Heb je Luke gezien?' wilde ze weten. 'Zeg me dat je Luke hebt ontmoet en dat alles goed met hem is.'

'Ik weet niet wat ik heb gezien, niet precies althans,' zei Josh. 'Ik kan je niet eens vertellen wie ikzelf ben. Maar ik wéét dat ik iets gezien heb.'

'Waar héb je het verdomme over?' reageerde Emily kwaad. 'Of je hebt iets gezien, of je hebt níéts gezien.'

Kate boog zich vanaf haar bank iets naar voren. 'Josh is zijn geheugen kwijt, maar hij was erbij toen Ben werd neergeschoten. Hij heeft tegelijkertijd schotwonden opgelopen, daarom is hij gewond.'

'Ik heb Ben gezien, en ik denk dat ik Luke heb zien wegrennen. Ik weet niet wat ik daar aan het doen was, maar ik denk dat ik er op de een of andere manier bij betrokken was.'

Emily zwaaide met haar joint door de lucht, waardoor er nóg meer as op het tapijt viel. 'Verdorie, volgens mij heb je meer van dit spul gerookt dan ik in m'n hele leven.'

Kate stak haar arm uit in een poging de hand van Emily vast te pakken, maar die trok hem vervolgens argwanend weg. 'Luke verkeert op de een of andere manier in gevaar, dat lijkt me duidelijk,' zei Kate. 'Over een paar dagen zal de politie ongetwijfeld haar belangstelling voor deze zaak verliezen. Er lopen dagelijks jonge jongens van huis weg; daar winden ze zich nog maar nauwelijks over op. Wij zijn de enigen die je hulp kunnen bieden.'

'Hoe weet ik zeker dat jij hem niet hebt gedood?' zei Emily. 'Hoe weet ik zeker dat jij niet ook de moordenaar van Ben bent?' Ze zweeg even. 'Jullie beiden maken op mij een niet bijster frisse indruk.'

Misschien heeft ze gelijk, bedacht Josh. Jezus, ik weet niet eens wie ik bén. *Misschien heb ik Ben inderdaad gedood.*

'Luister, ik zal je vertellen wat ik weet, dan kun je daarna zelf beslissen of je ons wilt helpen of niet,' zei Josh. 'Ik ben een Brit. Een militair of een speciaal agent, denk ik. Ik ga ervan uit dat ik op een missie ben gestuurd, en dat ik daardoor op het spoor van Ben en Luke ben gekomen. Toen werd Ben neergeschoten, en ik ook. Luke zag kans te ontsnappen. Daarvan ben ik overtuigd. Ik heb hem weg zien rennen.'

'Een speciaal agent,' zei Emily en ze lachte verbitterd. 'Net als die verdomde James Bond zeker, hè?' Ze zwaaide met haar joint zijn kant uit. 'Ik hou op met het kweken van dit spul.'

'Nee, denk eens na, Emily,' zei Josh, die nóg ernstiger klonk. 'Het leven van jouw zoon zou wel eens op het spel kunnen staan.'

'Dat weet ik – en van mij wordt verwacht dat ik naar een of andere junk luister die zomaar mijn huis komt binnenwandelen en dit soort onzin begint uit te kramen?'

'Als je een betere verklaring hebt, wil ik die graag horen,' zei Josh. 'Luister, Ben en Luke zijn negen dagen geleden verdwenen. Zeven dagen geleden is Ben neergeschoten. Toen dat gebeurde waren ze al twee dagen weg en zaten ze hier dertig kilometer vandaan. Wat denk jíj dan dat er is gebeurd?'

Nu rolde er een traan over Emily's wang. 'Zei je dat je erbij was?'

Josh knikte.

'Gelul.'

Josh sloot zijn ogen en liet zijn hoofd achterover hangen. 'Limp Bizkit,' zei hij. 'Vindt hij die band goed?'

'Thrash-metal-troep.'

'Zijn T-shirt,' zei Josh. 'Hij droeg een T-shirt met daarop "Limp Bizkit '02-toernee". En ik ga ervan uit dat het een extra large was, want het zat hem veel te ruim.'

'Dat heb je zeker op de televisie gezien,' merkte Emily op.

'Dat hebben ze helemaal niet op de tv laten zien,' zei Kate. 'Op de tv

149

hebben ze een oude middelbareschoolfoto van Luke laten zien.'

'Wat droeg hij op de dag van zijn verdwijning?' vroeg Josh.

'Het T-shirt,' zei Emily. 'Het Limp Bizkit-T-shirt. Jezus, je was er écht bij.' Ze keek Josh strak aan. 'Is alles oké met hem? Zeg dat alles in orde is met mijn zoon.'

'Hij rende weg, dat is het enige wat ik weet,' zei Josh. 'Ik kan je niet vertellen waar hij nu is, en ook niet of hij nog in leven is, want dat wéét ik niet.' Hij keek Emily recht in de ogen. 'Maar ik denk niet dat Luke een jongen is die er zomaar een paar dagen met zijn vriendje tussenuit knijpt omdat ze zich vervelen. Ik denk dat ze ergens bij betrokken zijn geraakt. En ik heb het gevoel dat ik daar op de een of andere manier ook bij betrokken ben.'

'De ellende is alleen dat we geen flauw idee hebben wat dat zou moeten zijn,' merkte Kate op.

'Daarom zouden we graag willen dat je ons helpt,' zei Josh. 'We moeten eerst weten waar Luke bij betrokken is geweest.'

Emily bleef zwijgen.

'Waar ging het om?' bleef Josh aandringen. 'Wáár was Luke in verwikkeld geraakt?'

Emily volhardde in haar stilzwijgen en bleef strak naar de vloer kijken.

'We zijn de enigen die je kunnen helpen, Emily,' onderbrak Kate de stilte. 'De énigen.'

Emily liep naar het raam en tuurde naar buiten, alsof ze in het lege, verschroeide landschap rond haar huis naar iets op zoek was. Het zonlicht speelde door haar haar en zorgde ervoor dat het bijna wit leek. Haar lippen bewogen even, maar er kwam geen geluid uit.

'Luke kan nog steeds in gevaar verkeren,' zei Josh.

Emily knikte. Ze draaide zich om, zodat de zon nu achter haar stond. Josh zag hoe bleek ze was, alsof al het bloed plotseling uit haar gezicht was weggetrokken. 'Hacken,' zei ze. 'Luke was bezig met het kraken van computersystemen.'

Ze liep bij het raam vandaan. 'Hij en Ben gingen gewoonlijk naar Lukes kamertje en waren dan urenlang met hun computers in de weer. Ik wist nauwelijks waarmee ze bezig waren. Ikzelf kan zo'n ding nog niet eens aanzetten. Maar nadat ze op de schoolcomputer de cijfers van zo'n beetje alle leerlingen hadden veranderd, raakten ze ermee in de problemen. Ik heb ze toen gezegd dat ze ermee moesten ophouden.' Ze haalde haar schouders op. 'Maar hoe kun je nou een jongen verbieden met zijn computer bezig te zijn? Trouwens, het leek vrij onschuldig allemaal. Beter dan kattenkwaad uithalen of met vuurwapens of motorfietsen in de weer zijn. Dat doen de meeste jongens van hun leeftijd hier in de buurt namelijk.'

'Dus je denkt dat dat hacken hen misschien in moeilijkheden heeft gebracht?'

Emily ging op de bank zitten. Ze vouwde haar handen en legde die in haar schoot. Voor het eerst sinds Kate en Josh het vertrek waren binnengestapt leek de vrouw zich enigszins te ontspannen: alsof ze tot de conclusie was gekomen dat dit tweetal te vertrouwen was.

'Ongeveer drie maanden geleden had Luke het er voor het eerst over dat we straks niet meer in deze oude bouwval zouden hoeven te wonen,' begon ze. 'We hebben het financieel altijd moeilijk gehad. Ik werk af en toe als serveerster en ik kweek wat wiet. Beide leveren nauwelijks iets op, zoals jullie waarschijnlijk wel weten. We kunnen de eindjes nog net aan elkaar knopen, anders zou ik het niet kunnen uitdrukken. Luke vertelde me dat we ons op korte termijn geen zorgen meer over geld zouden hoeven te maken, dat alles in orde zou komen. We zouden straks een nieuwe auto kunnen kopen, en een huis in Californië, en misschien zelfs wel een tweede huis op Jamaica. Hij kreeg steeds meer belangstelling voor reggae.'

Emily stak haar hand uit naar de op de bank liggende tabakszak en rolde voor zichzelf een sigaret, deze keer eentje met uitsluitend tabak. Twee iele rookstraaltjes kwamen uit haar neusgaten. 'Ik heb maar gewoon met hem meegepraat. "Ja, Luke. Tuurlijk, Luke," zei ik dan. "Dat lijkt me hartstikke leuk. Koop dan ook een terreinwagen voor me. Zo'n grote Mercedes, of misschien wel een Lexus. Iets groots." Dan werd hij meestal kwaad op me en riep dan dat hij binnenkort écht een hoop geld zou verdienen, dat hij met iets bezig was op de computer waarmee hij een fortuin zou maken.'

Emily priemde met haar sigaret in de lucht, en haar stem begon te breken. 'En toen verdween hij. En onwillekeurig moet ik steeds denken dat die verdwijning iets met zijn computer te maken heeft. Iets waardoor hij in de problemen is geraakt.'

'Heb je dat aan de politie verteld?' vroeg Josh.

Emily schudde haar hoofd. 'Ik wil niet dat hij nóg erger in moeilijkheden komt. Ik bedoel, als hij bezig was iets te bekokstoven op zijn computer, dan is dat naar alle waarschijnlijk iets illegaals geweest. En naar aanleiding van het gebeuren op school weten ze natuurlijk wel dat hij een hacker was. Ze hebben trouwens zijn computer meegenomen voor verder onderzoek.'

'En u hebt geen flauw idee waar hij mee bezig is geweest?' vroeg Josh.

'Zoals ik al zei, ik heb er toentertijd nauwelijks op gelet. Ik dacht toen dat het alleen maar typisch jongensgedrag was. Lekker stoer doen. Bravoure. Pas na zijn verdwijning drong het tot me door dat er wel eens meer achter zou kunnen zitten.'

'Hij heeft nooit websites genoemd die hij regelmatig bezocht; dát soort informatie?'

Emily drukte haar sigaret uit. Er verscheen een bedachtzame blik in haar ogen, alsof ze verschillende opties afwoog. 'Nee,' zei ze uiteindelijk. 'Maar hij had twéé computers. De politie heeft zijn desktop meegenomen, de computer die op zijn kamer stond. Maar Luke had ook nog een laptop, die hij regelmatig naar Ben meenam. En volgens mij werkte hij voornamelijk dáár op. Die desktop gebruikte hij alleen voor spelletjes en zo.'

'En de politie heeft díé niet meegenomen?'

'Ik heb ze niet verteld dat-ie er ook nog was.'

Een tijdje was het stil. Wat sigarettenrook kringelde omhoog. Josh wist precies welke vraag hij als volgende wilde stellen, maar besloot even te wachten, niet onmiddellijk door te drukken. Misschien was het beter om te wachten, hield hij zichzelf voor. *Ze weet het antwoord gewoon nog niet.*

'Je zei daarnet dat je militair was, soldaat?' zei ze. 'Dat je misschien naar Luke op zoek geweest zou kunnen zijn?'

Josh knikte. 'Ik zal er niet omheen draaien – ik weet niet wie ik ben. Ik denk dat ik op de een of andere manier betrokken ben geweest bij Luke. Ik denk dat hij nog ergens moet rondzwerven. En ik wil proberen hem te vinden.'

'Wil je zijn laptop zien?' vroeg Emily. 'Denk je dat je wat aan dat ding hebt?'

'Als er iets op staat, dan moet het te vinden zijn,' zei Josh.

'Kom maar mee,' zei Emily.

Ze stond op en verliet het vertrek, op de voet gevolgd door Josh en

Kate. Hij voelde zijn hart als een gek in zijn borstkas tekeergaan. Dit was de eerste echte doorbraak: als ze erachter konden komen in welke systemen Luke had geprobeerd binnen te dringen, zouden ze in elk geval één deur hebben geopend.

Langzaam maar zeker wordt de legpuzzel die ik vorm stukje voor stukje in elkaar gezet.

De zon brandde op het met struikgewas begroeide terrein. Het moest minstens veertig graden zijn, vermoedde Josh toen ze het bouwsel uitstapten. Emily's huis bevond zich op een open vlakte, minstens dertig kilometer van heuvels verwijderd, en lag in een soort ondiepte: de hitte trok elk atoompje vocht naar zich toe, waardoor alles in de omgeving door en door droog was.

Het struikgewas werd hier bij wijze van spreken gekóókt. *Dit moest na de Gobiwoestijn zo'n beetje de goedkoopste grond zijn die er op aarde te koop was.*

De schuur was niet veel meer dan een simpel houten bouwsel, waarin nog enkele landbouwwerktuigen stonden weg te roesten die uit de jaren dertig leken te dateren. Achter een trekker zat een aanhangwagen waar een dekzeil overheen was gespannen. Emily sloeg dat opzij en haalde een platte Dell Inspiron tevoorschijn. 'Hier,' zei ze. 'Deze gebruikte hij altijd.'

Josh nam de laptop aan en klemde hem onder zijn arm. 'We zullen hem terugbrengen,' zei hij.

'Het interesseert me geen barst of je dat ding terugbrengt of niet,' zei ze kortaf. 'Ik heb liever dat je Luke terugbrengt – meer wil ik niet.'

'Nog één vraag,' zei Josh. 'Wie is Lukes vader?'

Emily keek geschrokken naar hem op. 'Zijn vader?'

Josh knikte. Soms stel je een vraag zonder precies te weten waarom, of welk antwoord je te horen zult krijgen. Als je midden in een geheimzinnige zaak zit, ben je verplicht die van alle kanten te bekijken. Anders kom je nooit tot een oplossing. 'Als er iets met Luke is gebeurd, is zijn vader daar misschien ook op de een of andere manier bij betrokken,' zei Josh. 'Wie was hij?'

Emily keek hem vol verachting aan. 'Dat doet er niet toe,' beet ze hem toe. 'Dat is privé.'

Josh draaide zich om. Het was zinloos om erop aan te blijven dringen, besefte hij. Hij begaf zich duidelijk op gevaarlijk terrein. 'Nou, als je ooit tot de conclusie mocht komen dat het toch belangrijk is, neem dan contact met me op.'

'Breng hem nou maar terug,' zei Emily. 'Ik wil hem weer hier bij me hebben, meer niet.'

11

Dinsdag 9 juni. 's Middags.
De koffie stond te dampen in een pot die midden op tafel was gezet. Josh nam een grote slok van de dikke, zwarte vloeistof en schonk, direct nadat hij de beker had geleegd, nog eens voor zichzelf in. De hete koffie liep door zijn slokdarm en liet geleidelijk aan de vermoeidheid verdwijnen die de joint die hij bij Emily had gerookt in zijn systeem had achtergelaten. Hij wierp een blik op het uitgestrekte, lege, uitsluitend met struikgewas begroeide landschap. De zon brandde er fel op neer en deed er alle leven verschrompelen, hoewel er vandaag een wat krachtiger wind stond, waardoor er af en toe gemene stofhozen langs de rotsblokken joegen en er kleinere stenen en pollen tuimelgras over de grond werden voortgeblazen.

'*We are the pilgrims, master / We shall go always a little further.*'

Josh draaide zich met een ruk om. Marshall stond met een flesje bier in de hand in de deuropening.

'Herken je het?' vroeg hij, en stapte het vertrek binnen.

Josh schudde zijn hoofd. 'Nee,' antwoordde hij.

Dat was niet helemaal waar, zei hij tegen zichzelf. Toen hij de woorden hoorde, maakte dat wel degelijk iets in hem los. Een onduidelijke herinnering aan een lang betonnen vertrek. Een kazerne. Een stuk of wat mannen die in een cirkel stonden. Een andere man die iets schreeuwde. Een stortbui.

Het waren slechts vluchtige beelden, zonder enig verband. Het was onmogelijk ze tot één geheel te maken. *Ik kan er absoluut geen chocola van maken.*

'Wat is het dan voor tekst?' wilde Josh weten.

'De SAS,' antwoordde Marshall. 'Het regimentslied. Weet je zeker dat het je nergens aan doet herinneren?'

'Misschien doet het me wel ergens vaag aan herinneren,' zei Josh.

'Dan maak je daar inderdaad onderdeel van uit,' zei Marshall. 'Britse speciale strijdkrachten – ik had gelijk.' Hij liep naar de voordeur, maakte die open en stapte naar buiten. 'Ik heb gehoord dat je nogal wat hebt meegemaakt met mijn twee vrienden.'

Josh knikte.

'Je weet wel hoe je jezelf staande moet houden.'

'Ik leef nog.'

'Je kunt hier niet blijven,' zei Marshall. 'Aan het eind van de dag spitten de hulpsheriffs de hele county door.'

'Maak je geen zorgen, pa, we gaan weg,' onderbrak Kate hem.

Marshall keek haar eens aan en knikte toen. Ze zag er vanmiddag totaal anders uit, merkte Josh op. Kalmer, meer ontspannen. Haar huid glom, en hoewel ze probeerde het te maskeren, was er in haar ogen een flauwe glimlach te zien. Josh wist niet precies wat dat betekende, maar hij hoopte dat Marshall het niet zou opmerken.

'Wat gaan jullie doen?' vroeg Marshall.

Kate zette een laptop op de keukentafel neer. 'Eens kijken wat er allemaal op deze computer te vinden is. Hij is van Luke, die jongen die verdwenen is.'

'Kent u iemand die ons hiermee kan helpen?' vroeg Josh, die de vraag rechtstreeks tot Marshall richtte.

De vader van Kate knikte en haalde een paar vingers door zijn grijze haar. 'Ik denk dat ik wel iemand weet. Woont in Utah. Ongeveer driehonderd kilometer noordelijk van hier. Heet Kessler.' Hij zweeg even, alsof hij iets uit zijn geheugen probeerde op te diepen. 'Sam Kessler.'

'Denk je dat hij bereid is ons te helpen?' vroeg Kate.

'Als ik hem zeg dat hij wel zal moeten, doet-ie het ook,' reageerde Marshall kortaf.

'Dan ga ik mijn spullen pakken,' zei Kate. 'En dan vertrekken we.'

Josh groef diep in de achterzak van zijn spijkerbroek. Zijn vorige broek zat nog steeds vol bloedvlekken, maar hij had een andere van Marshall geleend: in dit tempo, bedacht Josh, zou de man snel door zijn garderobe heen zijn. Hij haalde twee foto's tevoorschijn. Ze waren een paar keer dubbelgevouwen en vlekkerig, maar waren verder nog vrij duidelijk. Het waren de 'stills' – stilgezette beelden – van de video-opnamen die hij gisteren van Madge had gekregen, waarop de leider van het groepje mannen te zien was dat in het Motel 6 had ingebroken. Josh was ervan overtuigd dat de mannen naar hém op zoek waren geweest.

'Deze knaap,' zei Josh, en hij wees de betreffende man aan. 'Weet u of een van uw vrienden misschien wie dit is?'

Marshall pakte de foto aan en keek aandachtig naar de afgebeelde man. 'Wat een rotkop.'

'Ik zou me een stuk prettiger voelen als het me zou lukken hém op te sporen voor hij míj weet te vinden,' zei Josh.

'Waar meen jij uit op te kunnen maken dat ik hem misschien zou kennen?' Er gleed een donkere schaduw over Marshalls gelaat, besefte Josh. Hij keek hem strak en doordringend aan. Een ogenblik lang vroeg hij zich af of Marshall misschien had gehoord hoe hij gisteravond Kates slaapkamer was binnengeglipt.

'Dat zeg ik helemaal niet – ik heb alleen maar gevraagd of u hem misschien kende – u schijnt hier in de omgeving over uitstekende connecties te beschikken,' reageerde Josh.

Er verscheen een glimlach op Marshalls gezicht, alsof Josh de grappigste vent was die hij ooit had ontmoet. 'Je leert snel.' Hij pakte de beide foto's op, vouwde ze op en stopte ze in de borstzak van zijn spijkershirt. 'Ik zal eens kijken wat ik kan doen,' zei hij. 'Bel me maar op. Dan laat ik je weten of ik iets heb kunnen ontdekken.'

De weg kronkelde via een steile helling naar beneden, om uit te komen bij een ranch. Het was niet meer dan een onverhard pad dat vol kuilen zat, en de vering van de Mustang protesteerde dan ook hevig toen de auto de heuvel af stuiterde. 'Denk je dat hij blij zal zijn als hij ons ziet?' vroeg Josh.

'Nee,' antwoordde Kate, en ze schudde even haar hoofd.

Josh keek naar buiten. Aan de ene kant rees de heuvel steil omhoog en leek tot aan de hemel te reiken, maar aan de andere kant strekte zich enkele kilometers lang een vlakte uit. In de buurt van de horizon bevond zich een riviertje: in deze fase van de zomer stond daar slechts een paar centimeter water in. Ongeveer anderhalve kilometer verderop kon hij nog net een groepje bomen onderscheiden. Bij de rivier dronk een kudde halfwilde paarden wat water. Verder was het alleen maar grasland waar hier en daar wat struiken groeiden. Er was in de wijde omtrek geen enkel ander gebouw te zien.

In een beschaafde wereld nóg afgelegener wonen dan hier is onmogelijk. Een prima plek om je schuil te houden.

Het huis was geheel gelijkvloers en was opgetrokken uit hout. Over de gehele breedte van het huis bevond zich een veranda. Rechts ervan bevond zich een indrukwekkende hoeveelheid zonnepanelen, terwijl links ervan een televisieschotel met een doorsnede van vijf meter schuin omhoogwees. Elektriciteit en een tv, mijmerde Josh. Meer heeft de mens eigenlijk niet nodig om te overleven.

Hij stapte de auto uit en liep naar de voordeur. Het was even na vijf uur in de middag en de hitte van die dag begon enigszins weg te ebben. Vanuit Ferndale rechtstreeks hierheen was het vier uur rijden geweest. Ze waren in noordelijke richting door Arizona gereden, waren vervolgens de staatsgrens van Utah gepasseerd en hadden toen een pal oostelijke koers gevolgd, om na tachtig kilometer bij Kanab uit te komen, de stad die het dichtst in de buurt van de ranch lag.

'Bent u Sam Kessler?' vroeg Josh aan de man die de deur opendeed.

De man knikte. Wat Josh betrof moest de man minstens vijftig zijn; hij had een gezicht dat de sporen droeg van een hard leven. Hij had zwart haar, hoewel daar al brede banen grijs doorheen liepen. Hij droeg zijn haar lang, tot in zijn nek, terwijl zijn mond aan het oog onttrokken werd door een dikke snor. Zijn ogen waren rond en stonden vrij dicht bij elkaar, terwijl zijn kaken vlezige vetplooien vertoonden.

'Ben jij die vriend van Marshall?' wilde Kessler weten.

Josh knikte.

'Dan kun je maar beter binnenkomen.'

Marshall had Josh slechts een uiterst karige beschrijving van Kessler gegeven, en was ook niet echt scheutig geweest met details over de manier waarop ze elkaar hadden leren kennen. Hij had in Vietnam gezeten, maar had daarna voor een carrière in de computers gekozen en had in Californië voor verschillende grote bedrijven in Silicon Valley gewerkt. Tot tien jaar geleden, toen hij naar deze bouwvallige paardenranch in Utah was verhuisd. Hij leefde hier alleen – zijn vrouw had de woestenij maar niets gevonden en was al na een paar jaar naar Californië teruggekeerd – en verdiende de kost als freelance-adviseur op het gebied van computerbeveiliging. Als bedrijven uit de buurt hun systemen effectief wensten te beveiligen, was Kessler de man naar wie ze toe gingen. 'Als er iémand is die iets op die computer kan vinden, dan is Kessler dat,' had Marshall hun vlak voor ze vertrokken gezegd.

'Ik ben u bijzonder erkentelijk voor het feit dat u even tijd voor ons hebt gemaakt,' zei Josh terwijl hij de hal binnenstapte.

Die hal had een stenen vloer en houten wanden. Hij was rijkelijk voorzien van allerlei zaken die met de ruiterij te maken hadden: zadels, stijgbeugels, hoefijzers en zwepen. Kessler ging hen voor naar de keuken. Ze kregen geen koffie aangeboden; niet eens een glas water. Josh besefte dat daarom vragen een gigantische vergissing zou zijn.

'Waar heb je dat ding?' vroeg Kessler.

Kate haalde de laptop uit haar tas en legde het apparaat op de keukentafel. Kessler keek er eens naar en trok toen zijn wenkbrauwen op. 'Wat is ermee aan de hand?'

'Hij is leeg,' zei Josh. 'Alle bestanden zijn gewist.'

Kessler ging aan tafel zitten. Hij klapte de laptop open, zette hem aan en keek naar het scherm. 'Misschien staat er wel helemaal niets op,' zei hij. 'Misschien heeft iemand dat ding nog maar net gekocht.'

Josh ging aan de andere kant van de tafel zitten. 'Nee, er heeft wel degelijk iets op gestaan,' zei hij beslist. 'Ik denk dat de bestanden zijn gewist.'

'Van wie is dit apparaat?'

Toen hij zijn vraag stelde keek Kessler met een ruk naar Josh op.

'Dat vind ik namelijk belangrijk,' zei Kessler. 'Ik heb de ervaring dat computers nogal persoonlijk kunnen zijn. Mensen vinden het helemaal niet leuk als andere mensen in hun bestanden zitten te peuren, zoals ze het ook niet leuk vinden als er een vreemde in hun huis komt neuzen – of hun vrouw naait.'

Josh wierp een snelle blik richting Kate, en keek vervolgens Kessler weer aan. 'Dat doet er niet toe,' reageerde hij kortaf. 'De jongen van wie deze laptop is, heeft er geen enkel probleem mee als u er een kijkje in neemt. We proberen hem te helpen.' Josh zweeg even. 'U kunt me vertrouwen.'

'Jou vertrouwen?' Kessler moest lachen. 'Ik heb je pas een paar minuten geleden voor het eerst ontmoet – hoe kan ik je nou vertrouwen, verdomme?'

Josh reikte naar de laptop en klapte hem dicht. 'Als u ons niet wilt helpen, prima. Het spijt ons dat we uw kostbare tijd verdoen.' Hij maakte aanstalten om op te staan.

'Ik zal Marshall zeggen dat u niet bij machte was ons te helpen.'

Kessler stak een hand omhoog. 'Ik zal ernaar kijken,' zei hij met een vermoeide stem. 'Geef me een paar dagen de tijd. Dan zal ik jullie vertellen of ik iets heb kunnen vinden.'

Josh zette de laptop terug op de keukentafel. 'Twee dagen is te lang,' zei hij. 'Ik wil dat het nú gebeurt. We wachten hier wel terwijl u ermee bezig bent.'

'Ik werk op mijn eigen voorwaarden, of helemáál niet,' reageerde Kessler. 'Ik zal zo snel mogelijk contact met jullie opnemen. Maar je bent hier niet bij een klaar-terwijl-u-wacht-kraker. Graag of niet.'

'Goed dan,' zei Josh. 'Bedankt vast.'

Kessler trok de laptop weer naar zich toe en zette hem op de rand van de tafel naast zich neer. 'Ik geef jullie een mobieltje mee,' zei hij. 'Het is een beveiligde lijn. Alle sporen naar de oorspronkelijke eigenaar zijn gewist en ik ben de enige die het nummer kent. Elke boodschap die via dit mobieltje wordt doorgegeven kan onmogelijk worden nagetrokken. Ik bel jullie op dit toestelletje zodra ik klaar ben.'

Josh knikte. Kessler was duidelijk iemand die over klanten beschikte die hun zakelijke beslommeringen zo geheim mogelijk wensten te houden. 'Probeer het zo snel mogelijk te doen,' zei hij. 'We wachten op uw telefoontje.'

Josh gaf twee biljetten van twintig dollar aan de man achter de balie van het tankstation en wachtte op het wisselgeld. Hij wierp een korte blik naar buiten en keek naar Kate, die in de rode Mustang op hem zat te wachten. De zon stond op het punt onder te gaan, maar de lucht voelde nog steeds warm en droog aan, en Josh besloot op het laatste moment nog een paar koude flesjes cola en wat koekjes aan te schaffen.

We komen dichter in de buurt, zei hij tegen zichzelf. Ik ruik het. Ik mag dan nog niet weten wie ik ben, maar ik ben bekend met eindspellen. *En de stukjes van deze puzzel vallen steeds meer op hun plaats.*

'Hebben jullie hier een telefoon?' vroeg Josh aan de man achter de kassa.

'Achterin, bij de toiletten,' zei de man, en hij gaf hem het wisselgeld.

Josh liep naar de achterzijde van het benzinestation. Onderweg schoot er plotseling een beeld door zijn hoofd. O'Brien, Morant en hijzelf die de FBI-agent te lijf gingen terwijl hij in de pispot stond te plassen. Wees op je hoede, hield hij zichzelf voor. Je wilt toch niet worden neergeknuppeld terwijl je je overgeeft aan je natuurlijke behoefte?

Hij stopte een vijftig-centstuk in de gleuf van de munttelefoon en keek tegelijkertijd goed om zich heen. Voorzover hij kon zien was de zaak verder leeg. Ze waren via een achterafweggetje van Utah terug naar Arizona gereden, want ze wilden liever niet van de Interstate gebruikmaken voor het geval er bij de staats- en countygrenzen door de politie controleposten waren ingericht. De weg had er verlaten bij gelegen. Zelfs bij de benzinestations waren bijna geen klanten te bekennen geweest.

Pas nadat de telefoon een paar keer was overgegaan nam Marshall op. 'Is Kate bij je?' vroeg hij zodra hij hoorde dat het Josh was.

'Ja, het gaat prima met haar,' zei Josh.

'Was Kessler bereid jullie te helpen?'

'Met enige tegenzin,' zei Josh. 'Over welke drukmiddelen beschik je bij hem eigenlijk?'

'Dat doet er niet toe,' reageerde Marshall. 'Hij heeft je toch geholpen? Daar gaat het uiteindelijk om.'

Dat is zo, vond Josh. 'Nog sporen naar de man die op die foto te zien is?'

Josh was ervan overtuigd dat als Marshall de man op de foto kon identificeren, dat een tweede aanknopingspunt zou kunnen zijn.

Iéts in de lange stilte die op zijn vraag volgde deed bij Josh het idee postvatten dat hij waarschijnlijk wel iets te horen zou krijgen, maar niet alles. Bij Marshall had hij trouwens toch altijd al het gevoel dat hij nooit meer dan het halve verhaal te horen kreeg.

'Ik ga ervan uit dat het een knaap is die Jim Flatner heet,' zei Marshall na een tijdje.

'Wie is dat?'

Opnieuw bleef het stil, terwijl Marshall leek af te wegen hoeveel hij zou zeggen. 'Een motorrijder – een biker.'

'Dat meende ik al uit zijn kleding op te kunnen maken,' zei Josh. 'Óf een biker, óf de een of andere oude nicht die graag in het leer rondloopt.'

Marshall moest even grinniken. 'Hij houdt zich op in het open terrein, zo'n dertig kilometer ten oosten van Scottsdale. Ze leven met z'n dertigen in de bergen. Voornamelijk mannen, maar er zitten ook een paar vrouwen bij. En zelfs nog een paar kinderen. Het is een soort alternatieve leefgemeenschap.'

'Wat doen ze?'

'Alles wat geld oplevert,' antwoordde Marshall. 'Er wordt kleinschalig in drugs gehandeld. Ze helen gestolen goederen. Dat soort zaken. Ze proberen de plaatselijke bevolking zoveel mogelijk met rust te laten, terwijl de plaatselijke bevolking hén zo min mogelijk voor de voeten probeert te lopen.'

'Ze waren naar míj op zoek,' zei Josh. 'Ik weet het zeker.'

'Ik denk dat je daar nu twee keer zo zeker van kunt zijn.'

Josh omklemde de telefoon nog wat steviger. Hij keek uit over het voorterrein van het tankstation. Kate was uit de auto gestapt en liep nu ongeduldig heen en weer. Er was een vrachtwagen gestopt waarvan de tank met diesel werd gevuld. 'Hoezo?'

'Die vriendin van je, Madge,' zei Marshall. 'Die is dood.'

Josh zweeg. Een beeld van het meisje dat in zijn armen lag speelde door zijn hoofd: zoals ze er nog maar een paar dagen geleden uitzag, toen ze nog vol passie en levenslust was geweest. 'Wat is er dan gebeurd?'

'Ik zag er iets over op het plaatselijke televisienieuws,' zei Marshall. 'Ze zou zelfmoord hebben gepleegd. Ze zou in Boisdale van een brug zijn gesprongen.'

'Dat liegen ze.'

Marshall moest opnieuw grinniken. 'Misschien de oudste leugen waarmee de politie ooit geconfronteerd is geweest.'

'Ik heb haar nog maar een paar dagen geleden gesproken,' vervolgde Josh, ondertussen een blik in de richting van Kate werpend. 'Ze was helemaal het type niet om er zelf een einde aan te maken. Daar bestond helemaal geen reden voor.' Josh zweeg opnieuw. 'Iemand heeft haar vermoord. En als ze háár hebben vermoord, zullen ze mij ongetwijfeld ook naar de andere wereld willen helpen.'

Josh liep naar de auto terug. Waarom zou iemand Madge om het leven willen brengen? vroeg hij zich af. Jezus, dat kon alleen maar het gevolg zijn van het feit dat ze elkaar gesproken hadden. Ik heb haar gevraagd om – op Marshalls adres weliswaar – contact met me op te nemen zodra ze nieuwe informatie had.

Hij voelde hoe zijn maag zich omdraaide van schuld. En de weinige info die ze hem had gegeven had dit meisje het leven gekost.

Zouden die bikers voor de FBI werken? Nee, dat sloeg nergens op. Maar wie konden het dan hebben gedaan? Wie waren zij en wat wilden die lui? Wat kan ik mogelijkerwijze weten dat dit alles zou kunnen rechtvaardigen?

Josh nam een besluit. Hij wilde niet met zijn handen over elkaar afwachten tot Kessler met iets boven water zou komen. Ga op zoek naar die bikers – en probeer erachter te komen voor wie die lui werken, hield hij zich voor.

In het kampement brandde een kampvuur. Josh drukte de kijker tegen zijn ogen en liet zijn blik over de kleine gemeenschap glijden. Vanuit zijn uitkijkpunt hoog in de heuvels telde hij ongeveer vijftien huisjes. Ze waren opgetrokken uit hout, canvas en golfplaten: ruwe onderkomens die in een vluchtelingenkamp niet zouden misstaan, en die even snel konden worden afgebroken als opgebouwd.

Hij draaide zich naar Kate om. 'Denk je dat hij zich dáár ergens ophoudt?'

Ze knikte. 'Dit is hun territorium,' zei ze. 'Het zijn maar een paar vierkante kilometers woestijn, maar volgens Marshall heerst Flatner erover als een middeleeuwse krijgsheer.'

Nadat ze hadden gehoord dat Madge was overleden, waren ze linea recta naar de bergen gereden waar volgens Marshall de bikers hun kamp hadden opgezet, en waren ze alleen maar even bij een tankstation gestopt om een paar in de magnetron verwarmde hamburgers te nuttigen. Josh had het gevoel dat hij niet veel tijd meer had. Het net van de samenzwering waarin hij verzeild was geraakt werd snel dichtgetrokken. Als het hun gelukt was Madge op te sporen, zouden ze binnen niet al te lange tijd ook hem en Kate weten te vinden. En misschien nog wel sneller.

Leg de strijd bij de vijand op de stoep. Ik weet niet waar ik dat ooit eens gehoord heb, maar het lijkt me een goed advies.

Ze hadden de Mustang vijf kilometer verderop geparkeerd en hadden de rest van de route te voet afgelegd. Het was te gevaarlijk om met een auto naar het kampement te rijden. Er liep slechts één enkele onverharde weg naar het bergachtige gebied en Josh ging ervan uit dat die route in de gaten werd gehouden. De kans bestond dat de bikers uitkijken hadden geposteerd. Het zou ook nog kunnen dat er elektronische sensoren waren geplaatst. Maar het deed er niet toe hóé ze het deden. Josh moest ervan uitgaan dat die weg, op welke manier dan ook, onder surveillance stond. Ze zouden een naderende auto onmiddellijk opmerken.

De tocht was lang en moeizaam geweest. De eerste twee kilometers waren prima verlopen, maar daarna was het terrein een stuk ruwer en bergachtiger geworden, en kostte het Josh grote moeite de gang erin te houden. Ze waren op weg hiernaartoe bij een benzinestation gestopt om wat zaken aan te schaffen: vier liter water, enkele blikken met bonen, bacon en broodjes, plus een doosje lucifers, en een paar goedkope plastic rugzakjes waarin ze de spullen op hun rug kunnen vervoeren. Het mee te torsen gewicht zorgde ervoor dat het lopen nóg moeilijker ging. Josh merkte dat zijn been nog lang niet genezen was, maar hij kon niets doen om te voorkomen dat zijn beschadigde spieren nóg verder onder druk kwamen te staan. Het herstel moest nog maar even wachten, hield hij zichzelf voor. Momenteel kon hij alleen maar hopen dit alles te kunnen navertellen.

Josh klapte de kijker in en stopte hem weer in zijn zak. Hij had in het midden van het kampement een kampvuur waargenomen, en hij had ook gezien dat daar mannen omheen zaten, druk bezig met het roken van joints en het drinken van bier. Maar op deze afstand en in het duister was het onmogelijk om hun gezichten scherp in beeld te krijgen. 'We zullen vanavond waarschijnlijk niets bijzonders meer zien,' zei hij. 'Het is al te laat en te donker.'

'Wat hoop je hier eigenlijk precies te vinden, Josh?' vroeg Kate.

Hij draaide zich naar haar om. Niet voor het eerst in de paar dagen dat ze in elkaars gezelschap verkeerden vroeg hij zich af wat haar bewoog. Soms was ze voorkomend, vriendelijk, maar op andere momenten was ze ontstemd; soms was ze behulpzaam, en dan weer zonder meer moeilijk. Misschien ben ik vergeten hoe vrouwen in elkaar zitten, speelde het door zijn hoofd. *Misschien heb ik het zelfs nooit geweten.*

'De sleutel,' zei hij. 'Mijn geheugen zweeft daar ergens rond, ik weet het. Ik vang er af en toe een glimp van op. Het enige dat ik nu nog nodig heb is iets om dat geheugen weer te openen, bloot te leggen.'

'Je denkt echt dat het hier ergens te vinden moet zijn?'

Josh schudde zijn hoofd. 'Dat weet ik pas als ik het heb teruggevonden,' reageerde hij.

Kate vouwde het kleed open dat ze samen met de rest van hun voorraden had aangeschaft. Het zag eruit als een picknickkleed, met aan één kant een reep plastic. De bergwand rees hoog boven hen uit, terwijl het dal en het kamp een stuk lager aan hun andere kant lagen. Ze bevonden zich halverwege de steile helling, maar hun positie werd afgeschermd door een stuk of wat grote rotsblokken, zodat iemand die vanuit het kampement omhoogkeek hen onmogelijk zou kunnen zien. Josh haalde wat broodjes en een fles water tevoorschijn, en ging naast Kate op het kleed liggen.

'Ik ben doodsbang, Josh.'

Hij legde zijn arm om haar heen, dankbaar voor de warmte van haar huid tegen de zijne. De uitputting van die dag was tot in elk gekwetst lichaamsdeel doorgedrongen: de wond aan zijn been zeurde maar door, speelde onophoudelijk op, terwijl zijn hoofd begon te tollen zodra hij ook maar probéérde alles wat er de afgelopen dagen was voorgevallen op een rijtje te zetten.

Steeds weer speelde dezelfde vraag door zijn hoofd, als een naald die in een groef van een grammofoonplaat was blijven steken. *Wát kan ik hebben gedaan dat al die mensen mij dood willen hebben?*

Kate liet haar lippen langs de zijkant van zijn hals glijden. Hij trok haar dichter tegen zich aan, zich bewust van haar adem op zijn huid. Hij probeerde haar op haar rug te draaien, maar ze duwde hem speels van zich af, drukte op haar beurt zijn armen tegen de grond, en begon langzaam met haar tanden de knopen van zijn shirt los te maken. Hij stak zijn hand uit, keek omhoog naar de sterren, en vervolgens naar de prachtige rode lokken die vlak boven hem hingen. Op zijn beurt een voor een de knopen van haar blouse losmakend, kleedde hij haar met dezelfde behoedzaamheid en aandacht uit als wanneer hij een geweer dat hij koesterde uit elkaar nam. Terwijl hij daarmee bezig was luisterde hij naar het zachte gekreun, gekreun van genot, het enige geluid dat de stilte van de woestijnnacht verbrak.

Josh sloot zijn ogen. Plotseling merkte hij tot zijn schrik dat er een heel ander beeld in zijn hoofd speelde. Een totaal ándere vrouw bedreef met hem de liefde. Een brunette. Met lang, donker haar en donkerbruine ogen, en met een gladde, soepele, nagenoeg perfect gebruinde huid. In haar navel zat een metalen knopje. En haar gezicht leek uit marmer gehouwen, met delicate ogen, een rechte neus, hoge, smalle jukbeenderen en een guitige, ondeugende mond.

Wie was dat? vroeg Josh zich af. Een vriendinnetje. *Een echtgenote?*

'Is alles goed met jou, jongetje?' fluisterde Kate in zijn oor terwijl ze zichzelf, boven op hem zittend, naar een hoogtepunt bracht.

Josh huiverde even, en knikte toen. Een geheugen kan een duister en gevaarlijk oord zijn, besefte hij. Ik weet maar zo weinig over mezelf.

Kate rolde van hem af, haar passie opgebruikt, en een paar minuten lang lagen ze bewegingloos en zwijgend naast elkaar, terwijl hun lichamen baadden in het sterrenlicht dat tussen de bergtoppen door op hen neer scheen. Kate reikte naar beneden, kreeg haar topje te pakken en trok dat omhoog over haar borsten. Vervolgens drukte ze zich weer dicht tegen Josh aan, alsof ze op zoek was naar beschutting tegen de koude nacht.

'Je hoeft niet bij me te blijven, hoor,' zei Josh. 'Dit is míjn strijd. Ik kan het wel alleen af.'

Kate draaide haar gezicht naar hem toe, zodat haar lippen die van Josh licht beroerden. 'Nu ik je eenmaal gevonden heb, verlies ik je niet meer uit het oog.'

12

Woensdag 10 juni. Zonsopgang.
Het kostte Josh moeite de slaap uit zijn ogen te schudden. Hij wist nu al dat het opnieuw een gloeiend hete dag zou worden, maar de nacht was koud geweest en er hing nog steeds een kilte in de lucht. Zijn botten waren stijf van de ruwe grond waarop hij en Kate hadden geslapen, en de wond aan zijn been kwelde nog steeds zijn zenuwuiteinden: zijn slagader werd over de hele lengte geplaagd door een boosaardige, tintelende sensatie, die uitmondde in een pijnscheut in zijn knie. Het lijkt wel of er een kaasschaaf over mijn huid wordt gehaald, bedacht hij. *Maar dan van binnenuit.*

'Nog nieuwe herinneringen, Josh?' vroeg Kate.

Ze maakte een flesje cola open, schonk twee plastic bekertjes in, en gaf een ervan aan Josh. Hij nam het met beide handen aan, nam een slok en wachtte af tot zijn aderen de cafeïne van de cola in zich hadden opgenomen. Een beker koffie zou ook zeer welkom zijn geweest, maar het was veel te gevaarlijk om hier een vuur aan te leggen: de rook zou onmiddellijk hun positie hebben verraden. Beneden in het kamp kwam het leven langzaam op gang. Hij zag een stuk of wat mannen langs de uit golfplaten en canvas opgetrokken onderkomens lopen: grote, op beren lijkende schepsels, met baarden en tatoeages op enorme onderarmen. Een eindje bij de hutten vandaan speelde een groepje kinderen met een stuk of wat oude banden, waarvan met een stuk touw een soort schommel was gemaakt die tussen enkele op hun kop liggende autowrakken was vastgemaakt. Hij zag hoe in het middenterrein een paar vrouwen aanstalten maakten een kampvuur aan te leggen. Althans, hij dácht vrouwen te zien. *Hun haar was nog wat langer; het maakte bijna een ge-*

blondeerde indruk, terwijl ze ook aanzienlijk minder tatoeages hadden.

'Helemaal niets,' antwoordde hij. 'Het zal me heel wat moeite kosten om ze weer boven water te krijgen.'

Hij ging op een rotsblok zitten, drukte de kijker tegen zijn ogen en vervolgde zijn zoektocht. 'Daar,' zei Josh plotseling. 'Daar héb je hem.'

Hij liet zijn kijker zakken en gaf hem vervolgens aan Kate. Terwijl zij erdoor naar het kamp tuurde, volgde hij de man die door het ruige, met struikgewas begroeide terrein liep. Het was Flatner, daar was Josh van overtuigd. Hij klapte een mobieltje open en beende terwijl hij praatte heen en weer.

'Ja, onmiskenbaar,' zei Kate.

'Waar zijn ze daar beneden verdomme allemaal mee bezig?' vroeg Josh.

Ze haalde haar schouders op. 'Bikers – wie weet waar ze mee bezig zijn?' reageerde ze. 'De meesten van hen zijn een stuk minder vreemd dan ze eruitzien. Veel van die lui hebben een baan en een gezin en een huis en zo. Ze komen hier maar voor een paar dagen naartoe, raggen dan een beetje rond op hun Honda en Yamaha, steken een joint op en ruilen wat gestolen spullen.'

'Dit is anders een waanzinnige plek om dat soort dingen te doen.'

'Kijk eens wat meer naar links.'

Josh wierp een blik op de linkerflank van het kampement. Hij zag in eerste instantie alleen maar lange rijen cactussen, waarvan de groene, compacte en zich vlak boven de grond bevindende delen gesierd werden door slierten lichtpaarse bloemen. Er groeiden heel wat verschillende cactussen in deze woestenij, maar deze zagen er op de een of andere manier frisser uit. En ze stonden in keurige rechte lijnen. Iemand was die dingen aan het kweken.

'Peyote,' vervolgde Kate. 'Die groeien hier in deze vallei in het wild. Het is een van de oudste en effectiefste psychedelische drugs die bekend zijn. De in het zuidwesten levende woestijnstammen gebruikten ze al. En dat geldt ook voor de Azteken. En nu de bikers ook al. In Californië wordt voor dit spul stevig betaald.'

Josh keek Kate eens aan. 'Weet jij of hier in de buurt een beetje fatsoenlijke elektronicazaak te vinden is?'

Nu hij had gezien dat ze zo'n beetje allemaal een mobieltje bij zich hadden, wist hij precies wat hij nodig had: een interceptor, een apparaatje waarmee hij hun gesprekken zou kunnen afluisteren.

'In Scottsdale is een vrij groot winkelcentrum,' antwoordde ze. 'Misschien is er daar wel een te vinden.'

'De gesprekken van Flatner. Die wil ik wel eens horen,' zei Josh. 'Ik wil weten wie hij is en wat hij doet.'

De reis was lang en zwaar. Vanaf Kates en Josh' basis in de bergen was het een vijf kilometer lange wandeling terug naar de auto. In elk geval was de Mustang niet gestolen, bedacht Josh toen hij het sleuteltje in het contact stak. Vervolgens was het een dertig kilometer lange rit naar The Village, een winkelcentrum even buiten Scottsdale. Josh was op de weg erg voorzichtig geweest en had voortdurend naar eventuele politiepatrouilles uitgekeken, en nu hield hij, terwijl hij naar binnen stapte, het beveiligingspersoneel in de gaten. Zodra ze bij het winkelcentrum waren gearriveerd, was hij eerst een drogisterij binnengestapt, waar hij zich een goedkoop brilletje met vensterglas had aangeschaft: dat moest ervoor zorgen dat de vorm van zijn gezicht veranderde, zodat hij minder gemakkelijk te herkennen zou zijn. Daarna vond hij een openbaar toilet, waar hij zijn gezicht afspoelde. Direct daarna ging hij naar een kapper, waar hij zijn baard van drie dagen liet afscheren en zijn haar liet knippen, waarbij hij de kapster opdracht gaf links een scheiding aan te brengen – zodat hij steeds minder ging lijken op de eventuele foto's die van hem in omloop zouden kunnen zijn. Een man die naar de woestijn stinkt en eruitziet alsof hij zich een week lang niet heeft gewassen, valt onmiddellijk op, wist hij. Wat dat betreft zou alleen de stank al voldoende zijn.

'Ik weet niet precies hoe de reinheid van het lichaam zich verhoudt tot de reinheid van de ziel, maar ik weet wel dat reinheid kan helpen je een beetje in de schaduw te houden,' zei hij tegen Kate terwijl hij naar een dameskapper wees. 'Misschien is het verstandig om daar je haar even te laten wassen en föhnen.'

De elektronicazaak was een grote ruimte vol contactdozen, stopcontacten, haspels met snoer en stekkers. Toen Josh uitlegde dat hij op zoek was naar een LAN-ontvanger, verscheen er een onzekere blik op het gezicht van de man achter de informatiebalie. 'Kijk eens op je voorraadlijst,' zei Josh met een scherpe ondertoon in zijn stem. En inderdaad, er moest nog een Yellowjacket in het magazijn liggen. Die kostte achthonderd dollar, zei de winkelbediende. Josh floot zachtjes en telde vervolgens het geld op de balie uit. De drieduizend dollar in contanten die hij bij zich had gehad toen hij werd neergeschoten, was gereduceerd tot nog maar net duizend dollar.

Ik kan maar beter proberen zo snel mogelijk achter mijn identiteit te komen, schoot het door hem heen. *En dan maar hopen dat er nog wat geld op mijn rekening staat.*

'Hoe werkt dat ding?' vroeg Kate. Ze waren weer terug in de bergen.

De vijf kilometer lange tocht vanaf de plek waar ze de Mustang zo verdekt mogelijk hadden achtergelaten had ervoor gezorgd dat haar pasgewassen haar weer onder het stof en het zand zat, maar ze zag er nog steeds grandioos uit, vond Josh. Haar ogen brandden van nieuwsgierigheid en het vuur van het avontuur verwarmde haar bloed, waardoor haar wangen waren gaan gloeien.

Josh hield de Yellowjacket Wireless Receiver in zijn hand. Het apparaat was ongeveer achttien centimeter lang en tien centimeter breed, en woog nog geen vijfhonderd gram. Het bestond uit een kastje van zwart plastic en had een LCD-schermpje waarop je, al scrollend, de gebruikte radiofrequenties te zien kreeg.

Ik weet hoe ik dit ding moet gebruiken, bedacht Josh, kijkend naar de ontvanger. Ik weet niet waar of wanneer, maar iemand heeft me ooit geleerd hoe ik mensen moet bespioneren. 'Een mobiele telefoon stuurt zijn signalen via een lokaal netwerk naar het dichtstbijzijnde basisstation,' legde hij uit. 'De meeste telefoons en netwerken zijn vandaag de dag digitaal, zodat ze erg moeilijk af te luisteren zijn, tenzij je toegang hebt tot de vercijfersoftware die door de telefoonmaatschappij wordt gebruikt. Voor de gemiddelde gebruiker is die beveiliging voldoende, hoewel je, als je een nóg betere beveiliging wenst, je je eigen gesprekken natuurlijk nog kunt vervormen. Maar deze jongens doen dat niet.'

'En wat doet dít ding dan?'

'Dit apparaatje is een krachtige radio-ontvanger,' zei Josh, 'met een ingebouwde digitale decoder. De vercijfering wordt pas ingeschakeld als het telefoontje het basisstation bereikt en wordt verwerkt door de computers van de telefoonmaatschappij. Maar als je het gesprek al kunt onderscheppen tússen het mobieltje en het basisstation, kan je erop afstemmen, zoals je ook op het plaatselijke radiostation kunt afstemmen. Het enige wat we moeten doen is rustig achteroverleunen en luisteren.'

Josh hurkte achter een rotsblok neer. De Yellowjacket lag in het zand naast hem, samen met een fles water. Het was nu drie uur in de middag en de zon stond nog steeds hoog aan de hemel. Zelfs op deze hoogte was de hitte slopend. De zweetdruppels liepen over zijn rug en doorweekten zijn shirt, en de lucht was zo droog en oververhit dat zijn keel erdoor verzengd leek te worden. Een slang kronkelde tussen de rotsen door: een onaangenaam uitziend geel-zwart gestreept reptiel. Josh zag hoe het dier tussen de rotsblokken glibberend zijn weg zocht. Hij had een scherp stuk steen in zijn hand, klaar om het dier dood te slaan zodra het ook maar íéts te dichtbij zou komen.

Een mens kan hier levend gebraden worden. Als hij tenminste niet eerst door een giftige slang wordt gebeten.

Met behulp van zijn duim liep Josh op de Yellowjacket de frequenties door. De meeste mobiele systemen zonden uit op frequenties die tussen de 2300 en 2600 megahertz lagen, een vrij geconcentreerde bundel radiobanden. Wélke frequentie door een specifieke telefoon werd gebruikt, hing af van de netwerkbeheerder en de hoeveelheid telefoonverkeer die er verwerkt moest worden.

De ontvanger kreeg een signaal te pakken. Josh stopte het oortelefoontje in zijn oorschelp en begon te luisteren.

'Ik heb een FA135 nodig,' zei een stem.

'Die hebben we niet op voorraad.'

'Waar kan ik er dan een vinden?'

'Geen idee, man. Probeer de Honda-dealer in Phoenix eens.'

Remblokjes, besefte Josh. Een van de bikers in het kampement was op zoek naar nieuwe remblokjes voor zijn Honda. Hij draaide aan de afstemknop, sloot dit telefoontje buiten en ging op zoek naar een ander.

'Ik kan je de spullen dinsdag leveren, man. Is dat oké?'

Josh luisterde gespannen. Wát voor spullen?

'Ik kan er drie hebben. Denk je dat je dat aantal kunt leveren?'

'Zeker weten van niet, man. Drie Mercedessen deze week? Onmogelijk. Zoveel Mercedessen zijn er in heel Arizona niet te vinden. Ik kan voor een paar Fords zorgen, misschien ook nog wel voor een BMW of een Chevrolet. Een mooie pick-up, een Ranger, wat je maar wilt.'

'Vergeet het maar. Ik neem een Mercedes en een BMW van je af, als je daar tenminste de hand op kunt leggen, maar geen Fords. Die verkopen

171

we níéuw niet eens, dus dan kun je de gestolen exemplaren wel helemaal vergeten.'

Josh leunde achterover tegen het rotsblok. Hij pakte de fles met water, zette die tegen zijn lippen en liet de vloeistof door zijn keel stromen, zodat zijn lichaamstemperatuur weer met een paar graden daalde. Hij moest voorzichtig zijn met het water, hield hij zich voor. De bikers hier in de heuvels dreven blijkbaar grootschalig handel. En ze voerden een hoop telefoongesprekken. *Dit zou wel eens een tijdje kunnen duren.*

Josh stak het oortelefoontje in zijn oorschelp en drukte het kleine dopje van zwart plastic nog wat steviger aan, zodat hij geen woord zou missen. De avondschemering was over het dal neergedaald en in het midden van het kampement brandde opnieuw een vuur. Zelfs hoog in de heuvels kon Josh de geur van het verschroeide vlees van een of ander dier dat aan het spit werd geroosterd goed ruiken: het aroma van de sappen van het gekookte vlees maakte hem hongerig, ondanks het feit dat hij het tweede pak biscuits van die dag al bijna had leeggegeten.

Toen kwam hij met een ruk overeind. De rest van de bikers, vermoedde hij, waren junkies en kleine criminelen. Als er beneden ook maar íéts belangrijks werd bekokstoofd, zou dat ongetwijfeld via Flatner lopen. Hij was hun leider.

En plotseling was er een nieuwe stem in zijn oor te horen. 'Ik wil dat hij uit de weg wordt geruimd, Flatner,' zei de stem. 'Begrijp je me? Dood, en wel meteen. En dat geldt ook voor die knaap, die Luke.

Hoor je me?' zei de stem, waarvan de toon steeds schriller klonk en uitmondde in een nasaal, intimiderend gebulder. 'Dood!'

Wíé moet er van hem uit de weg worden geruimd? vroeg Josh zich af. Ik?

Josh draaide wat aan de scanner van de Yellowjacket om ervoor te zorgen dat die op dit gesprek bleef afgestemd.

'Momenteel wordt het gebied door een stuk of wat mannen uitgekamd,' antwoordde Flatner. 'Op een gegeven moment krijgen we hem te pakken.'

'En de jongen?' zei de man.

'We zijn nog steeds op jacht.'

'Gooi er dan nog maar een schepje bovenop,' zei de stem. 'Het geeft niet wat het kost. Huur iedereen in die je nodig denkt te hebben. Geld speelt geen rol.' Hij zweeg even. Josh keek op het dal neer en zag Flatner even buiten het kamp staan, zijn brede schouders iets opgetrokken en met diepe rimpels in zijn voorhoofd. 'Ik wil dat ze alletwee te grazen worden genomen.'

'Begrepen, meneer,' zei Flatner. 'We zijn al druk bezig de maat van hun doodskisten te nemen,' zei hij grinnikend, en klapte het volgende moment zijn mobieltje dicht.

Het gebeurt niet vaak dat iemand bij het afluisteren met zijn eigen doodvonnis wordt geconfronteerd, bedacht Josh terwijl hij het oortelefoontje uit zijn oor haalde.

Hij keek naar de Yellowjacket en drukte op wat knoppen van het apparaatje. Hij werkte puur vanuit zijn instinct – hij kon zich absoluut niet herinneren wanneer of waar hem geleerd was met dit instrument om te gaan – maar hij wist dat het mogelijk was om het telefoonnummer van degene die had gebeld boven water te krijgen. Die nummers waren weliswaar digitaal vercijferd, maar dit apparaatje kon de code – zij het vrij langzaam – breken, waarna het betreffende nummer duidelijk zichtbaar in groene cijfers op het LCD-scherm van de Yellowjacket verscheen.

Josh keek naar de elf cijfers die vlak voor hem oplichtten. 08732 611544.

Dat is het telefoonnummer van de man die mij dood wil hebben. Het enige wat ik nu nog wil weten is de naam van die man.

Hij keek naar Kate. Ze lag languit op het kleed, en leek weggedoezeld te zijn. Hij zat hier nu al uren te wachten op het telefoontje dat hem de doorbraak zou bezorgen die hij nodig had.

In Kates rugzakje ging een mobieltje over.

Josh sprong op, bang dat het geluid hun positie zou verraden, ondanks het feit dat het om een vrij rustige ring-tone ging.

'Ja?' zei hij.

'Ben jij dat, Josh?'

Josh herkende de stem: dezelfde norse, stuurse stem waar hij gisteren naar geluisterd had. Kessler. 'Hebt u iets gevonden?'

Even was het stil. Zelfs over deze mobiele lijn kon Josh het gezicht van de man zien, de huid rond zijn baard iets vertrokken terwijl hij zich afvroeg hoeveel informatie hij zou prijsgeven. 'Reken maar.'

'Wat precies?' vroeg Josh. 'Wat staat er op die computer?'

Opnieuw een stilte. *Kun je niet gewoon onmiddellijk terzake komen, man?*

'Dat kunnen we niet telefonisch bespreken.'

'Ik dacht dat u zei dat dit een beveiligde lijn was.'

Kessler liet een droog lachje horen. 'Ik vertel het je niet, over wat voor soort telefoon dan ook.'

'Dan kom ik naar uw huis,' zei Josh. 'Vanavond nog.'

'Vergeet dat maar,' reageerde Kessler snel. 'Ik wil niet dat je in de buurt van mijn huis komt.'

Jezus, wat heeft hij gevonden?

'Waar dan?'

'Een kilometer of twee ten westen van Kanab. Direct nadat je via de Interstate 89 de grens tussen Utah en Arizona bent overgestoken, vind je een winkelcentrum dat The Waterfall heet. Bij dat winkelcentrum hoort ook een Taco Bell-vestiging, die vierentwintig uur per etmaal geopend is. Wanneer kun je daar zijn?'

Josh dacht een ogenblik na en deed snel wat hoofdrekenwerk. Een uurtje lopen naar de plek waar ze de auto hadden achtergelaten, daarna minstens twee, drie uur rijden. 'Over een uur of drie, misschien vier,' antwoordde hij.

'Dan zie ik je daar rond middernacht,' zei Kessler. 'Ga niet naar binnen. We zien elkaar op de parkeerplaats. Kijk uit naar een gele Volkswagen Kever.'

'Goed, we zullen er zijn.'

'En luister – ik doe dit uitsluitend omdat Marshall het me gevraagd heeft,' vervolgde Kessler. 'Ik ben bereid om een halfuur met je te praten. Daarna wil ik je nooit van mijn leven meer zien.'

13

Woensdag 10 juni. Middernacht.
Toen Josh de Mustang langs de ingang van de Taco Bell het parkeerterrein op stuurde, stonden daar maar twee andere auto's, een pick-up en een nieuwe Audi. Josh schakelde de motor van de Mustang uit en leunde achterover in zijn stoel. Geen spoor van een gele Kever te bekennen. Hij had ervoor gezorgd dat ze een paar minuten eerder waren gearriveerd, zodat hij kon controleren of het parkeerterrein wel veilig was voor ze erop reden. Hij had op Kesslers ranch twee auto's zien staan: een Ford en een Land Rover. *Geen spoor van een Kever. Misschien gebruikt hij speciaal voor deze trip een heel andere auto. Om ervoor te zorgen dat niemand hem kan volgen.*

Hij is doodsbang. *En hij ziet er niet naar uit als iemand die zich gemakkelijk bang laat maken.*

'Zie je hem?' zei Josh, terwijl hij een snelle blik richting Kate wierp.

Ze schudde haar hoofd. 'We hebben nog tien minuten de tijd,' reageerde ze. 'Hij is een computerfreak. Ik heb het gevoel dat hij uiterst punctueel is.'

'Wil je soms iets eten?'

'Ach ja, waarom ook niet? Als je driehonderd kilometer naar een Taco Bell rijdt, dan mag je jezelf ook best eens trakteren. Doe maar een halfponder Burrito Combo, plus een portie Cheesy Fiesta Potato's.'

Ze kon best wat eten gebruiken, vond Josh terwijl hij naar de balie van het restaurant liep. *Maar van de meeste klanten van Taco Bell kon dat bepaald niet gezegd worden.*

Het was nu tien voor twaalf, zag hij op de wandklok. Ze waren in hoog tempo door het heuvelachtige terrein getrokken, terug naar de

175

bocht in de weg waar ze de Mustang achter een groepje rotsblokken hadden geparkeerd. De rit zelf was vrij snel gegaan, want er was maar weinig verkeer op de weg geweest. En Josh' adrenaline pompte als een gek door zijn lichaam, dreef hem steeds sneller voort. *Als we erachter kunnen komen wat er op die computer heeft gestaan, kom ik misschien te weten waarnaar ik hier op zoek was.*

Toen hij bij de auto terugkwam, gaf hij Kate de door haar bestelde burrito en nam zelf een hap van zijn Double Decker Taco. De combinatie van rundvlees, bloem, kaas en sla smaakte goed. Als je op de vlucht bent is fastfood het allerbeste, bedacht hij. *Een constante toevoer van zoet, overmatig gekruid voedsel is uitstekend geschikt om je energieniveau op peil te houden.*

Op dat moment reed de Kever het parkeerterrein op. Josh en Kate stapten de Mustang uit.

Kessler kwam zijn auto uit en stak de tien, twaalf meter asfalt over naar de plaats waar Josh en Kate stonden te wachten. Zijn ogen namen de omgeving aandachtig op en schoten van links naar rechts, op zoek naar tekenen die erop konden wijzen dat hij geschaduwd werd. Er zat maar één man in het restaurant, die bezig was een Tostada te verorberen en ondertussen naar muziek uit zijn iPod luisterde. Verder lag de eetzaak er verlaten bij. Nadat Kessler zich ervan had overtuigd dat niemand hem kon zien, gedroeg hij zich geleidelijk aan wat minder opgefokt.

'Zin in een Cheesy Potato?' vroeg Josh terwijl hij Kessler een groot formaat friet aanbood.

'Ik heb geen trek,' reageerde Kessler kortaf.

'Gouden aardappelstaafjes overgoten met warme nacho-kaassaus,' vervolgde Josh, de tekst citerend die op de zijkant van het kartonnen bakje stond. 'Ze zijn heerlijk.'

'Laten we dit snel afhandelen,' zei Kessler.

'Prima,' antwoordde Josh, en legde het voedsel op de auto neer. 'Wat hebt u gevonden?'

Kessler zette een zwartleren computerkoffertje op de motorkap, ritste dat open en haal de Dell Inspiron tevoorschijn. Het apparaat lag er stilletjes bij, een onschuldig stuk plastic, bedrading en siliconen. 'Neem maar mee,' zei Kessler, wiens stem bijna schor klonk. 'Ik wil dat ding nooit meer zien.'

Josh legde zijn hand op de laptop. 'Ik zal hem meenemen,' zei hij zacht. 'Maar ik wil eerst weten wat erop staat.'

Kessler veegde zijn voorhoofd af. Hoewel er een koele bries stond, hadden er zich wat zweetdruppeltjes gevormd. 'De harde schijf is helemaal gewist,'zei hij. 'En dat is ook nog eens vrij grondig gebeurd. Degene van wie deze laptop is geweest, weet behoorlijk wat van computers af. Het is hem gelukt tot in het hoofdbesturingssysteem door te dringen en alle sporen van programma's die ooit zijn gebruikt te wissen, én van de websites die ooit zijn bezocht.'

'Maar de harde schijf is niet helemáál gewist?' vroeg Josh.

'Nagenoeg helemaal. Maar Windows is een verdomd ingewikkeld programma. Het zit vol met codes, laag na laag, met verschillende extra dingen eraan toegevoegd, die ook nog eens elk jaar worden aangepast. Ik ga ervan uit dat zelfs Bill Gates niet precies meer weet hoe het werkt.' Kessler zweeg even om om zijn eigen grapje te glimlachen. 'Uiteindelijk heb ik wat sporen gevonden. Ik heb er de hele dag voor nodig gehad, maar er waren stukjes codering die in andere stukjes code waren verpakt. Nadat het me was gelukt die uit te pakken, beschikte ik over enkele sleutels. En wat ik daarin aantrof bevalt me absoluut niet.'

Josh stak zijn hand uit naar de taco. 'Wat dan?' vroeg hij snel.

'Ooit gehoord van een bedrijf dat Porter-Bell heet?' zei Kessler, terwijl zijn blik nerveus omhoogschoot.

'Vaag,' onderbrak Kate hen. 'Software, hè? Met aan het hoofd een miljardair die Edward Porter heet.'

Kessler knikte. 'Een gevaarlijke onderneming,' zei hij. 'Bij hackers en de rest van de alternatieve softwaregemeenschap staat dat bedrijf bekend als Hanging-Bell. Want als je ook maar éven aan hun patenten zit, of op een stukje commercieel territorium verzeild raakt waarover zij de controle uitoefenen, dalen ze op je neer als een legereenheid die te veel amfetaminen heeft geslikt. Bij hen vergeleken zijn de mensen van Microsoft maar een stelletje padvinders. Niemand heeft het lef het tegen hen op te nemen. Als je ook maar enigszins goed bij je hoofd bent, blijf je bij hen uit de buurt.'

'Wat maken ze?' wilde Josh weten.

'Industriële software,' zei Kessler. 'De echt zware programma's die worden gebruikt om complexe stedelijke systemen aan te sturen. De kans is groot dat als je voor een rood verkeerslicht stopt, of van de ondergrondse gebruikmaakt om naar je werk te gaan, je je lot in handen legt van Porter-Bell-software. Ze zijn actief over de gehele wereld, en binnen dat gebied zijn ze de besten die er zijn.'

Terwijl hij naar deze uitleg luisterde, merkte Josh dat hij zich onwillekeurig steeds minder op zijn gemak ging voelen. 'Ik begin het te begrijpen,' zei hij. 'Luke was bezig zich een weg in hun systeem te hacken.'

'Nogal grootschalig,' zei Kessler, die zijn blik opnieuw over het parkeerterrein liet glijden. 'Wat ik op zijn computer aantrof was een schaduw. Dat zijn sporen van een ander hoofdbesturingssysteem dat voor Windows gebruikmaakt van een andere basisprogrammeertaal. Het is een particulier systeem, een systeem dat eigendom is van één enkel bedrijf. Ik heb het nagekeken. Het werd ontwikkeld door Porter-Bell. Die knaap moet behoorlijk goed zijn geweest, want dat bedrijf hanteert meer veiligheidsmaatregelen dan het Pentagon. Maar ik ga ervan uit dat er maar één verklaring is voor datgene wat ik op de Dell heb aangetroffen. Het is hem gelukt in hun systemen door te dringen en hij heeft enkele van hun codes gestolen.'

Josh liet een zacht gefluit horen. Hij had al een voorgevoel van wat hij te horen zou krijgen, maar stelde de vraag toch maar. 'Wat voor soort codes?'

'Veiligheidscodes natuurlijk,' antwoordde Kessler. 'En dan met name de codes voor systemen die elektriciteitsnetten aansturen. Weet je daar iets van?'

Josh schudde zijn hoofd. *Misschien wíl ik het wel niet weten.*

'Porter-Bell installeert en stuurt software aan die specifiek voor elektriciteitsnetten ontwikkeld is, software die ervoor zorgt dat de elektriciteit van de centrale naar de warmwaterketel in jouw keuken wordt getransporteerd,' zei Kessler. 'Voor hackers is dat zo'n beetje de heilige graal. Als je je toegang tot díé software hebt verschaft, ben je in staat om de energietoevoer aan en af te sluiten wanneer jíj dat wil. Geleidelijk aan heeft Porter-Bell in de hele wereld nieuwe software geïnstalleerd, met verbeterde systemen die tot doel hebben te voorkomen dat iemand van buiten tot deze software zou weten door te dringen.'

'Waar waren die verbeterde systemen te vinden?' vroeg Kate. 'Waar zijn ze begonnen?'

'In drie verschillende steden,' zei Kessler. 'In Londen, Parijs en New York.'

'Jezus, zei Josh. 'Denkt u dat Luke verantwoordelijk was voor de Driestedenaanslag eerder dit jaar?'

Kessler knikte. 'En daarom wil ik er verder ook niets meer mee te maken hebben.' Uiteindelijk pakte hij toch nog een Cheesy Potato. 'Ik praat nu met jullie, maar hierna hoop ik jullie nooit meer te zien.' Er verscheen een flauwe glimlach rond zijn lippen. 'Verdorie, misschien wil níémand jullie hierna ooit nog zien.'

Kessler duwde met zijn rechterhand de op de motorkap liggende laptop nog wat verder van zich af: hij raakte het apparaat slechts met zijn vingertoppen aan, alsof het ding wel eens besmet zou kunnen zijn. 'Ik denk dat het volgende gebeurd is,' vervolgde hij. 'Ik denk dat het die knaap gelukt is tot die codes door te dringen, om vervolgens in die drie steden de elektriciteitstoevoer af te sluiten om te kijken of het programma dat hij had geschreven wérkte. Misschien is het een grandioze hacker, hoewel het natuurlijk ook een of andere waardeloze gozer kan zijn die alleen maar geluk had. Dat gebeurt af en toe – er bestaan intelligente jongetjes die mazzel hebben en tot de computers van het Pentagon door weten te dringen. Maar hoe het hem ook gelukt is, die knaap van jullie wist absoluut niet in wat voor een wespennest hij verzeild is geraakt.'

'Hoe bedoelt u?' vroeg Kate.

'Ik bedoel te zeggen dat als je die code kraakt, Porter-Bell vanaf dat moment alleen nog maar in jouw dood geïnteresseerd zal zijn, de overheid je zo snel mogelijk zal proberen te arresteren, terwijl elke idioot, psychopaat en terrorist zal proberen je die code afhandig te maken.'

Er verscheen een boosaardige grijns op Kesslers gelaat, en Josh was ervan overtuigd dat hij een jaloerse ondertoon in zijn stem hoorde. 'Ga eens na. De mogelijkheid om op elk willekeurig moment op elke willekeurige plaats op aarde de elektriciteit te kunnen uitschakelen. Iedereen zal daarover willen beschikken, en jullie hébben het. Ga er maar van uit dat er voor jullie geen veilige plek meer bestaat, wáár dan ook op deze aarde. Jullie zullen je nergens lang schuil kunnen houden.'

Kessler draaide zich om en liep terug in de richting van de geparkeerde Kever. 'De volgende keer dat bij mij het licht uitgaat, zal ik aan jullie denken.'

Josh keek toe hoe de auto het parkeerterrein af reed en via de afrit richting grote weg verdween. Hij nam nog een laatste hap van zijn taco en gooide de rest van het voedsel in een afvalbak.

'Kom op,' zei hij tegen Kate. 'Laten we hier zo snel mogelijk verdwijnen.'

'Waarheen?' vroeg Kate. 'Waar kunnen we verdomme nog heen?'

'We moeten proberen Luke op te sporen,' reageerde Josh. 'Voor zíj het doen.'

14

Donderdag 11 juni. Zonsopgang.
Kate lag naast Josh, haar ogen nog steeds gesloten, haar rode haar over haar gezicht gedrapeerd. Josh stond op en liep behoedzaam naar de Mustang. Hij pakte een fles water, schroefde hem open en liet in één teug een kwart liter door zijn keelgat verdwijnen. Langzaam maar zeker voelde hij zichzelf wakker worden.

De grond waarop hij stond was stoffig en ruw. Josh voelde een stevige bries langs zijn gezicht waaien: schurende, plotselinge windstoten die vol fijn zand zaten dat zich in zijn gezicht leek te boren.

Toen hij om zich heen keek vroeg hij zich heel even af waar hij was. Achter hem zag hij een zacht glooiende helling waarop dennen groeiden. Beneden hem lag een smalle kronkelweg die in de verte verdween. Weer iets verder weg zag hij een rivier die in de richting van de horizon meanderde.

Geen van beiden hadden ze gisteravond over voldoende energie beschikt om nog hele stukken te rijden. Nadat Kessler was vertrokken, waren ze met de Mustang langs achterafwegen naar de staatsgrens gereden. Ze durfden het niet aan in een motel in te checken, en noch Josh noch Kate kende dit gebied goed genoeg om een behoorlijke schuilplaats te vinden waar ze de nacht zouden kunnen doorbrengen. Dus was Josh, nadat ze twintig minuten door de duisternis hadden gereden een zijweg ingeslagen en had hij een tijdje een onverharde weg gevolgd die zich tussen wat weilanden door leek te kronkelen. Hij was tot de conclusie gekomen dat ze net zo goed hier konden overnachten. Een betere plek zouden ze toch niet vinden.

Nadat ze op de grond waren gaan liggen, waarbij ze de enige deken die ze bij zich hadden over zich heen hadden getrokken, had Kate Josh plotseling beetgegrepen en had ze zijn lichaam stevig tegen zich aangedrukt: haar vingers hadden naar hem geklauwd alsof ze bang was dat hij haar wel eens zou kunnen ontsnappen.

Josh was onmiddellijk in een diepe slaap gevallen, waarbij al zijn zintuigen volkomen werden uitgeschakeld. Terwijl hij door de slaap werd overmand, zweefde er plotseling een beeld door zijn hoofd. De brunette. Het meisje dat hij een paar dagen geleden ook al had gezien. Haar lippen bewogen. Ze schreeuwde iets, maar van wat ze riep kon hij geen woord verstaan.

Nu beende Josh heen en weer in een poging het een beetje warm te krijgen. Ze waren de afgelopen vierentwintig uur zoveel aan de weet gekomen. Flatner was niet alleen op zoek naar Luke, maar ook op zoek naar hem. Hij werd daarvoor door iemand betaald. En die persoon wilde dat Josh naar de andere wereld werd geholpen. Dat hield in dat je zonder meer kon aannemen dat die persoon, wie het ook mocht zijn, ook iets te maken had met het neerschieten van hem.

En daar kwam dan nog bij dat Luke de softwaresystemen van Porter-Bell had gekraakt. Zijn moeder had hun verteld dat Luke het erover had gehad dat ze binnenkort veel geld zouden hebben. Dat kon hij zich nu wel enigszins voorstellen. Luke en Ben hadden een of andere lucratieve code gekraakt, en waren ervan uitgegaan dat ze die voor veel geld zouden kunnen verkopen.

Edward Porter, had Josh geconcludeerd terwijl hij de auto naast een weiland tot stilstand had gebracht. Dát is de schakel. *We moeten meer over die man te weten zien te komen.*

Hij liep naar Kate. 'Word eens wakker,' zei hij zacht, een fles water voor haar klaar houdend.

Haar ogen gingen open, aanvankelijk nog wat slaperig, maar het volgende moment volkomen alert. Met een ruk kwam ze overeind en ze keek om zich heen. 'Waar zitten we ergens, verdomme?' wilde ze weten, en ze keek omhoog naar Josh.

'In nergenshuizen.'

Kate pakte de fles water aan, nam een paar slokken en gebruikte de rest van de inhoud om haar gezicht en handen te wassen. Wat zand en vuil, afkomstig van het weiland, zaten aan haar shirt en spijkerbroek geplakt, terwijl er in haar haar zelfs stukjes aarde zaten.

'Wat gaan we doen?' vroeg Kate. 'Waar wil je beginnen?'

'In jullie huis,' zei Josh.

Even was het stil. 'Denk je hem dáár te vinden?'

Josh schudde zijn hoofd. 'Nee,' antwoordde hij. 'Maar Marshall beschikt over een uitgelezen verzameling vuurwapens. Ik wil eens kijken of ik er niet een paar van hem kan lenen. Ik denk dat we ons voor de volgende fase van de strijd maar beter kunnen bewapenen.' Hij bracht een schor gegrinnik voort. 'Tot de tanden toe.'

'Dat is nog driehonderd kilometer rijden,' merkte Kate op.

'Dan is het niet onverstandig als we nú vertrekken.'

Josh liep voorzichtig op het huis af. Zijn ogen zochten de linkerkant af, en vervolgens de rechter-, terwijl zijn oren gespitst waren op het minst mogelijke geluid: een fluistering van de wind, het klapwieken van een vogel, of de beweging van een slang door het zand, al die geluiden zouden hem onmiddellijk in staat van paraatheid brengen. Maar er was niets te horen. De omgeving was zo uitgestorven als een begraafplaats.

Als iemand me hier opwacht, is het met me gebeurd, besefte Josh. Het is minstens tweehonderd meter tot aan het huis. *Lang voordat ik hén kan zien zullen ze míj zien.*

Hij verhoogde het tempo enigszins. Hij beschikte over geen enkele dekking en hij kon het huis onmogelijk naderen zonder gezien te worden. Hij keek eventjes om om zich ervan te vergewissen dat Kate hem nog steeds volgde, en holde vervolgens in de richting van de voordeur.

'Dit bevalt me niets,' zei Kate plotseling. 'Er klopt iets niet.'

De scharnieren van de deur zaten los. Josh stond vlak bij de entree van het huis en hield een stuk hout omhoog dat ooit deel uit had gemaakt van de voordeur.

'Mijn god,' zei Kate. 'Wat is híér gebeurd?'

Pas toen ze de veranda hadden bereikt zagen ze de werkelijke omvang van de schade die aan het huis was aangericht. Samen stapten ze naar binnen en zagen onmiddellijk dat de televisie nog aanstond. De deur was ingeslagen. Waarschijnlijk met een bijl, vermoedde Josh, gezien de manier waarop het hout gespleten en versplinterd was. In de hal leek niets aangeraakt te zijn, maar de twee slaapkamers waren helemaal overhoopgehaald; alle laden waren opengerukt, waarna de inhoud over de vloer was gesmeten. De matrassen waren met een scherp voorwerp opengesneden, zodat de vulling er nu uitpuilde. De trieste resten lagen in een slordige hoop op de vloer.

En Josh merkte nog iets anders op. *Er was geen spoor van Marshall te bekennen.*

Josh liep in de richting van de keuken. Elk kastdeurtje was uit zijn sponningen gerukt, de etenswaren waren eruit gegooid en elke doos en pot was opengemaakt. Talloze vliegen hadden het huis weten te vinden en waren op het overal verspreid liggende voedsel neergestreken: toen Josh het vertrek binnenstapte vlogen er een paar op, maar de rest bleef zich ongestoord te goed doen aan de resten. Eén enkele blik op de vloer was voor Josh voldoende om te zien dat de indringers ook de schuilplaats onder de vloer hadden ontdekt: de vloerdelen waren losgerukt en het trapje was kapotgetrapt.

'Waar hangt mijn vader verdomme uit?' vroeg Kate zich met schorre stem af.

Josh bleef even staan om de schade in ogenschouw te nemen. Het moesten professionals geweest zijn, concludeerde hij. Ze wisten duidelijk hoe ze snel en efficiënt een gebouw moesten doorzoeken, en het donderde daarbij niet hoeveel schade ze daarbij aanrichtten. 'Ze waren naar míj op zoek,' zei Josh.

Kate schudde langzaam haar hoofd. Haar gelaatsuitdrukking was geconcentreerd, gespannen. 'Nee,' zei ze. 'Ze waren op zoek naar iets dat veel kleiner is dan een mens, iets dat wellicht hier in huis verborgen zou kunnen zijn. Ze hebben de matrassen opengesneden. Ze hebben alle voorraadpotten in de keuken opengemaakt en leeggegooid. Iemand kan zich daarin onmogelijk schuilhouden.'

'Dan moet het de computer zijn,' zei Josh. 'Lukes computer – dáár zijn ze naar op zoek.'

'Of een schijfje,' zei Kate.

'Jezus, ik hoop dat ze niet bij Lukes moeder zijn langs geweest en daar net zo hebben huisgehouden,' merkte Josh op.

Josh liep snel naar de kamer waarin hij had gelogeerd. Ook dat bed was helemaal aan stukken gesneden. Vervolgens liep hij naar de achterkant van het huis, naar het kleine vertrek waarin Marshall zijn wapens bewaarde. Niets. Het rek was er nog steeds: een dik stuk prachtig glimmend hout, met daarin een stuk of twaalf ovale uitsparingen. Maar alle wapens waren verdwenen.

'De wapens,' riep Josh naar Kate. 'Allemaal weg. En nog steeds geen spoor van Marshall.'

Josh liep naar de keuken terug. Kate stond vlak bij de gootsteen. Het glaswerk was allemaal gebroken, maar ze had een plastic beker gevonden en nam net een slokje water. Josh zag dat ze af en toe een blik op de tv wierp. Degenen die het huis op z'n kop hadden gezet hadden het apparaat aan laten staan. Waarschijnlijk om te controleren of het wel een echte televisie was, besefte Josh. Niet de een of andere lege kast waarin iets kon worden verstopt. *Zoals ik al dacht, professionals.*

De nieuwslezeres was een met coupe soleil behandelde blondine, van het type dat zo'n beetje elk televisiekanaal in de Verenigde Staten leek te domineren. 'In een angstaanjagende herhaling van de Drie-stedenaanslag van begin dit jaar, werd om precies een uur vannacht in vier verschillende steden op dramatische wijze de elektriciteit uitgeschakeld,' zei ze juist.

Josh sloeg een arm om Kates schouder en keek aandachtig naar het televisienieuws. Hij drukte haar wat steviger tegen zich aan en voelde hoe de spanning door haar lichaam zinderde.

'Om precies negen uur vanochtend werd de stroom uitgeschakeld in Orlando in de staat Florida, in Seattle in de staat Washington, in de historische en bij toeristen populaire stad Jamestown in de staat New York, en in Harrison, Tennessee. In alle gevallen veroorzaakte de stroomstoring grootschalige paniek en verwarring. Verkeerslichten functioneerden niet meer, en fabrieken, kantoren en scholen gingen dicht, terwijl ook ziekenhuizen hun deuren moesten sluiten, aangezien zelfs de noodgeneratoren de grote vraag naar elektriciteit niet meer aankonden. Hoewel de stroomtoevoer naar deze vier steden op dit ogenblik weer is hersteld, wordt wel melding gemaakt van verschillende gewonden, zowel in Seattle als in Orlando. In nagenoeg alle gevallen het gevolg van verkeersongelukken die veroorzaakt werden door het uitvallen van de verkeerslichten. Ook de verkeersleiding op de respectieve vliegvelden viel uit, zodat de vluchten van en naar deze steden moesten uitwijken. Uit Orlando worden ook nog wijdverspreide plunderingen gemeld, omdat de politie daar geen kans zag de zich op straat verspreidende paniek het hoofd te bieden.

Wat kan de oorzaak zijn van deze laatste stroomstoring? Er wordt uitgebreid gespeculeerd over een terroristische aanval, zoals ook al het geval was bij de Drie-stedenaanslag eerder dit jaar. Sommige mensen menen dat het wel eens gericht zou kunnen zijn tegen Microsoft, aangezien een van de steden waar de elektriciteitstoevoer werd afgesneden Seattle was, de stad waar het hoofdkantoor van deze softwaregigant is gevestigd. Andere mensen beweren dat het een aanval is op het Kennedy Space Center, dat zich vlak bij Orlando bevindt, hoewel er vanochtend geen lanceringen gepland waren.

Een woordvoerder van het Witte Huis heeft verklaard dat men daar een terroristische aanval momenteel uitsluit, en dat er een uitgebreid onderzoek is geopend naar de oorzaak van deze stroomstoringen, stroomstoringen in vier verschillende steden van de Verenigde Staten op precies hetzelfde tijdstip. In de loop van de dag zal het Witte Huis met een uitgebreide verklaring komen. Na de reclame schakelen we live over naar onze verslaggever in Orlando, om te zien hoe de plaatselijke bevolking met de naweeën van deze stroomstoring weet om te gaan.'

Josh keek Kate eens aan. 'Luke,' zei hij simpelweg. 'Hij is blijkbaar nog steeds actief.'

'Of zijn software,' reageerde Kate. 'Misschien heeft iemand anders die wel in handen gekregen.'

'Denk jij dat ze Marshall hebben meegenomen?'

'Zouden ze hem hebben vermoord?'

Josh schudde zijn hoofd. Heb jij sporen gezien die op een worsteling wijzen?' reageerde hij. 'Bloedvlekken op de vloer? Kogelinslagen in de muur? Nee, ik ga ervan uit dat als ze Marshall hadden willen meenemen, hij zich behoorlijk verzet zou hebben. Hij is hier vertrokken vóór ze de boel zijn komen doorzoeken.'

Ze is dapper, vond Josh. Haar vader is verdwenen, en toch wekt ze de indruk dat ze er heilig van overtuigd is dat alles goed met hem is. *Misschien heeft ze gewoon veel vertrouwen in haar ouweheer.*

'Maar ze hebben wel verband tussen ons beiden gelegd,' zei Josh. 'Ik neem aan dat ze Madge, voor ze haar vermoordden, Marshalls naam hebben ontfutseld. Daarom zijn ze hiernaartoe gekomen. Wie dit ook gedaan mag hebben, ze wisten dat jij en Marshall me hebben geholpen.' Kate liep naar het achterste gedeelte van de hal. Er stond een computer, en hoewel de kabel waarmee het scherm met het toetsenbord en de voeding werd verbonden was losgerukt, zag het apparaat er verder onbeschadigd uit. Kate had enkele seconden nodig om de computer te controleren, en zette hem vervolgens aan. 'Dat telefoonnummer dat je hebt afgeluisterd, van de man die Flater opbelde met de opdracht dat hij jou moest opsporen,' zei ze. 'Heb je dat nog?'

'We hebben geen tijd,' reageerde Josh kortaf. 'Misschien komen die lui nog terug.'

'We moeten het zéker weten,' zei Kate. 'Zolang dat niet het geval is, weten we in feite niets.'

Josh ging naast haar zitten. In het huis was het volkomen stil. Buiten brandde de zon op het landschap en een stralenbundel viel over het kapotgeslagen en verspreid in het vertrek liggende meubilair. Er stond geen zuchtje wind en de insecten die het open middenterrein bevolkten deden er het zwijgen toe. Josh sprak hardop het telefoonnummer uit dat hij in zijn hoofd had geprent. '08732 611544.'

Ik mag me dan nauwelijks nog iets herinneren, dít herinner ik me nog wel.

Josh keek toe hoe Kate de internetverbinding tot stand bracht. Vervolgens ging ze op zoek in een serie websites en verstuurde toen vanuit haar Hotmail-adres wat e-mails. Haar gelaatsuitdrukking was er een van totale concentratie: haar blik was strak op het scherm gericht en haar vingers vlogen over het toetsenbord. Met haar linkerhand speelde ze met een potlood, stak dat af en toe in haar mond, alsof het om een sigaret ging. *Ze kijkt precies zoals ze keek toen ik voor het eerst mijn ogen opende.*

Josh stond op, draaide het bureautje de rug toe en begon door het zwaar beschadigde huis te ijsberen. Soms kon het geen kwaad als je iemand even de gelegenheid gaf alleen te zijn, vond hij. Hij ging tussen de vernielde spullen op onderzoek uit om te zien of hij kon ontdekken wat voor soort wapens er waren gebruikt. Vlijmscherpe messen, zo te zien. En een bijl. Misschien ook nog wel een hamer en een breekijzer. *Het leek wel of die schoften een hele inventaris van een ijzerwinkel bij zich hadden gehad.*

De binnenplaats lag er verlaten bij. Josh stapte naar buiten en hield zijn hand beschermend boven zijn ogen, zodat hij tegen de brandende zon in kon te kijken. Hij keek uit over de zanderige vlakte, nauwkeurig de horizon afspeurend op zoek naar elke vorm van beweging. Niets. Het landschap zag er doods uit. Wie degenen die hier op bezoek waren geweest ook mochten zijn, ze hadden geen enkel spoor achtergelaten.

Ik zou het helemaal niet erg vinden dit godvergeten gebied zo snel moge-
lijk vaarwel te kunnen zeggen.

Hij nam een slokje water en probeerde de opkomende hoofdpijn die
langs de binnenkant van zijn schedel schuurde te onderdrukken. Waar
ben ik verdomme mee bezig? vroeg hij zich af. Waarom geef ik me niet
gewoon bij de politie aan?

'Ik heb het gevonden,' riep Kate van achter uit de hal.

Josh liep snel terug naar de plek waar ze zat, diep over de computer
gebogen. Hij keek naar het scherm en zag een e-mail. Het duurde even
voor hij doorhad dat het een bericht was dat vanuit een anonieme ac-
count was verzonden. De woorden stonden in een klein, vet lettertype
op het scherm. 'Het nummer 08732 611544 is toegewezen aan een par-
ticuliere mobiele telefoon die in gebruik is bij Verizon Wireless. Het ac-
count staat op naam van een zekere meneer Edward Porter.'

'Dus het ís 'm,' verzuchtte Josh. 'Dát is de hufter die Flatner op me af
heeft gestuurd om me te doden.'

Kate knikte, maar ze keek uitdrukkingsloos voor zich uit.

'Bepaalde dingen beginnen eindelijk op hun plaats te vallen,' zei Josh.
'Luke en Ben hebben zich een weg gekraakt in hun software. Dus willen
ze dat die jongens uit de weg worden geruimd. Daar kan ik me iets bij
voorstellen. Als hun software niet volkomen bestand is tegen aanvallen
van buitenaf, zal geen enkele stad – waar ook ter wereld – ook maar
overwegen hún software te installeren om hun elektriciteitsnet mee aan
te sturen. Die twee jongens zouden dat bedrijf wel eens miljarden dollars kunnen kosten.'

Josh wendde zich af en keek in de richting van de keuken. 'Maar
waarom willen ze ook míj dood hebben?' vroeg hij zich hardop af. 'Ik
snap er geen barst van. Ik snap er helemaal níéts van.'

'Misschien wíllen ze jou helemaal niet dood hebben, Josh.'

Hij keek Kate onzeker aan.

'Misschien zijn ze alleen maar naar je op zoek,' vervolgde ze.

'Waarvoor?' vroeg Josh kortaf. 'Waarom zouden ze dat doen?'

'Misschien weet je iets, Josh – snap je dat dan niet?' zei Kate.

Josh draaide zich om en keek haar aan. Haar stem had rauw en schor
geklonken. 'Maar waarom dan?' zei hij kil. 'Wát zou ik moeten weten?'

'Denk eens diep na, Josh,' zei ze, en haar stem klonk nu zacht. 'Kun je
je dan helemaal níéts meer herinneren? Helemaal niets?'

188

Josh sloeg met zijn vuist keihard op een kast. Het hout, al gebarsten en versplinterd, trilde onder de kracht van de klap. Er daalde wat stof op de vloer neer. 'Ik kan me helemaal níéts herinneren, verdomme! Dat héb ik je al gezegd,' schreeuwde hij. 'Dit heeft geen zin. Ik moet naar een ziekenhuis, of naar de politie.'

'Nee, Josh, nee,' reageerde Kate.

Ze klonk plotseling angstig, ongelooflijk bang. Ze kwam snel naar hem toe, sloeg haar armen om zijn lichaam en drukte hem tegen zich aan. 'Alles komt in orde, jongen. Alles komt weer in orde.'

Josh schudde zijn hoofd. 'Ik heb hulp nodig.'

'Ik ben er toch om je te helpen?' reageerde ze. 'Als je naar de politie gaat, of naar een ziekenhuis, zal Porter dat binnen de kortste keren te weten komen, en je alsnog laten ombrengen,' vervolgde Kate. 'Verdorie, als ze denken dat jij iets te maken hebt met het afsluiten van de stroomtoevoer, nemen ze waarschijnlijk niet eens de moeite je eerst wat vragen te stellen. We moeten dit samen oplossen. En om te beginnen moeten we Luke proberen op te sporen.'

Josh nam opnieuw een slok water. Er hamerde maar één gedachte door zijn hoofd: Ze heeft gelijk. *Ze heeft gelijk.*

'Ik wil meer over die Porter aan de weet komen,' zei Josh. 'Je móét weten hoe je vijand in elkaar steekt.'

Josh ging achter de computer zitten. In de twintig minuten die volgden slaagde hij erin een korte biografie van Edward Porter samen te stellen, waarbij hij voor zijn informatie putte uit de archieven van wel tien verschillende zakelijke tijdschriften. Porter was in 1950 in Californië geboren en had in Berkeley fysica en computerkunde gestudeerd. Hij had twee jaar bij het Vijfde Regiment Mariniers gezeten en had ook in Vietnam gevochten, maar had de strijdkrachten verlaten nadat hij aan zijn been gewond was geraakt. Vervolgens had hij vijf jaar bij IBM gewerkt, om daarna in dienst te treden bij Cray Supercomputers. In 1977 had hij Porter-Bell opgericht, samen met een vennoot, Sam Bell, maar Bell was al in 1980 bij het bedrijf vertrokken. In de jaren tachtig maakte de onderneming een enorme groei door, in eerste instantie dankzij een serie opdrachten van het ministerie van Defensie, maar het bedrijf brak vervolgens ook door op het gebied van bouwkundige en industriële systemen. Terwijl fabrieken en elektriciteitsbedrijven tijdens dat decennium steeds verder geautomatiseerd werden, ontwikkelde en bouwde Porter-

Bell de software om de betreffende productieprocessen aan te sturen. Het bedrijf verdiende er een fortuin mee.

In 1992 kreeg Porter-Bell een plaatsje op de NASDAQ-technologiebeurs, waardoor Porter van het ene op het andere moment miljardair werd. De man zou nu minimaal tien miljard dollar waard zijn, terwijl Porter-Bell binnen deze sector de onbetwiste marktleider was. Porter, die twee keer gescheiden was en er een hele reeks van maîtresses op na hield, had de reputatie van een ongemanierde, strijdlustige ondernemer die in zijn bedrijf een meedogenloze discipline hanteerde en de concurrentie op niet-aflatende, gewelddadige wijze probeerde te vernietigen. Josh zocht internet nog wat verder af en vond talloze artikelen waarin te lezen viel over de weinig zachtzinnige wijze waarop Porter-Bell concurrenten die probeerden zijn bedrijf marktaandeel af te snoepen, te verpletteren. De afgelopen twee jaar had het Amerikaanse ministerie van Justitie geprobeerd het bedrijf te vervolgen vanwege een serie overtredingen van de antitrustwetgeving, maar de advocaten van het bedrijf hadden zich tot nu toe met succes tegen een veroordeling weten te verzetten.

'We moeten Morant en O'Brien zien te vinden,' zei Josh. 'Misschien weten zij waar Marshall ergens zit. En als ze het niet weten, kunnen ze ons misschien aan wapens en munitie helpen, misschien zelfs wel aan versterkingen.'

'We hebben geen wapens nodig, Josh.'

'Wat hebben we verdomme dan wél nodig?'

'Wat we nodig hebben is dat geheugen van jou. Dat is onze enige kans om Luke te vinden vóór Porter en Flatner dat doen. Daar gaat het nu om. We moeten Luke zien te vinden voor die jongen door hén wordt opgespoord.'

'Maar waar hangt hij dan ergens uit?'

Kate kwam nog wat dichter bij hem staan. 'Jij weet waar hij is, Josh,' zei ze zacht. 'Je moet alleen proberen het je te herinneren, meer niet.'

De weg kronkelde zich voor hen uit. Kate reed en stuurde de Mustang over de weg die van het huis naar de bergen liep. Ze passeerden eerst een vrachtwagen, en daarna een personenauto, maar er was nergens een patrouillewagen te bekennen, terwijl ook Flatners bikers nergens te zien waren.

De weg is veilig, bedacht Josh. *Voorlopig althans.*

'Hoe ver is het?' vroeg hij.

'Een kilometer of wat,' zei Kate.

Ze reed hen naar een van hun schuilplaatsen in de bergen. Die bevond zich een kilometer of vijftig ten oosten van Boisdale, in een onherbergzame bergketen waar vroeger een paar tinmijnen in gebruik waren geweest, maar die nu door alles en iedereen verlaten waren, op een paar slangen na en af en toe een vlucht wilde kraanvogels. Kate wist dat Morant en O'Brien van kamp naar kamp trokken, en ze had het gevoel dat ze het tweetal hier wel eens aan zou kunnen treffen. Voor vijfhonderd dollar zouden ze Kate en Josh van een tweetal muilezels en voor een maand voedsel kunnen voorzien: water konden ze halen uit de beekjes en bronnen die hier en daar in het met struikgewas begroeide landschap te vinden waren. Morant zou hun waarschijnlijk wel een kaart geven waarop de survivalists de watervindplaatsen hadden aangegeven, en uiteraard de grotten waarin ze de nacht doorbrachten. Ze kenden dit gebied beter dan wie ook. *Het is niet bepaald comfortabel,* besefte Josh toen Kate het hem uitlegde, *maar we blijven in elk geval in leven.*

Het plan, dacht Josh, die het nog eens voor zichzelf op een rijtje zette, was om het open terrein binnen te trekken. Hij had het gevoel dat áls Luke zich ergens schuilhield, het in dat gebied moest zijn. De jongen beschikte niet over de middelen of de kennis om grote afstanden af te leggen, althans, niet zonder onmiddellijk opgemerkt te worden. Als íémand hem moet kunnen vinden, dan zijn wij dat. *En misschien dat hij me dan kan vertellen wat er gebeurd is.*

De avondschemering begon te vallen. De zon zakte in de richting van de horizon en het licht nam al merkbaar af. De bergen in het oosten wierpen lange schaduwen over de weg, puntig en dreigend, als slangen die op de loer lagen, wachtend op hun slachtoffers. Josh hield zijn blik op de weg gericht, zich bewust van het feit dat als hun vijanden zouden weten dat hij door Kate werd geholpen, zij beiden vrij gemakkelijk door die lui zouden kunnen worden opgespoord.

De volgende paar kilometer zijn het gevaarlijkst. Tot het ons gelukt is dieper in dat onherbergzame gebied door te dringen.

Een lifter stond met zijn duim omhoog in de wegberm: een jongen van een jaar of achttien, negentien, zag Josh, met een rugzak naast zich op de grond. Een ogenblik lang vroeg Josh zich af of het misschien Luke kon zijn. 'Doorrijden,' zei hij tegen Kate.

Josh keek in het achteruitkijkspiegeltje in de verwachting te zien hoe de jongen met zijn vuist zou schudden, of zijn middelvinger omhoog zou steken: op dit stuk weg waren auto's sowieso een zeldzaam verschijnsel – een lifter had voldoende reden om kwaad te zijn op elke automobilist die niet voor hem stopte.

Maar de jongen deed helemaal niets, zag Josh. Hij tuurde aandachtig in de achteruitkijkspiegel en deed zijn uiterste best de gestalte die in de verte snel kleiner werd wat beter te bekijken. Toen draaide hij zich met een ruk om teneinde hem nóg beter te kunnen observeren. De jongen had zich ook omgedraaid en was een paar meter bij de weg vandaan gelopen. Hij had zijn schouders enigszins opgetrokken en hij hield iets in zijn hand. Jezus, besefte Josh. Een mobieltje. Hij is aan het bellen!

'Langzamer!' beet hij Kate toe.

'Wat zei je?'

'Rij eens wat langzamer,' herhaalde Josh.

Kate draaide zich half naar hem om en wierp hem een angstige blik toe.

'Het is een uitkijk – die knaap fungeert als uitkijk, verdomme!' zei Josh.

Kate drukte de koppeling in en schakelde snel achter elkaar een paar keer terug, tot ze in de tweede versnelling zaten, waarbij de auto met een nerveus makend vaartje van dertig kilometer per uur over het wegdek kroop. Achter hen bewoog de jongen zich snel door het met struikgewas begroeide terrein, de telefoon nog steeds in de hand. Hij keek niet om. Het was onduidelijk of de jongen zich bewust was van het feit dat ze achterom hadden gekeken en vaart hadden geminderd.

Josh liet zijn blik traag over het terrein glijden, van de vlakke, verlaten woestijn in het westen tot aan de bergketen die zich in het oosten verhief. Hij probeerde het motorgeronk van de auto uit zijn hoofd te bannen en deed zijn uiterste best er andere geluiden bovenuit op te vangen. Die zouden waarschijnlijk niet al te lang op zich laten wachten. De geluiden van een hinderlaag.

'Wil je achter hem aan?' vroeg Kate.

Josh schudde zijn hoofd. 'Dat is zinloos,' reageerde hij kortaf. 'Hij heeft hun al doorgegeven dat we op deze weg rijden.'

'Heeft deze weg zijwegen?'

Josh tuurde in de verte. Het asfalt leek zich in één kaarsrechte streep tot aan de horizon uit te strekken, en nergens waren zijwegen te bekennen. 'Nee,' zei hij verbitterd.

'Wil je soms verder door het terrein?'

Josh keek naar links en naar rechts. De bergen, een kleine kilometer verderop, zouden voor enige dekking kunnen zorgen. Misschien konden ze zelfs wel een plek vinden waar ze zich schuil konden houden. Maar er dwars doorheen rijden was onmogelijk. Dan zouden ze het te voet moeten proberen. Links van hen strekte het met struiken begroeide terrein zich tot in de verte uit, het nagenoeg vlakke gebied slechts onderbroken door cactussen en grillig gevormde, gevaarlijk uitziende rotsblokken. Daar konden ze zich onmogelijk schuilhouden, besefte Josh. Ze zouden binnen een paar minuten worden ontdekt.

'Nee,' zei hij kortaf. 'Te gevaarlijk.'

Hij ving nu het diepe geronk van motoren op, dat over het vlakke, met struikgewas begroeide terrein hun kant uit kwam rollen, als de allereerste waarschuwing van een ophanden zijnde storm. Het kwam van ergens rechts van hen, op een kleine twee kilometer afstand, zich een weg zoekend tussen de bergen door. Ik ken dat geluid, hield hij zichzelf voor. Het brullen van een motor die helemaal open wordt gedraaid. Een motorfiets. *Misschien wel een heel leger van die dingen.*

'Oké, dan zullen we op plan B moeten overstappen,' zei Josh.

Kate keek hem aan, en hoewel Josh zag dat de spanning haar nagenoeg geheel in zijn greep had, zag hij ook een geamuseerde twinkeling in haar ogen. 'Oké,' zei ze zacht. 'En wat behelst plan B precies?'

'Ervandoor gaan als een rat op rolschaatsen – en begin maar vast te bidden.'

Kates voet drukte het gaspedaal zo ver mogelijk in. De Mustang ronkte, de motor bracht een hoog gehuil voort en mét het aanzwellende vermogen kreeg de auto ook meer snelheid. Josh vervloekte zichzelf omdat hij op dit gedeelte van hun tocht het stuur niet van haar had overgenomen, maar daar was het nu te laat voor.

Hij keek achterom. Drie motorfietsen denderden in strakke V-formatie de berghelling af. Ze waren nog acht- of negenhonderd meter van de Mustang verwijderd, maar ze reden minstens honderddertig, -veertig kilometer per uur, zodat ze snel dichterbij kwamen. Een woest kolkende stofwolk werd opgeworpen toen de achterwielen van de drie motoren zich in de hard geworden aarde van de woestijn beten. Ze draaiden het asfalt op en zetten met een snelheid van minstens honderdzestig kilometer per uur de achtervolging op de Mustang in.

'Sneller, sneller!' snauwde Josh.

Hij zag hoe de zweetdruppeltjes over Kates gezicht liepen terwijl ze probeerde het gaspedaal nóg dieper in te drukken. De tweelitermotor van de Mustang loeide toen ze probeerde er nog meer vermogen uit te persen. Ze reden nu met een snelheid van ruim honderdzestig kilometer per uur, terwijl de wijzer van de snelheidsmeter al naar de honderdzeventig liep. De banden zongen over het warme asfalt. Veel harder kan deze wagen waarschijnlijk niet, besefte Josh. En die bikers lopen nog steeds op ons in.

Hij keek weer naar voren. Een kleine kilometer voor hen uit kwamen achter een groot rotsblok nog meer motorfietsen – een stuk of vier deze keer – tevoorschijn. De bikers gaven vol gas, terwijl twee man op kop reden en de twee anderen de flanken voor hun rekening namen. Het waren Flatners mannen, zag Josh onmiddellijk; geen twijfel mogelijk. Terwijl ze met hoge snelheid op de Mustang afdenderden, kon Josh de berijders nu wat beter zien: potige knapen, van top tot teen in het leer gestoken, hun armen rijkelijk van tatoeages voorzien en hun helmen diep over de ogen geschoven. Op de aanvoerder na: die droeg een nazihelm, waar links en rechts enorme koehoorns op waren gemonteerd. Daar had je weinig aan, als je ergens bovenop klapte. *Maar je jaagt het volk er wél behoorlijk angst mee aan.*

'Welke kant uit?' schreeuwde Kate, terwijl ze Josh wanhopig van opzij aankeek.

Vijfhonderd meter voor hen uit stormden de motorfietsen recht op hen af, terwijl de motoren áchter hen steeds meer op de Mustang inliepen. *We zitten in de val,* flitste er door zijn hoofd.

Ik ben deze klootzakken al eens te slim af geweest toen ze me onder vuur namen, bedacht hij. *Misschien lukt het me weer.*

'Blijf rechtdoor rijden,' blafte hij Kate toe. 'Rij recht op hen in, wijk dan op het laatste moment uit en probeer er langs te komen.'

Kates handen trilden op het stuurwiel. Josh keek strak naar het wegdek voor hen uit, volgde met zijn ogen de vier motorfietsen die op de weg en vlak ernaast met hoge snelheid op de Mustang af reden.

Nog vierhonderd meter, vermoedde hij. Driehonderd…

'Van richting veranderen!' schreeuwde hij.

Kate draaide als een bezetene aan het stuur. Te ver, besefte Josh direct nadat ze in actie was gekomen. De Mustang slipte, terwijl de wielen het contact met de weg verloren. De auto raakte direct nadat het momentum van de achterwielen het voertuig een zwieper hadden gegeven in een backspin, waardoor het voertuig in een fractie van een seconde negentig graden draaide.

'Hou het stuur vast, hou het stuur vast!' riep Josh.

Hij boog zich iets naar voren, greep de handrem beet en gaf er een harde ruk aan in een poging het om zijn as draaiende voertuig weer in zijn macht te krijgen. De remblokken krijsten toen ze zich om de remschijven klemden, en Josh liet de handrem snel weer los. Dat werkt niet, zei hij tegen zichzelf. *We zullen een goed heenkomen tussen het struikgewas moeten zoeken.*

Toen de Mustang de weg af schoof steeg er een dichte stofwolk op. Alles bij elkaar had hij zeven bikers geteld, die razendsnel hun kant uit waren komen rijden, hoewel hij nu alleen nog maar hoog de lucht in geslingerd zand zag dat traag om hen heen kolkte. Hij ving de doordringende geur van verbrand rubber op. 'Doorrijden!' schreeuwde hij. 'Blijf rechtdoor rijden!'

Er klonk een schot. Josh herkende het geluid onmiddellijk: de doffe plop van een patroon die door een hagelgeweer met afgezaagde loop werd afgevuurd.

De achterruit van de Mustang werd naar binnen geblazen, waarbij de glassplinters als hagel van achteren tegen hen aan sloegen. Josh voelde hoe zich twee stukjes glas in zijn huid boorden: een in zijn nek en de ander in zijn rug, en even later rolden er enkele warme druppels bloed over zijn ruggengraat.

Opnieuw een schot. Josh hoorde een scheurend geluid. Een band. De Mustang slipte opnieuw toen eerst de ene band aan flarden werd geschoten, en even later de tweede. Het vermogen van de motor begon ook al terug te lopen, want de stalen kogeltjes uit de hagelgeweren reten de carrosserie moeiteloos open, om zich het volgende moment in de vering, remmen en de motor te boren.

Josh keek op. Kate klemde zich nog uit alle macht aan het stuur vast in een poging de auto onder controle te houden. De stofwolken zorgden er nog steeds voor dat ze nauwelijks iets konden zien. Josh kon nog net enkele rotsblokken onderscheiden. Een greppel die best wel eens de droge bedding van een beekje zou kunnen zijn. En de bergen daarachter.

En vervolgens, als nachtelijke schaduwen opdoemend uit de stofwolken, de contouren van twee bikers.

De dood op wielen.

Opnieuw een schot. Deze keer sprong de motorkap open: de wind sloeg onder het stuk metaal, zodat het ding recht omhoogschoot. De motor liep vast en hield het het volgende moment voor gezien. Rechts van hem rook Josh lekkende benzine. 'Eruit! Eruit!' schreeuwde hij. 'Als we hier blijven zitten zijn we ten dode opgeschreven!'

De Mustang verloor snel vaart en had nog maar een snelheid van twintig, dertig kilometer per uur, terwijl er door de motor geen vermogen meer werd geleverd en de besturing ook niet meer functioneerde. De wagen schoof onbestuurbaar over de grond. Josh duwde het portier open. Hij zag langsflitsende struiken, terwijl de grond vol lag met grind en stenen. Gewoon meerollen, hield hij zich voor. En dan maar hopen dat je niet met je hoofd op een van die stenen terechtkomt en je schedel als een rijpe meloen uit elkaar spat.

'Springen! Gewoon de auto uit springen!' riep hij Kate toe. 'Dat is onze enige kans. Springen en er vervolgens als een gek vandoor gaan.'

'Ik blijf bij je,' schreeuwde ze terug, terwijl ze haar uiterste best moest doen om zich boven het geluid van de motoren en het geweervuur verstaanbaar te maken.

'We ontmoeten elkaar weer bij O'Brien en Morant,' riep Josh.

Hij spande zijn schouderspieren. De kunst van het op de grond terechtkomen wanneer je nog een behoorlijk voorwaartse snelheid had, was je zoveel mogelijk als een bal op te rollen, zodat je bij het neerkomen de klap met je hele lichaam opving. Met je armen beschermde je je gezicht en hoofd, aangezien je daar de zwaarste verwondingen kon oplopen. Gá, man, zei hij tegen zichzelf. *Dit is de enige kans die je krijgt om het er levend af te brengen.*

Hij zette zich met zijn benen af tegen de auto en duikelde richting grond. Naast zich zag hij hoe Kate hetzelfde deed, terwijl de Mustang door haar eigen momentum nog wat verder door het landschap ploegde, rechtstreeks afstevenend op de grillige contouren van een massieve rotsformatie.

Zijn ribbenkast kwam als eerste in aanraking met de grond. Josh voelde hoe zijn botten woest door elkaar werden gesmeten. Hopelijk had hij niets gebroken, hoewel dat door de pijn die de val veroorzaakte onmogelijk was vast te stellen. Hij rolde een meter door, twee, drie. De grond voelde ruw en puntig aan, en veroorzaakte diverse schaafwonden op zijn huid. Zijn spijkerbroek bleef ergens aan haken. Er scheurde iets en direct daarna sneed er iets in zijn huid. Hij voelde hoe zijn verwondingen weer pijnlijk klopten; zo erg was het de afgelopen tijd niet meer geweest. Hij sloeg zijn handen krachtig naar beneden, klauwde in de grond en brak een nagel toen hij zijn vingers de aarde in dreef, maar het volgende moment kwam hij tot stilstand.

Josh keek op. Kate was al overeind gekrabbeld en holde weg. Hij kon niet zien welke kant uit.

Vervolgens keek hij voor zich uit. De Mustang reed recht op de rotsblokken af. Toen het voertuig erop klapte, steeg er een afschuwelijk lawaai op: het geluid van metaal dat door steen aan flarden wordt gescheurd. De auto leek even te huiveren en het volgende moment ontstond er een vonkenregen toen het metaal langs de rotsen schraapte. Josh deed zijn ogen dicht, want hij wist precies wat er zou gebeuren. Hij hoorde hoe de zuurstof naar voren werd gezogen, en voelde het volgende moment de eerste schokgolf van de explosie langs de huid van zijn gezicht strijken. De hitte was verzengend: een golf hete lucht die met de kracht van een storm over hem heen werd gestuwd. De vuurbal schoot hoog de lucht in, terwijl onderdelen van de auto alle kanten uit werden geslingerd en een grote, olieachtige wolk zwarte rook omhoogkolkte. Enkele ogenblikken lang werd de zon buitengesloten, en de lucht rook naar benzine, geschroeid metaal en gloeiende aarde.

Langzaam ebde de kracht van de explosie weg. Terwijl de zwarte rookwolken oplosten, zag Josh hoe er twee bikers recht op hem af kwamen rijden. Beide motorrijders hadden het uiteinde van een touw vast, dat ze als een visnet over het terrein trokken. Josh kwam haastig overeind, probeerde de pijn weg te slikken en begon te hollen. Een van zijn schoenen zat los, schoot bijna van zijn voet en zorgde er voor dat hij bijna struikelde. Geen tijd om ze opnieuw vast te maken, hield hij zich voor, en dwong zichzelf door te blijven gaan. *Nog een paar seconden, en ze hebben me te pakken.*

Het volgende moment voelde Josh hoe hij door het touw vol op zijn rug werd getroffen. Het dreigde hem neer te drukken, duwde hem nagenoeg tegen de grond. Josh probeerde wanhopig overeind te blijven, maar het was al te laat. De twee motorfietsen waren met gierende banden tot stilstand gekomen en wierpen een muur van stof op, terwijl het touw hem tegen de aarde drukte en diep in het vlees van zijn armen sneed, terwijl het ook diepe striemen op zijn rug achterliet. Pijnscheuten schoten door zijn lichaam.

Het is met me gebeurd. *Aan je einde komen in een ellendige woestijn, waar alleen de wolven en de gieren zich aan mijn botten te goed zullen doen.*

De bikers kwamen van hun motor af en liepen snel naar hem toe, het uiteinde van het touw stevig vasthoudend. De leider van het stelletje boog zich over Josh heen en keek hem strak aan. De aan de nazi-helm bevestigde hoorns glommen in het zonlicht. 'Maak het jezelf maar gemakkelijk,' mompelde hij terwijl hij een mondvol onwelriekende adem in Josh' gezicht spoot. 'Probeer maar wat te slapen.'

Josh voelde hoe er met grote kracht een vuist tegen de zijkant van zijn nek neerkwam, vrijwel onmiddellijk gevolgd door een tweede. Zijn blik begon wazig te worden en er dreef een alles verblindende nevel zijn gezichtsveld binnen. Hij voelde hoe de pijn door zijn lichaam golfde. Die begon in zijn nek, plantte zich voort langs zijn ruggengraat, om uiteindelijk neer te strijken in zijn buik.

Nog een vuistslag, deze keer tegen de andere kant van zijn nek. De klap schampte af naar boven, zodat de vuist in aanraking met zijn oor kwam. Josh voelde hoe het bewustzijn uit hem wegtrok. Zijn brein hield het voor gezien. Voor zijn ogen verscheen er een beeld. De brunette, de vrouw die hij nu al twee keer had gezien. Het kleine meisje met het blonde haar, drie, misschien vier jaar oud, dat een cadeautje openmaakte, om vervolgens een barbiepop omhoog te houden. Ze zei iets. Haar lippen bewogen. *Maar wat zei ze? Als ik haar nou even duidelijk kon horen als dat ik haar kan zien.*

Josh dwong zichzelf wakker te blijven, het beeld vast te houden. Het beeld werd vager, verdween voor zijn ogen. Toen was hij, heel even maar, weer wakker. Iemand tilde hem op, waarbij een man zijn benen vastpakte en een ander zijn schouders. De bikers. Waar brengen ze me in godsnaam naartoe?

Terwijl zijn lichaam heen en weer zwiepte, begon zijn bewustzijn hem opnieuw in de steek te laten en voelde Josh hoe hij langzaam maar zeker wegzakte. Op dat moment flitste er nog een beeld door zijn hoofd. Deze keer was het Luke. Hollend. Toen draaide de jongen zich om en schreeuwde iets. Wat was het? 'Opnemen', besefte Josh. Hij schreeuwde 'Opnemen', plus nog een stuk of wat woorden die niet te verstaan waren. Opnemen, dacht Josh, en het woord kletterde door zijn hoofd. Wat bedoelt hij daarmee?

Het beeld verdween even snel als het hem voor ogen was gekomen, en plotseling zag Josh helemaal niets meer. Hij opende zijn ogen, maar het vermogen om te zien was verdwenen. Hij zag alleen maar duisternis. Zie je dít als je op het punt staat te sterven? vroeg hij zich af. Als ik gevangen ben genomen, is dat misschien wel het beste waarop ik kan hopen.

15

Donderdag 11 juni. Twaalf uur 's middags.
Waar is de pil met cyaankali? dacht Josh.
Waar is die verdomde pil met cyaankali?

Hij sloot zijn ogen en opende ze weer, terwijl hij ondanks alles hoopte dat het maar een droom was. Toen hij zijn oogleden langzaam openduwde, duurde het een paar minuten voor hij aan het duister van zijn omgeving was gewend. Hij lag op een ruwe vloer van aangestampte aarde, terwijl zijn handen stevig achter zijn rug gebonden zaten en ook zijn benen vastgebonden waren. Er was een flinke stok in de grond gedreven en de touwen waarmee zijn benen samengebonden zaten, waren daar aan vastgeknoopt, zodat hij zich onmogelijk meer dan een meter naar voren kon kronkelen. De ruimte mat drie bij drie meter en zou wel eens een gat kunnen zijn dat in opgedroogde modder was uitgegraven. Hij keek omhoog en zag dat het gat werd afgedekt door zware metalen platen. Geen straaltje licht kwam erdoorheen. Josh was in het duister nauwelijks in staat zijn eigen lichaam te onderscheiden.

Hij had geen flauw idee hoe laat het was. Hij voelde dat iemand het horloge van zijn pols had gehaald.

Het zou elke willekeurige dag van de week kunnen zijn.

Wat was er gisteren gebeurd? vroeg Josh zich af. Wat was er verdomme allemaal gebeurd?

Plotseling liep er een rilling van angst over zijn ruggengraat. *Jezus, toch niet wéér geheugenverlies.*

Maar langzaam kregen de gebeurtenissen van de afgelopen vierentwintig uur weer enige vorm. Hij was met Kate samen op pad geweest, herinnerde hij zich weer. Ze waren met de auto op weg naar O'Brien en

Morant geweest. Ze waren onderweg overvallen. De bikers waren in groten getale uit de heuvels op hen neergedaald: minstens zeven man, terwijl er misschien nog wel meer in reserve werden gehouden. Ze hadden niet kunnen vluchten, terwijl hij en Kate ook geen wapens bij zich hadden gehad waarmee ze eventueel terug hadden kunnen vechten. Het laatste wat hij zich nog kon herinneren was dat Kate voor haar leven rende op het open terrein – waar hier en daar wat struikgewas groeide – terwijl de bikers hem bewusteloos sloegen.

Ik weet niet eens of ze nog leeft. Ik weet zelfs niet eens of ik nog lang te leven heb.

Josh probeerde zijn ledematen te strekken. Neem eerst de opgelopen schade maar eens op, besloot hij. Zijn nek deed enorm pijn. Het verband was van de schotwond afgerukt en de klappen die hij tegen de zijkant van zijn hoofd had gekregen hadden ervoor gezorgd dat de huid weer open lag. Het had gebloed, besefte hij, terwijl de kans groot was dat er ook vuil in de wond was gekomen, maar tijdens zijn bewusteloosheid was het bloeden opgehouden en had zich opnieuw een korstje op de wond gevormd. De zenuwen in zijn been klopten uiterst pijnlijk, alsof er grote gaten in waren geboord. En zijn ribben deden nog pijn van de val uit de auto en het pak slaag dat de bikers hem hadden gegeven; weliswaar leek er niets gebroken, maar zodra hij spanning op zijn spieren uitoefende of iets bewoog, deed het pijn.

Tot nu toe hebben ze me nog niet écht afgerost. Ze hebben me alleen maar teruggehaald en in dit gat in de grond gegooid. Probeer je te concentreren, zei hij tegen zichzelf. Niet wanhopen. *Zolang je nog in leven bent, bestaat de kans dat je het haalt.*

Zijn blaas speelde op. Josh moest dringend een plas doen, maar gaan staan behoorde niet tot de mogelijkheden – hij kon niet eens op z'n hurken gaan zitten. 'Hé!' schreeuwde hij, naar omhoog kijkend. 'Is daar iemand?'

Zijn stem klonk schor en raspend. Als hij probeerde te spreken deed er iets pijn achter in zijn keel, maar hij wist niet precies wat daar de oorzaak van zou kunnen zijn: hij werd al met zoveel soorten pijngewaarwordingen geconfronteerd, dat hij ze nauwelijks uit elkaar kon houden.

'Is daar verdomme iemand!' riep hij opnieuw, harder deze keer.

In de ruimte boven hem was nu een smalle streep licht te zien. Josh' blik schoot omhoog om de beweging te volgen. Een smalle bundel fel zonlicht boorde zich naar binnen, en viel recht op zijn gezicht. Hij zag hoe de afdekking werd weggeschoven. Er werd een touwladder in het gat gegooid, en het volgende dat Josh zag, was een man die langs de touwladder in de uitgegraven ruimte afdaalde. Als eerste werden zijn laarzen zichtbaar, toen zijn zwarte spijkerbroek, daarna zijn leren jack, zijn zwarte baard en ten slotte zijn dikke paardenstaart. Josh herkende hem onmiddellijk. Flatner.

'Hoe gaat het met je, mooie jongen?' zei Flatner, op Josh neerkijkend.

Josh probeerde overeind te komen, maar het strakke touw maakte dat onmogelijk: het enige waartoe hij in staat was, was zijn gezicht een centimeter of tien van de grond optillen.

'Ik moet dringend piesen,' zei Josh.

'Nou, ik ook,' reageerde Fletcher.

Uiterst traag ritste Flatner zijn gulp open en haalde vervolgens zijn penis tevoorschijn. Die met twee handen vasthoudend besproeide hij Josh met zijn urine. De vloeistof voelde warm aan toen die de stof van Josh' spijkerbroek en T-shirt doordrenkte. De krachtige geur zorgde ervoor dat Josh van pure walging begon te kokhalzen. Hij had nu ook geen enkele controle meer over zijn eigen blaas: de urine liep over de zijkant van zijn been en vormde al snel een onwelriekende plas op de grond.

'Vertel eens op, man, vertel eens op,' blafte Flatner hem toe. 'Op die manier bespaar je jezelf een hoop pijn.'

'Sodemieter op,' snauwde Josh.

Hij liet zijn hoofd weer op de grond rusten. Het moest hier in dat gat al minstens dertig tot vijfendertig graden zijn, en het zonlicht dat nu recht naar beneden viel maakte het nóg warmer. Ze gaan me opnieuw in elkaar slaan, zei hij tegen zichzelf. *Ik zal moeten proberen het zo goed mogelijk te overleven.*

'Je kunt het voor je zelf gemakkelijk maken, en je kunt het voor jezelf heel erg moeilijk maken,' zei Flatner.

Josh keek op en maakte voor het eerst oogcontact met Flatner. Zijn gelaatsuitdrukking was zo hard als graniet: onbuigzaam en meedogenloos. 'Wat wil je?' vroeg hij.

'De jongen, Josh,' antwoordde Flatner. 'Ik wil weten waar hij is.'

'Welke jongen?'

Flatner ging op zijn hurken zitten, boog zich voorover naar Josh' gezicht, en kwam zo dichtbij dat die Flatners zure adem kon ruiken. 'Een goede raad, man,' zei hij. 'Probeer niet grappig te zijn en probeer vooral niet de bijdehante jongen uit te hangen. Jij weet héél goed wélke jongen ik bedoel.'

'Luke?'

Flatner knikte – één keer slechts.

'Dat weet ik niet.'

De stoot was gericht op zijn ribbenkast. Flatners vuist raakte de zijkant van Josh' borstkas en er schoot een doffe pijn door zijn lichaam. Deze klap was waarschijnlijk slechts als een vriendelijke waarschuwing bedoeld, hield Josh zichzelf voor. *Deze man kan nog veel hardere stoten uitdelen.*

'Ik vraag het je nóg een keertje,' zei Flatner. 'Waar hangt die verdomde jongen uit?'

'Dat weet ik niet,' herhaalde Josh.

Deze keer was de klap aanzienlijk harder, geplaatst op hetzelfde deel van zijn ribbenkast. Alle adem werd uit hem weggeslagen en hij merkte hoe zijn huid gevoelloos werd. 'Ik weet het niet,' bracht hij opnieuw moeizaam uit.

Hij zag hoe Flatner opnieuw uithaalde om toe te slaan. 'Nee, luister,' zei Josh, wiens stem steeds schorrer begon te klinken. 'Ik weet het écht niet.'

Flatners vuist stond op het punt opnieuw op Josh' borstkas in te beuken. 'Je wéét het niet?'

'Ik ben mijn geheugen kwijt,' zei Josh.

Flatner glimlachte en een bijzonder slecht gebit werd zichtbaar. Hij keek op Josh neer, duister en chagrijnig. 'Probeer niet de slimmerik uit te hangen, mooie jongen.'

'Het ís zo,' beet Josh hem toe. 'Ik ben in mijn nek en been geschoten. Mijn geheugen is volledig naar de knoppen. Ook al heb ik misschien ooit geweten waar Luke ergens zit, die wetenschap is volledig verdwenen.'

Flatner haalde een losse krantenpagina uit zijn kontzak. 'Herken je dit?'

Josh schudde zijn hoofd.

'Dit is *The New York Times*, man. Een respectabele krant, toch?'

Josh zweeg.

'En hierin staat een artikel over wat de "Vier-stedenaanslag" wordt genoemd. Een paar dagen geleden is in de Verenigde Staten in vier steden de stroom uitgevallen. Net als bij de Drie-stedenaanslag van een paar maanden geleden. Wil je soms dat ik jou het hele artikel voorlees?'

Flatner zweeg even om adem te halen, en wachtte niet op Josh' reactie.

'Er staat: "De timing van deze acties werd aanvankelijk gelijktijdig genoemd, maar volgens deskundigen binnen de elektriciteitsindustrie begon de stroomstoring in de verschillende steden op vier enigszins verschillende tijdstippen. In Jamestown viel de stroom uit om 9:01:00 uur; in Orlando om 9:01:15 uur; in Seattle om 9:01:30 uur en in Harrison om 9:01:45 uur. Elke stroomstoring begon precies vijftien seconden na de vorige. Maar volgens bronnen binnen de elektriciteitsgemeenschap zou dat wel eens het resultaat kunnen zijn van verschillen binnen de plaatselijke systemen, en heeft het te maken met de tijd die het systeem nodig heeft om zichzelf uit te schakelen."' Flatner legde de krantenpagina op de grond naast zich neer. 'Wat denk je dat dit allemaal te betekenen heeft?'

'Geen flauw idee,' zei Josh. 'Zoals het daar staat, verschillen binnen de plaatselijke systemen.'

'Denk je dat?' Dan ben je misschien toch zo stom als je eruitziet. Vier steden. Jamestown, Orlando, Seattle en Harrison. Betekent dat iets voor jou?'

Josh schudde zijn hoofd.

'Je bent een stomme klootzak. J-O-S-H. De beginletters samen vormen de naam Josh, verdomme. Die knaap heeft de stroom in die vier steden opzettelijk uitgeschakeld, en hij heeft telkens een korte pauze ingelast omdat hij wist dat je zó ontzettend stom was, dat je er in je eentje waarschijnlijk nooit achter zou komen. J-O-S-H. Achter elkaar maakt dat Josh.'

Flatner bracht zijn vuist omhoog alsof hij opnieuw een dreun wilde uitdelen. Instinctief dook Josh in elkaar. 'Nou, wil je nog steeds volhouden dat je niet weet waar die jongen uithangt?'

De letters tolden door Josh' hoofd. J-O-S-H, herhaalde hij in zichzelf. Luke stuurt me een boodschap, dat kan haast niet anders. *Maar wat probeert hij verdomme te zeggen?*

'Ik weet het niet,' mompelde Josh.

De stoot trof hem opnieuw vol op zijn ribbenkast, en weer schoten er pijnscheuten door zijn borst. Josh klemde zijn kaken op elkaar in een poging het niet uit te schreeuwen van de pijn. De ene kant van zijn borst was gevoelloos geworden, en hoewel hij het niet kon zien, voelde hij hoe het weefsel daar onder de kracht van de afstraffing begon op te zwellen.

'Vertel me nu eens eindelijk waar die knaap zit, verdómme!' bulderde Flatner.

'Ik weet het niet.'

'Vertel het me, klootzak.'

'Ik weet het niet.'

Flatner bracht zijn arm omhoog, klaar om opnieuw toe te slaan. 'Kom op met die informatie!'

'Ik wéét het niet, verdomme!'

'Kom op!'

'Ik weet het niet.'

Flatners vuist kwam keihard neer, en nóg een keer, en raakte Josh twee keer snel achter elkaar op hetzelfde gedeelte van zijn ribbenkast. Josh gilde het uit van de pijn. Elke nieuwe stoot kwam harder aan dan de vorige: het weefsel werd snel weker, wás al aanzienlijk gewond geraakt, en elke keer dat Flatner uithaalde leek elke zenuw van Josh in brand te staan.

'Ik weet verdorie niet eens wie ik bén,' schreeuwde Josh.

Flatner pakte Josh bij een schouder en rukte hem naar voren, zodat zijn gezicht zich ter hoogte van Flatners schoenen bevond. 'Jij heet Josh Harding,' zei hij. 'Jij bent een Britse militair, die undercover in de Verenigde Staten actief is. Jij werd hierheen gestuurd vlak nadat in Londen de stroom uitviel. Je had de opdracht erachter te komen wat er precies was gebeurd en ervoor te zorgen dat het niet opnieuw zou gebeuren.'

Flatner kwam overeind, torende nu hoog boven Josh uit, en sloeg vervolgens zijn armen over elkaar, waarbij de spieren van zijn onderarmen vervaarlijk rolden. 'Maar weet je wat, mooie jongen? Momenteel behoor je niet tot het *fucking* Britse leger. Je bent ook niet van die sloerie met wie je de laatste dagen aan het rondtoeren bent. Je behoort niet eens toe aan jezelf. En als je er niet snel achter komt hoe je die bek van jou weer aan de gang krijgt, ben je straks alleen nog maar mest voor die verdomde cactussen hier.'

Hij draaide zich om en begon langs de touwladder omhoog te klimmen, de put uit. Josh keek toe hoe hij langzaam de stalen afdekplaten op hun plaats schoof. Toen hij daar bijna mee klaar was, stak Flatner zijn hoofd nog even in de opening, waardoor al het resterende licht werd buitengesloten. 'Ik laat je hier in het stof liggen, zodat je op je gemak kunt nadenken over het afschuwelijkste dat een man kan overkomen,' snauwde hij. 'En ik kan je wél zeggen dat, als je me niet snel vertelt waar die knaap uithangt, dat met je zal gebeuren ook.'

Josh bleef bewegingloos liggen. Hij rolde zich op zijn andere zij, zodat er minder druk op zijn gekneusde ribben werd uitgeoefend. Harding, dacht hij. Flatner zei dat mijn naam Josh Harding is. Josh pijnigde zijn hersenen in een poging te zien of die achternaam ook herinneringen bij hem losmaakte.

Als ik niet snel iets verzin wat ik hem kan vertellen, krijg ik een nóg harder pak op mijn lazer.

En nu, in het duister, voelde Josh eindelijk hoe er een herinnering in hem wakker werd. Hij bevond zich in een betonnen leslokaal. Een man stond voor een groepje soldaten en sprak hen met een ernstige uitdrukking op zijn gezicht toe. Josh kon zich van de mannen die naast hem zaten geen namen herinneren, maar wel hoorde hij de woorden, even duidelijk alsof ze uit een radio kwamen die pal naast hem stond. De man voor de troep vertelde dat leden van de Special Forces er rekening mee moesten houden dat ze minstens één keer in hun loopbaan gevangengenomen zouden worden. En als je gevangen werd genomen, moest je er rekening mee houden dat je gemarteld zou worden. 'Wij voeren geen oorlogen die keurig volgens de regels van de Conventie van Genève worden uitgevochten,' zei hij. 'Wij worden naar oorden gestuurd waar we geacht worden helemaal niet te zijn, en knappen daar de moeilijke klussen op. Als we gevangen worden genomen, wéten we dat er weinig zachtzinnig met ons zal worden omgesprongen. Maar dat hoort er nu eenmaal bij. Wij willen graag klappen uitdelen, dus moeten we ook leren klappen te incasseren. En daarvoor ben ik hier. Om jullie te leren incasseren.'

De man legde vervolgens een paar simpele technieken uit waarmee je een foltering zou kunnen overleven. Josh moest zijn uiterste best doen zijn geheugen intact te houden, en probeerde zich elk woord te herinneren, letterlijk, zoals ze uitgesproken waren. *Dat zou wel eens het verschil tussen leven en dood kunnen betekenen.*

Je dient lichamelijk fit te zijn, zei de man tegen hen. Dat is iets vanzelfsprekends. Maar je dient ook mentaal geheel fit te zijn. Je moet weten hoe je op gelijke voet met je folteraar kunt blijven.

Er werden hen vijf lessen in het hoofd geprent. Je dient over een 'mentale thuisbasis' te beschikken: een mentaal onderduikadres waarin je je terug kunt trekken voor de onvermijdelijke vlagen van wanhoop en neerslachtigheid. Je hebt verder een 'focuswoord' nodig, dat kan zowel een gebed als een gedicht zijn, een tekst waaraan je je vast kunt houden, en die je kan helpen de dag door te komen. Verder dien je je te bedienen van het begrip visualisering, waarmee je de pijn kunt verdragen, waarmee je de pijn tot een voorwerp kan maken, een voetbal bijvoorbeeld, die je vervolgens weg kunt trappen. Je dient van al je verbeeldingskracht gebruik te maken, alleen zó kun je een fantasiewereld scheppen waarin je kunt ontsnappen. En je moet een 'magic box' creëren: een plaats buiten jezelf waarin je alle angsten, zorgen en pijn kunt opbergen.

En al die tijd waren ik en de andere jongens van mening dat dit alles alleen maar psychologische flauwekul was. Nu ben ik daar niet meer zo zeker van. Ik zou het nu wel eens nodig kunnen hebben.

'Jullie moeten wíllen overleven,' had de man voor de klas afgerond, en had die woorden op het schoolbord geschreven. 'Jullie moeten weten waarvoor je leeft, en waarom. Dat is de enige manier waarop je de pijn kunt verdragen.'

Josh herhaalde de woorden voor zichzelf, speelde in zijn hoofd zijn eigen bandje af.

Je moet wíllen overleven

Je moet wíllen overleven.

Maar hoe kun je nu willen overleven, hoe kun je nu weten waarvoor je leeft, als je niet eens weet wie je bent?

16

Donderdag 11 juni. 's Avonds.
De afdekplaat gleed open, waardoor er een smalle bundel maanlicht op
de bodem van de put viel. Josh ging op zijn zij liggen en negeerde de pijn
die nog steeds vanuit zijn ribbenkast omhoog priemde. Hij zag hoe de
touwladder naar beneden werd gegooid en zag vervolgens hoe een tweetal stevige leren laarzen aan hun afdaling begonnen.

'Het is nacht, Josh,' zei Flatner lachend. 'En je nachtmerrie is nog
maar net begonnen.'

Josh hield zich stil. Hij had geen duidelijk beeld waar hij was. Hij wist
dat mensen die gefolterd werden geacht werden – in elk geval te proberen – de tijd en de dag bij te houden, al was het alleen maar om niet gek
te worden, maar dat was hem niet gelukt: hier in het donker en zonder
geluiden van buitenaf, was er niets geweest waarmee hij het verloop van
de uren had kunnen afbakenen. *Het kan donderdag zijn, maar voor hetzelfde geld is het vrijdag of zaterdag.*

'Gaat het een beetje?' vroeg Flatner.

Josh keek op. Een tweede stel laarzen kwam langs de touwladder naar
beneden geklauterd. Enkele seconden later stond er een andere biker
naast Flatner. Josh keek naar het gezicht van de man, maar in het zwakke schijnsel was het onmogelijk opvallende gelaatstrekken bij hem te
onderscheiden. Zijn haar was vettig en zwart, en zijn baard was minstens dertig centimeter lang. Hij had een zonnebril op en er zat een
hoofddoek in de kleuren van de Confederatie om zijn haren gewikkeld.
Verder zag hij er net zo uit als alle andere bikers die hij door het kampement had zien lopen.

Nog zo'n monster. Waarschijnlijk kweken ze hier hun eigen species, bedacht Josh. *De* missing link *tussen de mensapen en de imbecielen.*

'Ben je niet in de stemming om te praten, mooie jongen?' zei Flatner. 'Dan zullen we de boel een beetje onder spanning moeten zetten.'

Angst was het ergste onderdeel van het hele proces, besefte Josh. De afgelopen paar uur had hij in het pikdonker liggen denken aan de verschillende vormen van foltering die op hem toegepast zouden kunnen worden. De botjes van zijn vingers zouden een voor een gebroken kunnen worden. Er konden sigaretten op zijn huid worden uitgedrukt. Er konden net zo lang ledematen bij hem worden geamputeerd tot hij bereid was te praten. Hij kon worden verkracht, terwijl er ook nog eens honderd verschillende vormen van mentale foltering bestonden: witte ruis, waterdruppels, drugs. Het was onwaarschijnlijk dat er wreedheden bestonden die deze lui als te extreem beschouwden.

Steeds weer speelde dezelfde vraag door zijn hoofd. *Hoeveel pijn kan ik verdragen voor ze van me willen aannemen dat ik écht niet weet waar Luke is?*

'Bind hem vast, Mark,' snauwde Flatner.

De tweede biker liep naar de plek waar Josh op de grond lag en knielde neer. Van dichtbij kon Josh hem nu wat beter zien. Mark was vrij slank, had de bouw van een sportman en zag er niet ouder uit dan een jaar of vijfentwintig, schatte Josh. In zijn ogen was de kille professionele gloed te zien van een man die trots was op zijn werk. Hij heeft dit eerder gedaan, vermoedde Josh. En hij geniet ervan.

Als de Waffen-SS nog nieuwe leden nodig zou hebben, zou deze knaap waarschijnlijk vooraan in de rij staan.

Mark had iets in zijn handen dat nog het meest leek op een zware leren riem. Die was een centimeter of vijfentwintig breed, en was van stevige stroken klittenband voorzien waarmee hij aan het lichaam kon worden bevestigd, terwijl er aan de achterkant een grijze batterijhouder zat. Mark opende de riem en bevestigde die rond Josh' middel, waarna hij krachtig aan de klittenband trok om het geheel in de juiste positie te krijgen.

'Zit-ie soms een beetje te strak naar je zin?' vroeg Mark, terwijl hij met een wrede grijns op Josh neerkeek, 'Nou, dat spijt me dan enorm, maar dat interesseert me geen reet. Over een paar minuten is dat iets waarover jij je het minst zorgen zult maken.'

'Wat is dit voor iets?' wilde Josh weten.

'Een zogeheten *stun-belt*,' zei Flatner. 'De politie gebruikt deze dingen bij het vervoeren van gevangenen. Je doet ze gewoon een van deze dingen om, en als ze dan ergens over menen te moeten klagen hoef je, van maximaal honderd meter afstand, alleen maar op een knopje te drukken, waarna de riem een elektrische schok afgeeft, waarbij het lichaam van alle kanten 500.000 volt krijgt toegediend. Bij onze politiejongens is dat zo'n beetje het maximum, maar volgens mij zijn dat een stelletje mietjes die op weer andere mietjes moeten passen. Dus heb ik aan dit apparaat een beetje zitten prutsen. Ik heb hem opgevoerd tot 1.000.000 volt. Dan wordt het allemaal een beetje interessanter. Op hetzelfde moment dat de schok wordt toegediend, produceert het ook het geluid van zo'n autoalarm, maar dan wat harder. Honderdtien decibel.' Flatner moest lachen. 'Je darmen vliegen ervan in de fik en het bloed loopt uit je oren.' Hij grinnikte. 'En weet je wat nog het leukst is? Je weet absoluut niet wanneer het gaat gebeuren, aangezien je niet kunt zien wanneer ik het knopje indruk. En dat verdubbelt het effect.'

De magic box, hield Josh zichzelf voor. Kruip in de magic box. *Dat is de enige manier om dit te doorstaan.*

'Pak de deken eens, Mark,' beval Flatner.

Josh keek toe hoe Mark een drijfnatte deken openvouwde.

Elektriciteit, besefte Josh. Ze gaan me elektrocuteren. En ze wikkelen me daarvoor in een natte deken, zodat de elektrische schok gelijkmatig over mijn hele lichaam wordt verspreid. Zet je schrap, man. *Dit gaat verdomde pijnlijk worden.*

'Til die verdomde kont van je eens een beetje op, man,' zei Mark. 'Ik moet die deken onder je door halen.'

'Sodemieter op,' beet Josh hem toe.

Mark schopte Josh keihard tegen zijn schouder, waarbij de lederen neus van zijn laars vol in aanraking kwam met Josh' sleutelbeen, waardoor er een messcherpe pijnscheut door zijn bovenlichaam werd gejaagd. Instinctief rolde hij bij Marks laars vandaan, en terwijl hij dat deed legde Mark snel de natte deken op de grond.

'Wat ben jíj een stommeling!' schreeuwde Flatner. 'Je kunt maar beter snel leren mee te werken.'

De deken lag nu op de grond uitgespreid, en er waren ook al twee kabels in de put neergelaten. Mark had het uiteinde van een daarvan aan de onderkant van de deken bevestigd, terwijl de andere aan de bovenkant ervan werd ingeplugd. Josh lag op de grond naast de deken, en kon onmogelijk nog verder wegrollen. 'Ga op die deken liggen,' zei Mark zacht.

Josh reageerde niet.

'Ik zei, ga op die deken liggen,' herhaalde Mark.

Josh spande zijn spieren, zette zich schrap tegen de onvermijdelijke schop. Zuig zoveel mogelijk pijn in je op, hielp hij zichzelf herinneren. Werk nooit mee, totdat je geen andere kant meer uit kunt. *Alleen totale wilskracht, totale innerlijke overtuiging en een totaal geloof in jezelf kunnen je door dit alles heen helpen.*

De laars trof hem deze keer midden op zijn rug. Zijn ruggengraat sidderde onder de kracht van de keiharde trap. En hoewel hij weerstand bood, kon hij niet voorkomen dat hij naar voren, de deken op, rolde. Onmiddellijk daarna bracht Mark een touw om hem aan, trok dat strak en zette het met een soort houten tentharing in de grond vast. Ik kan geen kant meer uit, besefte Josh. Ze kunnen nu elk moment beginnen met het toedienen van stroomstoten.

'Begin maar eens met vijf,' riep Flatner, en hij keek omhoog naar de rand van het gat.

Josh zette zich schrap. De eerste stroomstoten priemden in zijn voeten, gevolgd door een aanval op zijn schouders. Binnen enkele seconden werd zijn hele lichaam door elkaar geschud. De zintuigen langs zijn ruggengraat hadden zich voor alles afgesloten, en het waren de zenuwen die zich aan de uiteinden van zijn ledematen bevonden die het het ergst te verduren hadden: al zijn tenen en vingers voelden aan alsof ze om de beurt in brand waren gestoken.

Er schroeide iets; hij kon het ruiken. *Mijn shirt? Mijn huid? Ik heb geen flauw idee.*

Er welde een kreet in hem op, die begon in Josh' onderbuik en zich vervolgens door zijn longen dwong om op zijn lippen te exploderen. Het is goed om te laten zien dat je pijn hebt, hield hij zichzelf voor. Het is oké om angst te tonen. *Het gaat hier om overleven; het is zinloos te proberen jezelf te bewijzen.*

'Stop!' schreeuwde Flatner.

Een laatste stroomstoot joeg door Josh' lichaam, en ebde toen weg. Hij lag krachteloos en naar adem happend op de grond. Het vocht uit de deken drong langzaam maar zeker tot in zijn kleren door, waardoor hij overal jeuk kreeg. Vanuit het weefsel stegen kleine hoeveelheden stoom op en vermengden zich met de toch al kwalijk riekende lucht in het gat. Josh voelde hoe er ergens diep in zijn keel braaksel omhoog dreigde te komen, en hij deed zijn best het weg te slikken.

'Dit was alleen nog maar een voorproefje, mooie jongen,' zei Flatner. 'Te vergelijken met een klein ongelukje. Het soort ongelukje dat je kan overkomen als je een lamp verwisselt.' Hij boog zich voorover, waarbij het uiteinde van zijn baard langs Josh' huid streek. 'Nou, vertel eens.'

Je kunt doen wat je wilt: smeken, onderhandelen en dreigen, dacht Josh. *Maar tenzij jij ze datgene vertelt wat ze graag willen weten, zullen ze je nooit laten gaan.*

'Ik weet helemaal niets.' Josh was verrast hoe zwakjes zijn stem al klonk: het was net of alle wilskracht en alle lef er al uit waren geschud. Zijn keel was kurkdroog en hij voelde hoe zijn lichaam al tekenen van uitdroging begon te vertonen – een van de meest gebruikelijke neveneffecten bij het toedienen van elektrische schokken.

'Dat wil ik níét horen, Josh,' zei Flatner. 'Ik wil dat níét horen.'

Een pauze. Josh probeerde in stilte te tellen. Zes, misschien zeven seconden. *Een kort uitstel om je voor te bereiden op de volgende pijniging.*

'Frituurtijd!' riep Flatner.

Josh voelde zijn lichaam woest schokken toen de golf elektriciteit door hem heen werd gejaagd. Het was onmogelijk te bepalen waar de pijn begon en eindigde: het was alsof elke zenuw in zijn lichaam gelijktijdig geattaqueerd werd. 'Nee!' schreeuwde hij. 'Alsjeblieft, nee!'

Geef uiting aan de pijn, zei hij tegen zichzelf. Je moet uiting geven aan je pijn. *Laat alles direct uit je wegvloeien.*

'Stop!' riep Flatner.

Opnieuw viel de stroom weg, en bleef Josh krachteloos en levenloos liggen. Hij had het gevoel dat al zijn bloed uit hem weg vloeide. 'Nou, mooie jongen, over de brug ermee,' zei Flatner. 'Waar hangt die knaap ergens uit?'

'Luister, je móét me geloven,' zei Josh met schorre stem. 'Ik weet het niet. Misschien dat ik ooit contact met hem heb gehad, maar ik weet helemaal niets meer. Ik ben bereid je alles te vertellen wat ik weet, maar dan moet je me wel stap voor stap begeleiden. Ik weet écht niet waar hij is.'

'Probeer alsjeblieft geen tijd te rekken, mooie jongen. Zo stom ben ik niet.'

'Ik probeer helemaal geen tijd te rekken. Ik wéét het alleen niet.'

Josh' handen trilden als bladeren die door een storm woest heen en weer werden geschud. Dat had niets met angst te maken, wist hij. Het waren de reflexbewegingen die je na een lange serie elektrische schokken kon verwachten.

Het wordt nog veel erger, bedacht hij grimmig.

'Laat hem maar eens lekker sudderen,' riep Flatner.

En nieuwe golf. Josh had het gevoel dat hij van binnenuit geraakt was, en het volgende moment explodeerde de pijn door zijn hele lichaam. Hij sloot zijn ogen, probeerde aan de laatste keer dat hij naast Kate had gelegen te denken, verbeeldde zich dat haar handen over zijn huid gleden en haar lippen alle pijn verzachtten. Om het even wat, hield hij zichzelf voor. *Probeer, om het even wat, aan een aangenamer oord te denken.*

'Ben je eindelijk klaar om eens wat te gaan vertellen, mooie jongen?' zei Flatner. 'Of wil je dat we je nog wat langer voorbewerken? Zodat die tong van jou iets losser komt te zitten.'

'Ik weet het niet, dat héb ik je al gezegd.'

Flatner draaide zich om en klom langs de touwladder omhoog. Zijn zware lichaam zorgde ervoor dat de ladder iets doorboog, en een voor een zijn handen een sport hoger plaatsend, werkte hij zich langzaam omhoog. 'Je bent een taaie, Josh Harding. Dat moet ik je nageven. Je bent een taaie, ó zo stomme klootzak. Maar ik zal je weten te breken, hoor je me? Ik zál je breken. Omdat niemand de hel kan overleven waar jij straks doorheen zult gaan.'

De stalen afdekplaat werd op zijn plaats geschoven en Josh bevond zich weer in het duister. Zijn lichaam voelde klam aan, het gevolg van de natte elektrocutiedeken en het zweet dat hij in grote hoeveelheden had afgescheiden.

Blijf bewegingloos liggen, beval hij zichzelf. Geef je lichaam de kans zich enigszins te herstellen. Probeer je te ontspannen. Probeer wat te slapen. *Alleen door te rusten kun je nog hopen het er levend van af te brengen.*

Josh sloot zijn ogen. Tegelijkertijd maakte hij zich grote zorgen over de schade die zijn lichaam waarschijnlijk had opgelopen. Zelfs als hij dit wist te overleven, was het maar de vraag of hij ooit nog volledig zou herstellen: de elektrische schokken zouden ongetwijfeld brandwonden op zijn huid achterlaten, maar die zouden weer genezen. Het was met name de langetermijnschade aan zijn zenuwstelsel die hem zorgen baarde.

Op dat moment werd hij door allerlei gedachten overvallen. Hij dacht aan Madge, en toen aan Kate, maar merkte dat het hem niets deed. Madge was dood, naar alle waarschijnlijkheid vermoord door Flatner, terwijl de kans bestond dat Kate ook dood was.

Wie bén ik, verdomme? Wat voor soort leven zal ik straks leiden als ik dit alles overleef?

Een pijnscheut. Instinctief schokte Josh' lichaam iets omhoog. Zijn botten voelden broos en onnatuurlijk aan. De pijn ebde weg, en hij liet zich op de natte deken terugvallen. Tranen van ellende en van de spanning rolden over zijn wangen. Hij werd opgeschrikt door een boosaardig ratelend geluid dat het hele gat in de grond leek te vullen, terwijl Josh' oren vergingen van de pijn. De stun-belt, besefte hij. Ze laten me hier in het donker liggen, en dienen me op willekeurige tijdstippen een pijnlijke en oorverdovende stroomstoot toe.

Hij begon zich nog wat andere zaken te herinneren waarvoor hij tijdens de lessen in het omgaan met martelingen was gewaarschuwd. Zelden is het menselijk brein zó vindingrijk, als wanneer het gaat om het ontwikkelen van nieuwe vormen van wreedheid. De handleiding voor folteraars beslaat minimaal honderd delen. Maar de meest effectieve technieken waren nog steeds van psychologische, en niet van fysieke aard. Ervoor zorgen dat de gevangene geen slaap krijgt, verkrachting, op willekeurig momenten in elkaar worden geslagen, het waren allemaal onderdelen van het wapenarsenaal. Van een getrainde militair kan worden verwacht dat hij grote hoeveelheid fysieke pijn weet te verdragen. Maar mentale kwellingen zijn in staat om uiteindelijk zelfs de dapperste geesten te doden.

En er bestaat geen betere vorm van mentale foltering dan het verrassingselement. Een man wordt geblinddoekt om vervolgens een trap afgeduwd te worden, zonder te weten dat hij zal vallen. Een andere mogelijkheid is dat de folteraar zijn slachtoffer op een stoel vastbindt, om hem vervolgens volkomen onverhoeds van achteren aan te vallen. De stun-belt was slechts een verfijning van enkele eeuwenoude technieken.

Zolang ik deze riem om heb, kan ik niet slapen, kan ik me niet ontspannen, kan ik geen moment mijn waakzaamheid laten verslappen.

Josh rolde zich op de deken en keek omhoog naar de lichtbundel die naar beneden scheen toen de afdekplaat boven het gat weer weggetrokken werd. Hij zag vervolgens hoe een touwladder naar beneden werd gegooid, waarna een stel zware zwarte laarzen aan hun onheilspellende afdaling begon.

Opnieuw een dag in de hel.

'Tijd voor het ontbijt, mooie jongen!' riep Flatner hem toe.

Josh voelde dat hij moest hoesten. Hij kon onmogelijk zeggen of hij die nacht had geslapen of niet. Misschien dat hij een paar minuten lang door nerveuze uitputting was overmand. Maar rust? Nee. Zo zou hij het niet willen noemen.

Omdat de afgelopen twaalf uur de stun-belt minstens een keer of zes, zeven was geactiveerd. Korte, felle aanvallen die Josh het gevoel bezorgden dat hij minstens honderd keiharde slagen op verschillende delen van zijn lichaam had moeten incasseren. Er was geen ader of zenuw meer die níét was opgezwollen of opgezet. Zijn ogen waren bloeddoorlopen en scheidden grote hoeveelheden bleke vloeistof af. De honger holde langzaam maar zeker zijn maag uit, terwijl de steeds sterker wordende urinestank die in de kuil hing ervoor zorgde dat hij regelmatig moest kokhalzen.

'Hoe voel je je vandaag, mooie jongen?' vroeg Flatner. 'Zin om te praten?'

'Ik moet wat eten,' zei Josh.

'Moet jij wat eten?' Flatner bulderde van het lachen, een lach die tegen de zijkanten van de kleine kuil echode. 'Shit, man. Dan had je de roomservice moeten roepen.'

'Ik moet wat voedsel hebben, en water,' zei Josh nog een keer. 'Als ik niet snel iets te eten krijg, ga ik dood.'

Zijn keel brandde toen hij sprak. Zijn amandelen leken helemaal opgezwollen, en dat gold ook voor zijn tong. Voor elk woord moest hij een enorme pijn overwinnen.

'Nou, shit, man, je werkt echt op mijn gemoed.'

'Je bent knettergek,' beet Josh hem toe. 'Besef je dan niet dat je geen barst meer aan me hebt als ik dood ben?'

'Ik heb geen barst aan jou zolang je blijft zwíjgen, mooie jongen,' reageerde Flatner. 'Als je toch niet van plan bent iets te zeggen, kun je wat mij betreft net zo goed zo snel mogelijk de pijp uit gaan. Dan hoef ik in elk geval niet meer naar dat stompzinnige gekerm van jou te luisteren.'

'Luister,' zei Josh. 'Ik zeg het je nóg eens. Ik kan me niets meer herinneren. Ik heb verzorging nodig. Hulp. Als je daarvoor zorgt, en als je ervoor zorgt dat ik mijn geheugen terugkrijg, zweer ik je dat ik je zal helpen.'

Flatner moest grinniken. 'Jij bent een miezerige, onbetekenende zák, Harding,' zei hij. 'Je denkt toch niet dat ik zo stom ben om daar in te tuinen?'

'Ik zeg alleen maar dat ik hulp nodig heb. Als ik zou weten waar die Luke ergens uithangt, zou ik je dat onmiddellijk vertellen. Wat interesseert mij zo'n knaap nou?'

'Zou je het mij vertellen?'

'Natuurlijk,' zei Josh. 'Geef me alleen iets te eten en te drinken. En een beetje rust. Dan krijg ik misschien mijn geheugen terug, dan zal ik je alles vertellen wat je wilt weten.'

Een stoot belandde keihard in Josh' maag. De huid daar was al zo gevoelloos, dat hij de klap nauwelijks bewust was. Maar hij kreeg wel een enorme hoestbui, waardoor de gal door zijn kurkdroge keel omhoog werd gedwongen en op de achterkant van zijn tong belandde.

'Jij hebt volgens mij alleen nog maar wat meer píjn nodig, mooie jongen, meer niet. Ik zal je zodanig braden dat je nog maar een centimeter van je dood verwijderd bent. En dan moet je eens kijken hoe graag je met me wilt praten.'

Gooi het over een andere boeg, hield hij zich voor. Blijf net zo lang op alle mogelijke knoppen drukken tot je iets hebt gevonden dat werkt. 'Ik weet precies voor wie jij werkt.'

Flatner kwam half overeind. 'Ik werk voor mezélf, mooie jongen. Heb je dat begrepen?'

'Jij werkt voor Edward Porter, de baas van Porter-Bell. Hij is de knaap die jou betaalt om mij te folteren.'

'Nou en?' reageerde Flatner, duidelijk geamuseerd. 'Er is altijd iemand die voor alles betaalt.'

'Er zijn verschillende mensen die hiervan op de hoogte zijn. Als er iets met mij gebeurt, zal het spoor naar Porter lopen, en vervolgens naar jou.'

Flatner lachte, en gaf Josh vervolgens een harde klap in zijn gezicht. Hij voelde zijn wang gloeien van de pijn. 'Wat er met jou gebeurt interesseert niemand ene moer, mooie jongen. Om te beginnen bestá je al niet eens. Ten tweede, tegen de tijd dat ik met jou klaar ben herkennen zelfs de gieren jou niet meer als een menselijk wezen.'

Josh rolde terug. Hij probeerde aan bepaalde woorden te denken, probeerde stukken van zijn geheugen bijeen te garen, probeerde alles te doen waardoor hij in staat zou zijn de eerstkomende twaalf uur door te komen. De meeste mannen die dood lagen te gaan riepen om hun moeder. Hij had ze wel gehoord, op het slagveld, om hun moeder huilend terwijl de kogels het leven uit hen wegrukten. Ik weet niet eens wie mijn moeder ís – of wás. Of ze nog leeft of niet.

Ik leef maar voor twee dingen. Om erachter te komen wie verantwoordelijk is voor alles wat me de afgelopen twee weken is overkomen – *en om vervolgens hun stomme hersenen uit hun stomme hoofden te rukken.*

Josh probeerde zijn gezicht in de hard geworden modder te begraven in een wanhopige poging het geluid uit zijn oren te bannen. De decibellen gierden om hem heen en maakten hem het denken onmogelijk. Om de paar seconden joeg de riem een nieuwe stroomstoot door zijn lichaam. Hij schokte, en begon hevig te trillen toen de elektrische schok door zijn ruggengraat golfde en zich vertakte naar alle slagaders die zijn lichaam rijk was – tot het punt waarop hij het gevoel had elk moment uit elkaar te kunnen spatten.

En toen hield het op. Josh zakte naar voren en slaagde er met enige moeite in weer enigszins op adem te komen. Het stonk in het gat, en het was er bedompt. Van enige luchtcirculatie was geen sprake, en hij lag hier nu minimaal twee nachten, de benauwde ruimte met de stank van zijn eigen urine en transpiratie vullend.

Angst, besefte Josh. *Je ruikt vooral angst in deze ruimte.*

Later was Flatner nog twee keer in de put afgedaald en had met boosaardig genoegen de elektroden weer aan de deken vastgemaakt. Beide keren werd Josh aan een halfuur of langer durende fysieke en mentale marteling onderworpen: krachtige doses elektriciteit werden gecombineerd met een pak slaag en andere mishandelingen. Maar elke foltering werd gevolgd door de zoveelste furieuze ontkenning van Josh.

Hij gelooft me niet. Ik ben straks dood vóór hij achter de waarheid komt.

Josh stak zijn vingers in de opgedroogde modder. Hij had geen flauw idee wanneer dit gat was gegraven. Gezien het feit dat het in dit gedeelte van de woestijn al in geen vijf jaar had geregend, was hij er misschien al die tijd al geweest. Met zijn vingernagels kraste hij in de verharde aarde. Misschien hadden ze hier iets laten liggen, bedacht Josh. *Een stuk gereedschap dat ik eventueel als wapen zou kunnen gebruiken. Of een restje plant dat ik zou kunnen eten. Of nog een spoor van vocht waar ik mijn kurkdroge lippen overheen kan wrijven.*

Hij brak een vingernagel, maar Josh lette niet op de pijn. Vergeleken met wat hij zojuist had doorstaan, had het niets te betekenen. Hij klauwde verder in de aarde, slaagde erin twee centimeter weg te schrapen, en toen vijf. Niets. Dit was zinloos, besefte hij, en rolde zich weer op de deken. De touwen waarmee hij vastlag schuurden langs zijn huid.

Straks wordt die stun-belt weer geactiveerd, precies op het moment dat ik er het minst op bedacht ben, hield hij zich grimmig voor. En dan komt Flatner weer naar beneden, met nieuwe dreigementen, nieuwe stroomschoten, nog meer klappen. Mij rest helemaal niets meer. Alleen duisternis en pijn.

Ik ben gebroken. De schoft heeft het alleen nog niet in de gaten.

Ergens boven zich hoorde Josh een schurend geluid. Een van de staalplaten bewoog. De moed zonk hem in de schoenen. Wat nog van zijn wilskracht over was, verdween als sneeuw voor de zon. *Flatner, vermoedde hij, om me opnieuw bont en blauw te slaan.*

Het was een enkel touw deze keer, geen touwladder, zag Josh toen hij omhoogkeek. Een gestalte liet zich langs het touw naar beneden glijden. Slank en donker. Het was in elk geval Flatner niet, besefte Josh. En Mark ook niet. Misschien zijn ze moe. *Misschien sturen ze nu het B-team naar beneden om me murw te slaan.*

De man kwam nagenoeg onhoorbaar neer en raakte de grond met de geluidloze lenigheid van een kat. Zijn blik bleef met een mengeling van medelijden en nieuwsgierigheid op Josh rusten. Nu kon Josh hem duidelijk zien. Hij had een zwarte spijkerbroek en een zwart T-shirt aan, terwijl hij rond de onderste helft van zijn gezicht een zwarte lap had gebonden. Of dat was om zijn gezicht onherkenbaar te maken of om zichzelf tegen de stank te beschermen, wist Josh niet. Alleen zijn ogen waren zichtbaar: bruin, glanzend in het duister.

Geen biker, bedacht Josh. *Wie kan dit verdomme zijn, als het geen biker is?*

'Wie ben jij?' vroeg Josh schor.

De man zweeg. Hij bewoog zich naar de plaats waar Josh op de grond lag. In zijn linkerhand zag Josh de licht gebogen contouren van een stalen lemmet, terwijl de handgreep van hout was, ingelegd met ivoor. Het mes schoot naar voren. Josh deinsde instinctief achteruit, probeerde zich voor te bereiden op het staal dat zijn huid zou binnendringen. Alsjeblieft, ik wil niet als een dier worden afgeslacht, mompelde hij binnensmonds. Hij had gehoord van folteraars die hun slachtoffers helemaal opensneden. *Alstublieft, God, dat alstublieft niet.*

Een touw sprong los. Josh hield zijn adem in toen de man de koorden de een na de ander lossneed. Het lemmet was zo scherp als een scheermes en gleed moeiteloos door de boeien. Josh voelde hoe zijn ledematen een voor een uit hun gevangenschap werden bevrijd. 'Wie ben jij?' herhaalde hij, met een iets hardere stem deze keer.

'Hou je stil; zeg helemaal níéts,' zei de man, wiens stem niet meer was dan een nauwelijks hoorbaar gefluister. 'Ik kom je helpen.'

Een ogenblik lang vroeg Josh zich af of hij misschien droomde. Of hallucineerde. Hij wist dat dat bij slachtoffers die gefolterd waren soms gebeurde. Hun hersenen werden overweldigd door pijn en wanhoop, en de slachtoffers gleden weg in een soort trance waarin ze oprecht van mening waren dat ze werden gered. Josh sloot zijn ogen en deed zijn uiterste best zich te concentreren. Hij voelde hoe de touwen losschoten, terwijl de man zijn handen op Josh' borst had gelegd en hem nu over de aarden vloer rolde.

Het is geen trance, hield hij zichzelf voor. *Dit gebeurt echt, verdomme!*

Zijn ogen schoten open. De touwen waren nu allemaal doorgesneden. Josh slaagde erin te gaan zitten. Zijn lichaam voelde slap aan, zwakker dan hij zich ooit gevoeld had. De spieren reageerden traag op zijn commando's en Josh vroeg zich onmiddellijk af of de enorme hoeveelheden elektriciteit die de afgelopen twee dagen door zijn lichaam waren gejaagd blijvende schade aan zijn zenuwstelsel hadden toegebracht.

'Kun je staan?' fluisterde de man.

Josh kwam moeizaam overeind. Zijn knieën voelden week en slapjes aan, alsof de botten eruit waren gehaald, en zijn voeten hadden de grootste moeite om greep op de grond te houden. De man sloeg een arm rond zijn schouder en trok hem omhoog. Josh klampte zich aan hem vast, als een reddingsboei in een stormachtige zee. Langzaam schuifelden ze over de bodem van het gat naar de plek waar het touw naar beneden bungelde.

Wie ben jij? vroeg Josh zich af. *Wat doe je hier?*

'Denk je dat je kunt klimmen?'

Ik kan nauwelijks op mijn benen staan, jongen, realiseerde Josh zich. *Maar om uit deze hel te ontsnappen ben ik desnoods bereid de verdomde Eiffeltoren te beklimmen.*

'Ik weet het niet,' zei hij. 'Ik zal het proberen.'

'Ik zal achter je gaan staan, dan duw ik je zo ver mogelijk omhoog.'

Josh greep het touw beet. Hij vermoedde dat hij in zijn leven misschien wel in een miljoen touwen was geklommen, en dit was maar een meter of drie lang, en hing pal naast een lemen wand waar zijn voeten ruim voldoende steun aan zouden hebben. Dit moest niet veel moeilijker zijn dan het beklimmen van een trap. *Tenzij je lichaam twee dagen lang zware folteringen had ondergaan.*

Hij klemde zijn rechterhand rond het touw, en vervolgens zijn linker. Zijn greep was zwak en krachteloos. Hij verzamelde al zijn kracht en concentratie, trok het touw naar zich toe en begon zichzelf omhoog te trekken. Zijn schouders kromden zich onder de belasting, en zijn botten voelden aan alsof ze op een pijnbank waren opgerekt. Je kúnt het, hield hij zichzelf zwijgend voor. Nog één uitbarsting van kracht, en je bent vrij.

Josh voelde hoe de man onder hem zijn rug gebruikte om hem te ondersteunen. Hij greep het touw nog steviger beet, trok zichzelf decimeter na decimeter verder omhoog. Hij zag de rand van het gat, nog maar een halve meter van hem verwijderd. Hij tastte met zijn voeten naar beneden en liet ze op de rug van de man steunen, die iets verder overeind kwam, waardoor Josh zich opnieuw een paar centimeter omhoog kon trekken.

Misschien heeft Kate deze man wel gestuurd, dacht Josh. Misschien is dit wel een van de survivalistenvriendjes van Marshall.

Zijn vingers klauwden naar de rand. Pal onder hem klom de man nu zelf langs het touw omhoog, maar hij bleef tegelijkertijd met zijn rug Josh nog steeds verder omhoogduwen. Voor een zo slank iemand bezat hij de kracht van een persoon die minstens twee keer zijn omvang had. Josh' nagels vonden houvast in de hard geworden modder aan de oppervlakte. Boven hem zag hij de nachtelijke hemel. Hij trok zich nog een paar centimeter omhoog, waardoor zijn ogen op gelijke hoogte kwamen met de grond. Nog één keer optrekken, zei hij tegen zichzelf, *en ik ben vrij.*

Josh had geen idee wat hem te wachten zou staan wanneer hij uit het gat was gekropen. Hij wist niet eens wáár hij opgesloten had gezeten: hij ging ervan uit dat het ergens in het bikerskamp moest zijn, maar zekerheid daarover had hij allerminst. Als iemand dit oord had bewaakt, zou die waarschijnlijk ter plekke onschadelijk zijn gemaakt.

Ik neem de gok. Momenteel is de dood door een kogel verre te prefereren boven doodgaan in dat gat.

Hij keek naar rechts, en toen naar links. Er ontsnapte een zacht gekreun aan zijn lippen toen hij, met een laatste krachtinspanning van zijn gefolterde spieren, zichzelf over de rand trok. Het gat bevond zich een meter of vijftig van het hoofdkamp. Hij kon de tenten en hutjes duidelijk zien, en de rij geparkeerde motorfietsen, glimmend van het vele chroom, maar verder zag hij nergens een teken van leven. Ongeveer tien meter van het gat verwijderd lag een man voorover in het zand. Uit zijn rug stak een mes en op de grond had zich een plasje bloed gevormd.

De nachtwaker, besefte Josh. En naast het lichaam lag het zendertje waarmee de stun-belt geactiveerd kon worden.

'Weg hier!' fluisterde de man vanuit het gat. 'We hebben maar weinig tijd.'

Dat accent, bedacht Josh. Niet bepaald Engels, maar ook geen Amerikaans. Ik kan het niet plaatsen.

Josh klauterde het gat uit. Enkele ogenblikken later lag de man naast hem. 'Dáár,' zei hij. 'Achter die rots daar staat een paard op je te wachten. Denk je dat je dat kunt halen?'

Josh knikte. *Al moet ik met mijn blote voeten over een pad van scheermesjes lopen om hier weg te komen.*

Hij zette zich af tegen de grond. Als je echt kracht nodig hebt, is die altijd aanwezig, bedacht hij toen hij de tweehonderd meter tot aan het rotsblok rennend aflegde. Soms ligt die kracht zo diep in je begraven, dat je niet eens weet dat je die hebt. Maar als je die naar boven weet te krijgen, bestaat de kans dat je het overleeft.

Josh keek onder het hollen niet om. Hij rende alleen maar recht vooruit en negeerde de pijn in zijn benen. Het ademen ging stotend en moeizaam, maar hij bleef in beweging. De andere man holde naast hem mee. Nog een meter of vijftig, zag hij. *Dan ben je ontsnapt.*

Het paard was een elegante grijze hengst waarvan de nek bespikkeld was met bruine vlekken. Josh wist maar weinig van paarden, maar hij zag onmiddellijk dat dit dier de juiste bouw had om hoge snelheden te ontwikkelen. Het paard zat met een leren leidsel aan een boomstronk vast, en het dier knabbelde niet bepaald enthousiast aan het weinige onkruid dat zich uit de rotsachtige grond omhoog had weten te werken.

Een beter vluchtvoertuig dan dit bestaat er in dit terrein niet.

'Ga maar achterop zitten,' zei de man. 'Erg comfortabel zal het niet worden, maar wel snél.'

De man nam als eerste op het paard plaats, waarbij hij zich met één snelle, geoefende beweging omhoogtrok. *Ik heb deze man eerder gezien,* besefte Josh. *Ergens.* Het paard was niet gezadeld en er was alleen een deken over de rug van het dier gedrapeerd. Ook stijgbeugels ontbraken; er was alleen sprake van een lederen hoofdstel en dito teugel.

De man pakte Josh' hand vast en trok hem omhoog. Opnieuw was Josh onder de indruk van de kracht waarover de man in dat magere lichaam beschikte. Josh belandde op de rug van het paard, wijdbeens, en klampte zich aan de schouders van zijn redder vast.

'Hou je goed vast,' fluisterde de man. Direct daarna trapte hij de hengst heel even in de flanken en plotseling kwamen ze in beweging. Josh greep de man nog wat steviger beet en probeerde zich aan te passen aan het ritme van de galop. Hij keek achterom, zag het kamp van de bikers snel kleiner worden en voelde hoe de adrenaline door zijn lichaam kolkte.

Ik kom terug, beloofde hij zichzelf. *En als ik terugkom zullen mijn handen onder het bloed zitten.*

De hengst stoof over het open terrein. Josh had geen flauw idee waar ze heen gingen. Hij hield zich goed vast, blij eindelijk weer frisse lucht in te kunnen ademen. Zijn lichaam had een vreselijke afstraffing ondergaan. Honger en dorst hadden hem uitgeteerd, maar hij had het gevoel dat hij, als hij aan deze omgeving kon ontsnappen, het wellicht zou overleven. En momenteel was dat het enige dat telde, bedacht hij. Dit overleven.

Het paard wist precies waar het zijn benen neerzette en de man was een ruiter met voldoende ervaring om het dier door het ruwe terrein te sturen. Ze gingen in noordelijke richting, merkte Josh, in de richting van het midden van Arizona. Hij keek een paar keer achterom, maar de ontsnapping was zonder meer soepel verlopen. Mochten de bikers de gedode bewaker al hebben gevonden, dan waren ze in elk geval nog geen zoekactie gestart. En zelfs als ze dat alsnog zouden gaan doen, dan waren ze daar nu te laat mee. De hengst had al een behoorlijke afstand tussen hen en het kampement gecreëerd, en voerde hen mee over een terrein waar je met een motorfiets nauwelijks doorheen kwam.

Mijn redder is een snelle ruiter, besefte Josh. En dat zónder stijgbeugels.

In Josh' hoofd vonkte iets op. Zonder stijgbeugels?

Het dier waarop ze zaten hinnikte, en hield halt toen de man aan de teugels trok. 'Hier,' zei hij, en wees naar een donkere poel met water die tussen wat rotsblokken zichtbaar was geworden. 'Hij moet wat drinken. En dat geldt ook voor jou.'

Het paard had zijn snuit al in de poel gestoken en nam grote, gulzige slokken water. Josh liet zich moeizaam van de rug van het dier glijden en probeerde niet te hard op de grond terecht te komen. Hij liep enigszins wankel naar de waterplas. Zijn benen trilden, en lopen in een rechte lijn vergde al zijn concentratie. Langzaam knielde hij neer. De dorst brandde dwars door hem heen, maar hij wist dat hij, na twee dagen zonder water, voorzichtig zou moeten zijn. Te veel en te snel drinken zou hem wel eens duur te staan kunnen komen. *Een paar slokjes maar.*

De man kwam naast Josh staan. 'Drink maar,' zei hij. 'Het zal je goeddoen.'

Josh stak zijn hand in het water. Dat voelde koel en verfrissend aan. Hij bracht zijn hand omhoog en liet het water over zijn gezicht lopen. Vervolgens wreef hij met zijn vingers wat van de vloeistof over zijn lippen. Die waren uitgedroogd en gebarsten, en de aanraking met het water veroorzaakte een bijtende pijn. Na verloop van tijd was hij in staat om iets van het water uit zijn handen op te likken, waarbij er slechts een paar druppels tegelijk in zijn mond terechtkwamen.

Hij voelde zich draaierig en gedesoriënteerd. Maar ik heb dan ook twee dagen lang niet geslapen, hielp hij zichzelf herinneren.

Het paard was klaar met drinken, bracht zijn hoofd uit de poel omhoog en deed zich nu te goed aan wat onkruid. Geen stijgbeugels, dacht Josh opnieuw. *Waarom moet ik daar steeds aan denken?*

Josh keek weer naar de man. Hij hield de teugels van het paard in de hand, het leer stevig in zijn greep. De zwarte hoofddoek zat nog steeds strak rond de onderste helft van zijn gezicht geknoopt, waardoor hij onherkenbaar was.

Josh nam opnieuw een paar druppels water tot zich en liet de koele vloeistof naar binnen glijden. Hij voelde het kalmerende effect ervan op zijn geteisterde, geëlektrocuteerde zenuwuiteinden, waardoor zijn lichaam begon te tintelen. Saoedi-Arabië, bedacht hij. Dáár leren mannen paard te rijden zonder stijgbeugels. Saoedi-Arabië. Josh keek op de poel neer. In een bundel maanlicht ving hij een glimp van zijn eigen spiegelbeeld op. Zijn baard was zichtbaar gegroeid en zijn haar was dof van het zweet en het bloed geworden. Zijn huid was bleek en zijn wangen zaten vol schaafwonden. Maar het meest schrok Josh nog van zijn ogen. Hij zag er opgejaagd en angstig uit.

Plotseling zag Josh het gezicht van zijn redder naast zich in de poel weerspiegeld. Ik heb jou eerder gezien, besefte hij opnieuw. De man die in het Motel 6 had gelogeerd, de man die zich voor een Italiaan had uitgegeven, de man van wie Madge Josh een foto had gegeven.

Jij bént helemaal geen Italiaan. Jij hoort bij Al-Qaeda.

Josh draaide zich om en keek de man in het gezicht. Hij probeerde te glimlachen, maar zijn lippen waren nog te zeer gebarsten. 'Bedankt dat je me gered hebt.'

De man bracht zijn hand omhoog. 'Je zult me straks heel wat minder dankbaar zijn,' antwoordde hij.

De hand trof Josh vol tegen de zijkant van zijn gezicht. Hij voelde zich duizelig worden. Zijn lichaam wankelde even en het volgende moment sloeg hij voorover in het koude water.

17

Zaterdag 13 juni. 's Middags.

Het licht trof Josh vol in het gezicht. Met moeite slaagde hij erin zijn ogen te openen en paste zijn blik aan het zonlicht aan dat door het geopende venster naar binnen stroomde. Met knipperende ogen keek hij in het rond. Een wit vertrek. Een wit bed. Met witte lakens. En hijzelf bleek een witte badjas aan te hebben.

Waar ben ik nú verdomme weer? In een ziekenhuis?

Hij kwam met een ruk overeind, voelde zijn pijnlijke lichaam toen hij zich naar voren strekte. Het duurde even voor hij zijn gedachten weer op een rijtje had staan. Mijn naam is Josh Harding, zei hij tegen zichzelf. Ik ben een Britse militair. En momenteel zit ik tot mijn nek toe in de shit.

Hij werd door herinneringen overspoeld, zijn hersenen gelijktijdig gevuld met honderden verschillende stukjes informatie. Hij was gevangengenomen door de bikers, de mannen op de motoren. Hij was gered. Maar de man die hem uit de put had weggehaald, daar was hij van overtuigd, was een agent van Al-Qaeda.

Ik ben helemaal niet gered. *Ik ben alleen van de ene gevangenis in de andere beland.*

Josh bleef even bewegingloos zitten en probeerde de kwetsuren die hij de afgelopen twee dagen had opgelopen te inventariseren. Hij zat vol blauwe plekken en schaafwonden, hem toegebracht door Flatner, maar hij dacht niet dat er blijvende schade was aangebracht. Met name de stroomstoten hadden bij hem een zware tol geëist. En die elektrische schokken konden inwendig grote verwoestingen aanrichten. Het zou wel eens dagen kunnen duren voor zijn centrale zenuwstelsel weer normaal functioneerde. En misschien was dat wel permanent beschadigd.

Maar dit ziet er helemaal niet als een gevangenis uit, bedacht Josh terwijl hij zijn blik door het vertrek liet glijden. Het was hier schoon en licht. Naast zijn bed stond een glas water. Op een eenvoudig tafeltje in een hoek van de kamer stond een televisie. Hij zat niet aan het bed vastgeketend. Geen kettingen. Geen handboeien. Geen tralies. *Maar dat betekent nog steeds niet dat je vrij man bent. De ergste gevangenissen zien er helemaal niet uit als een gevangenis.*

'Voel je je al wat beter vanmiddag?'

Josh keek op. Het was de man die hem gisteravond had bevrijd. Hij was gekleed in een kakikleurige broek en een donkerblauw poloshirt. In zijn haar was hier en daar al wat grijs te zien. Zijn gezicht, zonder de lap stof om het te maskeren, maakte nu een wat hardere indruk. Het zag er ruw en verweerd uit, en zijn wangen vertoonden sporen van vroegere verwondingen. Het was het gelaat van een man die een groot deel van zijn leven gewapende strijd had geleverd.

Ik heb jou eerder gezien, besefte Josh. *En niet alleen op de foto die Madge me heeft gegeven.*

'Ik weet het niet,' zei Josh. 'Ik denk dat ik een paar dagen nodig heb om erachter te komen hoe ernstig mijn verwondingen zijn.'

Er stapte een vrouw het vertrek binnen. Ze was geheel in het wit gekleed: een witte tuniek, witte kousen, witte handschoenen, witte schoenen. En ze droeg een witlinnen sluier voor haar gezicht. Het enige dat hij van haar kon zien waren haar donkerbruine ogen en haar zwarte haar. In haar ene hand had ze een bakje met water, terwijl ze in de andere een dot watten en een flesje ontsmettingsmiddel hield.

'Die wonden moeten verzorgd worden,' zei de man.

De vrouw zweeg, boog zich over de rand van het bed en sloeg het laken open. Op een nieuwe boxershort na was Josh verder naakt. De vrouw doopte de watten in het water en drukte er vervolgens wat desinfecterend middel op uit. Beginnend met de nek reinigde ze de verwondingen, blauwe plekken en schaafwonden op Josh' lichaam. Zijn huid prikte terwijl ze daarmee bezig was, maar haar aanrakingen waren delicaat en zacht.

'Wat doe ik hier?' vroeg Josh.

De man bracht een vinger naar zijn lippen. 'Stil,' zei hij. 'Je moet weer op krachten komen.'

'Ik wil weten waar ik ben.'

'Nee, stil,' zei de man. Hij glimlachte en deed de televisie aan. 'Hier, kijk maar wat televisie. Probeer je te ontspannen. Probeer weer op krachten te komen.'

Josh liet zich weer in de kussens terugzakken. Er was helemaal niets dat hem in dit vertrek vasthield. De man wekte niet de indruk gewapend te zijn. Hij kon ook geen gewapende schildwachten voor zijn kamerdeur ontdekken. Maar toch wist hij dat hij niet zomaar uit zijn bed kon stappen en weglopen. Soms was het helemaal niet nodig om de mensen te zien die je gevangenhielden. *De sterkste ketenen waren de onzichtbare ketenen.*

Op de televisie werd net het weerbericht gepresenteerd. Het toestel stond op CNN afgestemd. Het zou morgen in Arizona opnieuw een zonnige dag worden, zag Josh. *Ze hebben me in elk geval niet het land uit gesmokkeld.*

'Straks een recapitulatie van het belangrijkste nieuws van vandaag,' zei de nieuwslezer direct nadat het weerbericht was afgelopen. 'Opnieuw een angstaanjagende aanslag op verschillende steden. Na de reclame komen we bij u terug met alle details.'

Josh staarde naar de televisie. Zijn borst brandde op de plaatsen waar de vrouw het desinfecterende middel op het rauwe vlees van zijn wonden had aangebracht. Waarschijnlijk de plaatsen waar Flatner hem keihard had geschopt.

Een reclame voor hondenvoer stierf weg en toen begon het nieuws weer. Het was drie uur, zag Josh. Hij had een hele tijd geslapen. 'Het belangrijkste nieuws van vandaag: opnieuw een serie angstaanjagende stroomstoringen, deze keer in het Verenigd Koninkrijk,' begon de nieuwslezer. 'Om precies negen uur vanochtend plaatselijke tijd viel in vier Britse steden de elektriciteit uit. In Liverpool, Harrogate, Peterborough en Exeter. Kort na negen uur vanmorgen hield de stroomvoorziening in deze vier steden ermee op, en volgde er een storing die precies één uur duurde. Direct nadat de stroom uitviel ontstond er in de vier steden chaos, een beeld dat ons de afgelopen tijd op verschillende plaatsen ter wereld bijna vertrouwd is geworden. Scholen en ziekenhuizen werden gesloten, het verkeer kwam abrupt tot stilstand en fabrieken en kantoren liepen leeg. In Liverpool werd door een woedende menigte een winkelcentrum geplunderd. Nu, bijna tien uur later, heeft de politie nog steeds grote moeite de orde en rust in de stad te herstellen.

Luke, dacht Josh meteen. Hij *loopt nog steeds vrij rond. Hij is nog steeds actief.*

'Er wordt nu nadrukkelijk gespeculeerd dat deze stroomstoringen, die enkele maanden geleden begonnen met de zogenoemde Drie-stedenaanslag, het werk is van een terroristisch netwerk, naar alle waarschijnlijkheid Al-Qaeda,' vervolgde de nieuwslezer. 'Deskundigen uit de elektriciteitswereld zeggen dat het gelijktijdig uitvallen van zoveel elektriciteitsnetten op verschillende plaatsen in de wereld, onmogelijk toeval kan zijn. Het feit dat Groot-Brittannië, Amerika's nauwste bondgenoot in de oorlog tegen het terrorisme, eveneens het doelwit is, geeft voeding aan de speculatie dat de stroomstoringen deel uitmaken van een terroristische campagne tegen het Westen.

Premier Tony Blair heeft vanmiddag een verklaring doen uitgaan, waarin hij stelt dat het land, geconfronteerd met deze aanslagen, nergens voor zal terugschrikken, en voegde eraan toe dat deze gewelddaad zijn beslissing om de Verenigde Staten te steunen bij de invasie van Irak nog eens extra rechtvaardigt. De leider van de liberaal-democraten in het Lagerhuis, Charles Kennedy, zei dat hij ervan overtuigd was dat Groot-Brittannië zijn troepen nu wel uit Irak zou terugtrekken. Wij komen terug met nieuwe reacties op de gebeurtenissen van vandaag ná het volgende reclameblok.'

De televisie ging plotseling op zwart. De man legde de afstandsbediening op het voeteneind van Josh' bed en draaide zich met een flauwe glimlach op zijn gezicht naar hem toe. 'Dus je ziet het, Josh Harding, we moeten het hoognodig eens over wat zaken hebben.'

De vrouw was klaar met Josh; ze had de laatste wond verzorgd en drukte een pleister op een snijwond op zijn arm. Ze maakte een lichte buiging, deed er wederom het zwijgen toe en verliet het vertrek. Josh sloot zijn ogen. Er gebeurde iets. Achter zijn gesloten oogleden gleed een beeld tevoorschijn. Aanvankelijk wazig, als een onscherpe foto, maar geleidelijk aan steeds duidelijker wordend. *Een herinnering.*

Josh deed zijn uiterste best zich te concentreren, terwijl het beeld hem voor ogen zweefde. Hij stond voor iemand. Josh was gekleed in een wit gewaad, en was smerig en ongeschoren. De andere man was ouder, en in uniform gekleed. De man schreeuwde naar hem. Josh schreeuwde terug. Verdomme, dacht Josh. Ik kan niets horen. Waar hadden we in godsnaam ruzie over?

Hij hield zijn ogen gesloten. Hij kon horen hoe hij tegen de man schreeuwde, om vervolgens op te staan. Hij liep naar de muur. Hij had een foto in zijn handen. Hij scheurde de afbeelding door en liet de snippers op de vloer vallen.

Maar hoewel hij de afbeelding met zijn eigen handen kapotscheurde, zag Josh de foto toch nog duidelijk voor zich. Hetzelfde gezicht dat nu pal naast hem stond. Khalid Azim. *Een van de meest gezochte Al-Qaeda-terroristen die er op de wereld rondliepen.*

'Ik weet wie jij bent,' zei Josh, en zijn blik kruiste die van Azim.

'Ik ben degene die jou heeft gered,' zei Azim.

'Jij heet Khalid Azim.'

Azim knikte. 'Ik ben blij dat je geheugen eindelijk weer aan het terugkomen is,' zei hij. 'Dat kan de komende paar uur aanzienlijk gemakkelijker maken.' Hij zweeg even. 'Voor ons beiden.'

'Ik heb ooit eens geprobeerd je uit de weg te ruimen,' beet Josh hem toe. 'De volgende keer zal ik ervoor zorgen dat het lukt.'

Azim lachte. 'Aan praten over koetjes en kalfjes heb je een broertje dood, hè?' merkte hij. 'Maar goed, laat maar. Voor datgene wat we te bespreken hebben zijn maar weinig woorden nodig.'

Hij liep langzaam het vertrek door en bleef vlak naast Josh staan. 'Ik heb je nu een paar weken lang van plaats naar plaats gevolgd. Zelfs nadat je was neergeschoten ben ik bij je in de buurt gebleven, heb ik je van een afstandje geobserveerd. Pas nadat die idioten op hun motorfietsen je gevangennamen besefte ik dat ik tussenbeide moest komen. Ze zouden je ongetwijfeld hebben omgebracht, hetzij opzettelijk, of door pure ónvoorzichtigheid. En dat kon ik niet toestaan. Waarom niet? Omdat ik wist dat als ik jou volgde, jij me uiteindelijk naar degene zou brengen naar wie ik op zoek ben.' Azim pauzeerde even en wreef met zijn linkerhand peinzend over zijn kaak. 'Luke. Ik wil weten waar Luke ergens zit.'

Hij draaide zich half om en wees naar het televisietoestel. 'Ze brengen het alsof deze wereldwijde aanslagen op elektriciteitscentrales door Al-Qaeda zijn georganiseerd. Was dat maar waar, denk ik dan. Was dat maar waar.' Hij zweeg opnieuw enkele ogenblikken. 'Denk eens aan de macht die we op die manier in handen zouden hebben, Josh. Waar dan ook ter wereld zouden we, met het indrukken van een paar toetsen, hele landen in het duister kunnen dompelen. Chaos, verwarring, rellen en anarchie – dat alles zouden we kunnen bereiken door enkel een paar toetsen in te drukken. En het zal niet lang meer duren voor het zover is, Josh. Het zal niet lang meer duren.'

Azim klapte in zijn handen. De vrouw kwam het vertrek weer binnen. Ze had een dienblad bij zich waarop sinaasappelsap, een schaaltje met gemengde vruchten en een bord met sandwiches stonden. Ze zette het blad behoedzaam op het tafeltje naast het bed. Josh liet zijn blik hongerig over het voedsel glijden. Het was twee dagen geleden dat hij voor het laatst iets had gegeten, maar hij liet zijn handen waar ze waren.

Hoe weet ik nou of ze van plan zijn me te drogeren of niet?

'Luke is in het bezit van de juiste software, hè, Josh?' vervolgde Azim. 'En wij willen die hebben. En zodra we die in ons bezit hebben, zullen deze stroomstoringen wel degelijk het werk van Al-Qaeda zijn, precies zoals ze nu al op de televisie suggereren.'

'Ik heb geen flauw idee waar hij is,' snauwde Josh. 'En als ik het wel wist, zou ik het je nooit vertellen.'

Azim nam een appel van het schaaltje met vruchten en liet die als een cricketbal door zijn handen rollen. 'Volgens mij heb je niet goed opgelet, Josh. Misschien heb je net één klap te veel op je hoofd gehad. Misschien dat je je daardoor wat moeilijker kunt concentreren. We hebben die eerste serie stroomstoringen gezien. Jamestown, Orlando, Seattle en Harrison. De beginletters van die steden vormen samen het word Josh. Nu worden we met een tweede serie aanslagen op de elektriciteitsvoorziening geconfronteerd. Wat zeiden ze op het tv-nieuws? Liverpool, Peterborough, Exeter en Harrogate. Maar ik durf erom te wedden dat als we morgen nadere details te horen krijgen, zal blijken dat die stroomstoringen met een kleine tussenpauze ná elkaar hebben plaatsgevonden. Ik denk dat de volgorde Harrogate, Exeter, Liverpool en ten slotte Peterborough zal zijn.'

Azim zette zijn tanden in de appel en er verscheen een sluwe glimlach op zijn gezicht. 'J-O-S-H H-E-L-P,' zei hij, en spelde elke letter nauwkeurig. 'Volgens mij probeert hij je iets duidelijk te maken, denk je niet?'

'Ik heb geen flauw idee waarmee hij bezig is,' zei Josh, die voelde hoe hij langzaam maar zeker woedend werd. 'Maar los daarvan, dat interesseert me verder geen barst. Als je me zo nodig wilt doden, dan ga je je gang maar. Van mij krijg je niets te horen.'

Azim lachte. 'Onvervalste SAS-bravoure – dat mag ik wel,' zei hij. 'De vasthoudendheid van een buldog. Dat is een van de dingen die we zo bewonderen bij de Britten. Maar laat me je één ding zeggen. We krijgen je klein. We krijgen uiteindelijk iedereen klein. Binnen een dag of twee zul je me smeken je dood te schieten. En op een gegeven moment zal ik je uit je lijden verlossen. Maar pas als je me hebt verteld waar ik die jongens kan vinden.'

'Dan kun je me beter nu direct vermoorden,' beet Josh hem toe. 'Dan heb je dat vast gehad en bespaar je jezelf een hoop moeite.'

Azim pakte een tweede appel van het schaaltje en bood die Josh aan. 'Eet iets.'

'Sodemieter op.'

Azim legde de appel op het witkatoenen laken. 'Eet iets,' herhaalde hij. 'We willen dat je weer een beetje aansterkt. Waarom? Omdat een sterk persoon de pijn veel beter voelt dan een zwak persoon. En ik wil dat je de pijn voelt, Josh. Ik wil dat je elke seconde ervan voelt.'

Voor hij vertrok zette Azim een pistool tegen het hoofd van Josh en drukte de loop ervan hardhandig tegen zijn slaap terwijl de verpleegster een stel handboeien aan de rand van het bed vastmaakte, en het andere uiteinde ervan in een snelle beweging om Josh' linkerhand klikte. Een tweede stel handboeien werd tussen zijn linkervoet en het frame van het bed bevestigd, terwijl het bed zelf met schroeven aan de vloer bevestigd zat. Hoe wild Josh ook mocht trekken en rukken, hij had nauwelijks nog enige bewegingsvrijheid. Vervolgens kwam de vrouw terug met een injectienaald, ze stak die met een krachtige beweging in zijn dij en bracht een doorzichtige vloeistof direct in zijn bloedbaan. Of het een waarheidsserum was, een vergif of alleen een kalmerend middel, Josh wist het niet, maar binnen enkele seconden viel hij in een diepe slaap.

Toen Josh wakker werd had hij geen enkel idee hoe lang hij had geslapen. Een paar uur of een hele dag, hij kon het onmogelijk zeggen. Hij bevond zich alleen in het vertrek, waar slechts één enkel aan het plafond hangend peertje een zwak schijnsel verspreidde. De deur zat dicht en Josh kon op de gang geen enkel geluid onderscheiden.

Ik weet niet eens in welk gebouw ik me bevind.

Hij reikte naar opzij, naar het tafeltje, en pakte met zijn rechterhand de appel, want met z'n linker zat hij nog steeds aan het bed gekluisterd. Azim had gelijk, besefte hij toen hij een grote hap uit de vrucht nam. Als ik weer op krachten ben gekomen, zal ik de pijn aanzienlijk intenser voelen. *Maar dan ben ik ook in staat langer weerstand te bieden.*

Het voedsel smaakte goed. Het was twee, misschien al drie dagen geleden dat hij voor het laatst iets had gegeten. Hij had een lege maag en besefte dat hij, net als met het water, niet te veel ineens naar binnen moest werken. Te veel voedsel dat ook nog eens te snel genuttigd werd zou alleen maar tot gevolg hebben dat hij zich beroerd ging voelen. Zijn lichaam kon dat nog niet aan.

Dan kreeg hij maagpijn, dacht hij met een meewarige glimlach. *Maar ergens heb ik het gevoel dat dat wel eens de minste van mijn zorgen zou kunnen zijn.*

De deur ging open. Azim stapte langzaam het vertrek binnen en liet zijn blik over Josh glijden. Ze moeten weten dat ik wakker ben, besefte hij. Hij keek de kamer rond, op zoek naar camera's, maar zag niets. Hoewel dat natuurlijk niets hoefde te betekenen. Azim weet dat ik wakker ben. Op de een of andere manier observeert hij me.

'Ik hoop dat je goed hebt geslapen,' zei Azim.

Josh bleef zwijgen. In de paar minuten dat hij alleen was geweest, hadden de lessen betreffende foltering en hoe je die moest overleven weer door zijn hoofd gespookt. Dit zou waarschijnlijk totaal anders worden dan de fysieke afstraffingen die Flatner en zijn handlangers hem hadden doen ondergaan. Hij besefte dat hij moest proberen het hoofd te bieden aan de subtiliteiten van de mentale foltering.

'We hebben je een injectie gegeven,' zei Azim. 'Die zou jouw vermogen om weer helder na te denken moeten helpen herstellen.'

Die prik, dacht Josh. Ze hebben me met iets ingespoten waardoor ik mijn geheugen weer moet terugkrijgen. Ze willen dat ik me weer alles herinner – zodat ze die informatie vervolgens uit me kunnen wringen.

En het ergste van alles was nog het feit dat dat spul werkte.

Sinds Josh wakker was geworden kon hij een stuk helderder nadenken. Hij wist dat hij Josh Harding heette. Hij wist dat hij actief militair was en bij het Regiment was ingedeeld. Hij wist het nog niet helemaal zeker, maar hij vermoedde dat hij rond de dertig was. Hij wist dat hij twaalf jaar in het leger zat, waarvan vijf jaar bij de Special Forces. En hij wist dat hij Azim al eens eerder had gezien – en had geprobeerd hem te doden.

Ik ben nog een heel eind van totaal herstel verwijderd. Maar het is een begin. Mijn herinneringen komen geleidelijk aan terug. Waardoor dit alles

nog eens honderd keer zo erg zal worden. Flatner kon mij niet breken om-
dat er helemaal niets wás om te breken. Maar nu zal ik al mijn wilskracht
moeten gebruiken om te voorkomen dat ik iets prijs zal geven.

Ik zal moeten leren hoe ik mijn geheimen mee het graf in kan nemen.

Azim pakte een peer van de schaal met fruit. Hij pakte een mes en begon hem te schillen, waarna hij een partje aan Josh aanbood. 'De profeet
heeft ons geleerd wanneer we barmhartig moeten zijn en wanneer
wreed,' merkte hij op. 'Eerst zorgen we goed voor je, om vervolgens alle
informatie uit je te persen die we nodig hebben. Dat is onze werkwijze.'

Josh nam het stukje peer aan. Hij voelde hoe de angst hem van binnenuit leek te verscheuren: er gebeurde nog helemaal niets, maar hij
wist zeker dat ze hem vroeg of laat onder handen zouden nemen. 'Ik
weet helemaal niets,' zei hij. 'Je hebt gezien hoe die bikers me hebben
toegetakeld. Als ik die lui niets verteld heb, dan heb ik júllie al helemaal
niets te zeggen.' Hij keek op naar Azim, en zijn gelaatsuitdrukking ver-
hardde. 'Ik ben een Brits militair. Ik weet wanneer het met me gebeurd
is, en ik ben mans genoeg om daar verder niet over te klagen. Dus als die
profeet van jullie een beetje barmhartig is, schiet je me ter plekke dood,
dan hebben we dat gehad.'

'Dapper gesproken, Josh,' zei Azim. 'En binnenkort zullen onze gru-
welijke bezigheden inderdaad een aanvang nemen. Dan zullen we eens
zien of jouw wilskracht overeenkomt met de kracht van je woorden.
Maar eerst doe ik je nog een aanbod. Je moet goed begrijpen dat ik geen
wreed man ben. Ik schep geen enkel genoegen in dat wat er staat te gebeuren. Vertel me nú wat ik wil weten, bespaar je de pijn die straks over
je heen zal komen.'

'Sodemieter op.'

Azim sloeg zijn handen in elkaar, alsof hij in gebed was. 'De folteraar
doet evenzeer afstand van zijn menselijkheid als zijn slachtoffer dat
doet. Bespaar ons beiden deze vernedering. Praat nú met mij. Vertel me
waar ik Luke kan vinden.'

'Dat wéét ik niet,' beet Josh hem toe. 'En áls ik het wist, wat voor zin
heeft het dan dat jou te vertellen? Je doodt me uiteindelijk toch. Je bent
echt niet van plan me vrij te laten. En al helemaal niet nu ik weet dat je
hier zit.'

Azim knikte. 'Uiteraard,' antwoordde hij. 'Jouw verscheiden is nu
onontkoombaar – dat weten we beiden maar al te goed. En laat me je

verzekeren dat jij over een paar uurtjes je overlijden gretiger zal verwelkomen dan je ooit een vrouw in je bed zal hebben verwelkomd. Voor mannen zoals wij is de dood niet zo angstaanjagend. Een eervolle dood – waar verlangt een krijger nu méér naar dan naar zó'n dood?'

Azim zweeg even, wendde zich van het bed af en liep naar de half openstaande deur, pakte een rieten mand en kwam toen naar Josh' bed terug. 'Maar er zijn talloze manieren om te sterven. Een eervolle dood op het slagveld. Overlijden in je eigen bed, met je vrouw en kinderen om je heen om afscheid van je te nemen. Zo'n soort dood valt wel mee. Maar dit zal heel iets anders worden. Dit wordt een smerige, ellendige, wrede dood, een dood vol angst, wanhoop, het gevoel mislukt te zijn, en afkeer van jezelf. Dat alles staat jou te wachten, Josh.'

Azim liep nog wat dichter naar het bed toe, terwijl de rieten mand in zijn hand heen en weer schommelde. Josh keek er aandachtig naar en probeerde te zien wat erin zat. De mand was vijfentwintig bij vijftig centimeter. Voldoende ruimte voor een heel arsenaal aan folterinstrumenten, besefte Josh grimmig. Messen, handboeien, duimschroeven. Het kon van alles zijn.

'Ik vraag het je nog één keer, Josh,' zei Azim. 'Vertel me waar Luke zit.'

'Ik weet het niet, verdómme!' schreeuwde Josh.

Hij klemde zijn tanden op elkaar. Doe je ogen dicht, zei hij tegen zichzelf. *Zorg ervoor dat jouw verbeelding je naar een beter oord brengt.*

Maar zijn ogen wílden niet dicht. Josh keek steeds angstiger toe hoe Azim de mand opende. Zijn hand gleed naar binnen en kwam het volgende moment weer tevoorschijn. Uit de stevige omklemming van zijn vuist stak de kop van een slang. 'Je houdt hier niet van, hè, Josh?' zei Azim, terwijl er een flauwe glimlach rond zijn lippen speelde.

Het reptiel had blijkbaar liggen slapen. Zijn nek werd stevig door Azims vuist omklemd en het overgrote deel van zijn lange, magere lichaam bevond zich nog in de mand. Het dier werd langzaam maar zeker wakker. Eerst ging er één heldergroen oog open, en even later het tweede. De huid van de slang was zwart, met groene en blauwe vlekken, en op de zijkant van de dikke, leerachtige huid bevonden zich ribbels. Zijn tong schoot uit zijn bek tevoorschijn, maar verdween weer toen het reptiel een oog dichtdeed.

'Wat is dát nou weer?' snauwde Josh.

'Dit is een zwarte ratelslang uit Arizona, ook bekend onder de wetenschappelijke naam *Crotalus cerberus*,' zei Azim.

'Hou dat ding uit mijn buurt!'

Azim glimlachte. 'Vertel me wat je weet, Josh. Dan zal ik dit beest weg-doen.'

'Ik heb het je al zo váák gezegd – ik weet helemaal níéts.'

Azim deed de slang terug in de mand en klapte in zijn handen. De vrouw kwam het vertrek weer binnen. Ze droeg nog steeds de sluier voor haar mond, maar Josh kon recht in haar kille bruine ogen kijken. Hij voelde hoe haar aanwezigheid hem uit zijn evenwicht bracht.

'Doe hem de handboeien om,' beval Azim.

Josh linkerhand was al aan het bed geketend, evenals zijn linkervoet. De vrouw kwam naar hem toe, met in haar hand een stel stalen hand-boeien. Ze ging naast Josh zitten en reikte langzaam naar zijn rechter-hand.

'Laat me met rust!' schreeuwde Josh.

In een fractie van een seconde had Azim een pistool van onder zijn gewaad tevoorschijn gegrist: een in Amerika gemaakte Mauser M2. Hij zette de korte, gedrongen loop van het wapen tegen Josh' oor en drukte koel en hard tegen zijn huid. 'Doe wat ze van je verlangt, Josh.'

'Schiet me maar dood, klootzak,' schreeuwde Josh, in wiens stem nu een begin van hysterie te horen was. 'Dan hebben we dát tenminste ge-had.' Het pistool werd nóg harder tegen zijn hoofd gezet. Hij voelde het staal tegen zijn schedel drukken. 'Hou je gemak,' fluisterde Azim. 'Laat haar rustig die handboeien bij je omdoen.'

Josh rolde opzij en trok met een ruk zijn hand bij de vrouw weg. Ze schoof boven op hem en ging met haar stevige dijen schrijlings op hem zitten. Hij voelde haar gewicht warm en plakkerig op zijn li-chaam, waardoor hij gedwongen werd roerloos te blijven liggen. Het pistool drukte nog steeds tegen zijn hoofd en Azims vinger was rond de trekker gekromd. De vrouw deed haar sluier heel even omhoog en spuwde hem in het gezicht. Een warme klodder speeksel kwam op zijn wang terecht. Toen Josh het spuug wilde wegvegen, kreeg ze zijn rech-terhand te pakken en slaagde erin de handboei om zijn pols te sluiten. Haar bewegingen waren snel en geoefend. Een fractie van een seconde later had ze de andere boei rond de beddenstijl gehaakt en was ook die dichtgeklikt. Josh kon geen kant meer uit. Beide handen waren aan het bed gekluisterd, en dat gold ook voor een van zijn voeten.

Ik kan me niet bewegen, besefte hij grimmig. Ik kan niet meer ont-snappen.

'Ongelovig varken,' sneerde de vrouw. Ze spuwde opnieuw, en deze keer belandde een kwak speeksel vlak naast Josh' oog. Haar adem stonk naar uien en suiker, en dat gold ook voor haar speeksel. Maar nu zijn beide handen waren geketend, zag Josh niet langer kans het weg te vegen.

De vrouw gleed van zijn borst af, deed een stapje achteruit en trok haar witte rok recht. Azim pakte de rieten mand en haalde de slang er weer uit. Het reptiel deed een oog open en keek loom het vertrek rond. Azim hield de kop van het dier stevig beet en zette het dier op het voeteneind van het bed.

'Ben je nou eindelijk van plan me te vertellen waar die Luke ergens uithangt?'

'Val dood.'

Azim haalde een dode muis uit zijn zak. Hij hield het beestje even bij de staart omhoog en legde het vervolgens op Josh' borst. Zo te zien was het al een dag of twee dood, besefte Josh. Het rook naar het riool waaruit het beestje waarschijnlijk afkomstig was. Hij zag hoe de slang zijn groene kraaloogjes al op het dode diertje richtte.

'Hij heeft trek,' zei Azim. 'En als hij eenmaal eet is er geen houden meer aan.'

Azim keek op Josh neer, en zijn gelaatsuitdrukking was er een van medeleven. 'Vertel het me.'

'Je kunt doodvallen.'

Azim boog zich over hem heen. In zijn rechterhand hield hij een dunne zwarte houten stok waarmee hij de slang op de rug tikte. Plotseling richtte het reptiel, zijn ogen vol woede, zijn blik op Josh.

Azim draaide zich om en liep naar de deur. 'Roep me maar als je er klaar voor bent. Ik zal naar je luisteren.'

Josh hoorde hoe de deur gesloten werd. Hij kon niet anders dan gebiologeerd naar de slang kijken. Het reptiel had zijn kop opgeheven en leek de lucht op te snuiven. Langzaam kwam het dier naar voren. Zijn kop gleed over Josh' been en vervolgens glibberde de rest van zijn ruim één meter lange lijf over hem heen.

Hij voelde hoe hij begon te rillen. Probeer jezelf een beetje onder controle te houden, man, beval hij zichzelf. *Als je angst toont, zet dit dier sowieso zijn tanden in je.*

De slang kwam dichterbij. Hij stopte ter hoogte van zijn kruis en besnuffelde een paar minuten lang de huid, waarbij het tongetje razendsnel zijn bek in en uit flitste. Toen bewoog het dier zich verder. De huid voelde aan als een rubberband: dik en vlezig, maar tegelijkertijd koel. Zijn ogen waren nog steeds op Josh gericht. In eerste instantie leek het enigszins bang te zijn, maar toen het dier merkte dat Josh geen aanstalten maakte zichzelf te verdedigen, groeide zijn zelfvertrouwen.

Die slang weet het, bedacht Josh. Hij weet dat ik me niet kan verroeren. *Hij lacht me uit.*

Het reptiel hield stil en snuffelde aan de muis. Zijn tong bewoog zich razendsnel over de huid van het diertje en likte aan het reeds enigszins in staat van ontbinding verkerende weefsel. Toen dreef hij zijn tanden diep in de muis, om er vervolgens verwoed aan te gaan rukken. Kleine stukjes huid vielen op Josh' borstkas en vermengden zich daar met het speeksel dat uit de open bek van de slang droop.

Josh voelde hoe zijn handen beefden. De angst nam langzaam maar zeker bezit van hem. Bijt me alsjeblieft niet, mompelde hij in zichzelf, en bleef die zin steeds weer herhalen. Alstublieft, God, laat hem me niet bijten.

Het beest stopte even en keek Josh aan. Toen snuffelde het aan zijn borstharen. Het tongetje schoot eroverheen.

Blijf bewegingloos liggen, man. Blijf doodstil liggen, misschien bijt hij je dan niet.

Zal ik Azim roepen? Nee, hield Josh zich voor, en hij omklemde de zijkant van het bed. Je kúnt Azim niet eens wat vertellen.

Dood me dan maar, het liefst met één enkele beet, dacht Josh, en hij keek de slang aan. En schiet alsjeblieft een beetje op.

De beweging kwam zo plotseling dat de snelheid ervan Josh volkomen in verwarring bracht. Het ene moment keek de slang hem nog sloom aan, alsof hij kalm zijn krachten probeerde in te schatten, en direct daarna zag hij zijn tong tevoorschijn komen en zijn kop naar beneden schieten, als een zeemeeuw die op zee op een vis neerdook.

De tanden voelden ijskoud aan toen ze in Josh' borst werden gedreven. De giftanden van de slang doorboorden moeiteloos zijn huid. Hij voelde ze in zijn vlees zinken. Vervolgens voelde hij de tong van het reptiel naar voren schieten. Een stekend gevoel leek zich dwars door hem heen te branden.

Gif.

De slang heeft me gebeten.

Josh voelde hoe er op zijn borst bloeddruppels opwelden. De slang draaide zich razendsnel om en liet zich kronkelend terug langs zijn benen glijden.

Josh begon zich al duizelig te voelen. Hij kon nauwelijks nog scherp zien. Hij voelde hoe zijn ledematen steeds stijver werden, terwijl zijn huid gevoelloos werd. Zijn lichaam koelde snel af, alsof de airconditioning was aangezet.

Duisternis. Josh probeerde zijn ogen open te doen, maar zijn oogleden weigerden dienst. Er zweefde een beeld door zijn hoofd. De brunette. En, naast haar, zag hij het kleine meisje. Paula, besefte Josh. De naam van de brunette was Paula. En het kleine meisje heette Emily. Hij hoorde haar lachen terwijl hij met haar speelde, en het geluid van haar kalme ademhaling terwijl hij haar in zijn armen in slaap wiegde.

Mijn dochter. *Ik heb een dochter.*

Die ik misschien nooit meer terug zal zien.

Het gif had hem nu duidelijk in zijn greep. Josh kon zijn ogen niet meer openen, terwijl hij zich ook niet meer kon bewegen. Zijn ademhaling werd steeds trager. Hij had de indruk dat er met enorme kracht tegen de zijkant van zijn hoofd werd gebeukt.

Blijf wakker, beval Josh zichzelf.

Maar hij voelde hoe zijn bewustzijn langzaam maar zeker weggleed. Toen de duisternis hem overweldigde, vroeg Josh zich af of dit nu doodgaan was.

18

Zondag 14 juni. 's Ochtends.

Josh had een barstende koppijn en kwam uit een peilloos diepe slaap langzaam bij bewustzijn. Hij opende voorzichtigheidshalve één oog, paste dat aan aan het felle licht dat op hem neerscheen, en deed toen de ander pas open. Ik had dood moeten zijn, bedacht hij. Dat verdomde vergif van die slang had mijn dood horen te zijn. Maar dan had die schoft van een Azim nooit enige informatie uit me kunnen krijgen, niet over Luke, en ook niet over andere zaken. Hij en die trut van een verpleegster – of wat ze ook mag zijn – moeten me zodra ik buiten westen ben geraakt met antiserum hebben volgepompt.

Hij zag hoe Azim op hem neerkeek, een glimlach rond zijn lippen.

'Goedemorgen, Josh,' zei hij innemend, hoewel de onoprechtheid ervan afdroop. 'Hartelijk welkom bij deze nieuwe dag in de hel.'

Josh trok aan zijn handboeien. Het metalen frame van het bed kraakte en kreunde toen hij er een paar keer hard aan rukte, maar het enige gevolg was, besefte hij, dat hij zichzelf verwondde. De twee paar handboeien die zijn armen op hun plaats hielden zaten nog steeds stevig vast, en dat gold ook voor de handboeien waarmee zijn voet geketend was. De metalen ringen rond zijn polsen en enkel sneden diep in zijn huid zodra hij ook maar éven probeerde zich los te wringen.

'Hou op je te verzetten, Josh,' zei Azim. 'En kom eens over de brug.'

Josh bleef zwijgen. Hij probeerde zijn gedachten op een rijtje te zetten, zich te herinneren waar hij was, wie hij was, en wat hij moest doen. Mijn naam is Josh Harding. Ik ben Brits militair. *En ik sta op het punt om voor mijn vaderland te sterven.*

'Als het op folteren aankomt, zijn de Amerikanen grote amateurs,' zei Azim. 'Flatner en zijn idioten begrepen er niets van. Net als die stommelingen in de Abu Ghraib in Irak. Alleen maar brute kracht, tot iets anders zijn ze niet in staat.'

Hij speelde met een smal glazen buisje dat hij onophoudelijk van de ene hand in de andere liet glijden. 'Maar folteren is een uiterst subtiele kunst, even subtiel als de kunst van het liefhebben, zou je kunnen zeggen. Je slachtoffer is als een vrouw. Je moet hem zover zien te krijgen dat hij bereid is al zijn geheimen prijs te geven, precies zoals je een vrouw zover moet zien te krijgen dat ze bereid is haar onschuld op te geven.'

'En als het slachtoffer nou eens niets weet?'

'Maar op een gegeven moment weet hij iets, Josh, zeker weten,' zei Azim. 'Je moet weten dat het geheugen van een mens een zeer delicate aangelegenheid is. De Arabische wereld heeft wat medicijnen betreft haar eigen tradities. In de Middeleeuwen waren de belangrijkste artsen allemaal Arabieren. Veel van hun wijsheid mag dan verloren zijn gegaan, maar er zijn nog steeds lessen die door de eeuwen heen van de ene generatie aan de andere zijn doorgegeven. En één daarvan betreft het geheugen.'

Jezus, dacht Josh. *Deze knaap probeert me zover te krijgen dat ik van pure verveling doodga.*

Azim hield het glazen buisje tussen zijn vingers omhoog. Josh zag in het buisje een lichtrode vloeistof zitten. 'Iemand kan van een geheugenstoornis herstellen door aandacht, gerichte behandeling en rust,' vervolgde Azim. 'Maar het geheugen kan ook terugkomen door pijn te lijden. Het zorgvuldig toepassen van pijn kan de zenuwen scherper en gevoeliger maken, totdat het brein uiteindelijk al zijn geheimen prijsgeeft. Neem van mij aan, als je maar graag genoeg dood wilt, komt dat geheugen vanzelf weer bij je boven.'

'Wat is dat?' wilde Josh weten, en hij knikte naar het buisje.

'Bloed, Josh. Jóúw bloed.'

Josh voelde hoe zijn maagspieren zich verstrakten.

'Toen je sliep hebben we een half litertje bij je afgetapt,' vervolgde Azim. 'En we zijn van plan nog een paar liter bij je af te nemen. Ons bloed is onze kracht. Jij bent militair, jij weet dat dat waar is. Zonder bloed zijn we niets, zijn we zwak. En zó wil ik je graag zien, Josh. Zwak.'

Azim gooide het buisje op de grond. Josh hoorde het glas breken en versplinteren. Hij zag hoe de rode vloeistof zich over de vloer verspreidde en er een dieprode vlek achterliet. Mijn eigen bloed, dacht hij ontsteld, maar ook gefascineerd.

'Kom op, vertel het me!' blafte Azim.

'Sodemieter op.'

'Zég het me!' schreeuwde Azim opnieuw, nóg harder deze keer.

Het kostte Josh moeite om te blijven zwijgen. Diep binnen in hem kookte hij van woede. Zijn hoofd tolde en hij kon niet scherp zien. Met mentale vingertoppen klampte hij zich uit alle macht vast aan de herinneringen die de vorige avond bij hem naar boven waren gekomen. Paula, mijn vrouw, of misschien wel mijn ex-vrouw. En Emily. Mijn dochtertje. Plotseling zag hij haar glimlach en hoorde hij haar even duidelijk schaterlachen alsof hij haar op dit moment in zijn armen had en knuffelde. Dat alles was het waard om te proberen dit te overleven – maar ook iets dat het waard was om voor te sterven, bedacht hij.

'Je bent een dwaas, Josh. Jij gaat het me eerst vertellen, en daarna zul je sterven. Maak het jezelf nou niet moeilijker dan noodzakelijk is.'

'Val dood!' schreeuwde Josh, die al zijn krachten had verzameld om de woorden zo hard mogelijk uit te stoten.

Josh probeerde uit te halen, probeerde wanhopig Azim te raken, maar de ketting waarmee hij aan het bed zat geketend sneed diep in zijn huid. Hij zag hoe Azim een witte zakdoek uit zijn zak haalde. Hij vouwde hem langzaam open, waardoor er drie pillen zichtbaar werden. 'Hier,' zei hij, terwijl hij zich naar Josh vooroverboog. 'Neem maar.'

'Wat zijn dat?'

'Twee aspirines en één warfarin,' antwoordde Azim.

Josh aarzelde. Aspirine was een pijnstiller, en warfarin was een geneesmiddel dat werd voorgeschreven aan hartpatiënten en andere mensen die een bloedverdunner nodig hadden. Jezus, besefte Josh, aspirines verdunnen het bloed ook, daarom worden ze aan hartpatiënten voorgeschreven. Als je na het nemen van die drie pillen een snijwond opliep, was het lichaam nooit meer in staat om een stolsel te vormen waardoor het bloeden zou ophouden. Het bloed loopt dan uit het lichaam alsof er een kraan is opengezet.

'Val dood!' beet Josh hem nogmaals toe. 'Als je zo graag wilt dat ik doodbloed, snij me dan gewoon open, klootzak!'

Hij keek op. De vrouw was de kamer weer binnengekomen en stond nu aan het voeteneind – met een injectienaald in haar hand. Ze stond vlak bij het bed en keek op Josh neer.

'Neem die pillen in, Josh,' zei Azim. 'Dat doet minder pijn dan die injectie, en het eindresultaat is hetzelfde. Je zult ongetwijfeld weten dat een antistollingsmiddel zowel door middel van een pilletje als via een injectie kan worden toegediend.'

'Hou haar uit mijn buurt!' schreeuwde Josh.

'Vertel me dan wat ik weten wil,' snauwde Azim hem toe.

Josh deed er het zwijgen toe.

'Dien hem de injectie maar toe,' zei Azim, en hij wierp een snelle blik in de richting van de vrouw.

De naald zonk in zijn dij neer. Josh probeerde zich eraan te ontworstelen, maar tegen de boeien rond zijn polsen en enkel kon hij niets uitrichten. De vrouw draaide met de naald in het rond, op zoek naar een ader, en drukte hem vervolgens snel leeg. De vloeistof verdween, en Josh stootte een kreet uit toen de naald ruw uit zijn lichaam werd getrokken.

'Ik geef je nog één kans,' zei Azim kil. 'Vertel me waar ik die Luke kan vinden.'

'Doe maar wat je niet laten kunt, klootzak!'

Azim haalde een mes uit zijn zak. Niets bijzonders. Een eenvoudig stalen keukenmes van een centimeter of twaalf lang, van het soort dat je gebruikt om uien te snijden. Maar dat deed er verder niet toe, bedacht Josh grimmig. Het zal ongetwijfeld voor zijn taak geschikt zijn.

'Bespaar ons alsjeblieft al deze ellende, Josh,' merkte Azim op.

Josh beet op zijn tong en bereidde zich voor op de pijn waarvan hij wist dat die onvermijdelijk zou komen. Azim boog zich van opzij over Josh' lichaam en bekeek hem zoals een slager naar een stuk vlees kijkt dat hij tot biefstuk moet versnijden. Hij hield het mes goed vast en stak het vervolgens in een snelle beweging in het bovenste gedeelte van Josh' schouder. Josh schreeuwde het uit van de pijn, en vrijwel onmiddellijk kwam er bloed uit de wond druppelen. Hij voelde zich steeds slaperiger worden; de injectie begon al te werken. Het bloed stroomde uit de wond en kleurde de lakens dieprood.

Josh sloot zijn ogen. Alle kracht stroomde uit hem weg, alsof hij elk moment dood kon gaan.

Josh werd uit zijn slaap gewekt door het geluid van de televisie. Hij opende zijn ogen en keek met knipperende ogen naar het scherm. Het nieuws. Een blonde vrouw bewoog haar mond en zei blijkbaar iets, maar het kostte Josh grote moeite zich te concentreren.

Nog meer bloed, besefte hij. Terwijl ik sliep hebben ze nog meer bloed bij me afgenomen. Mijn krachten zijn letterlijk uit me weggevloeid.

'Wederom een angstaanjagende Drie-stedenaanslag,' zei de nieuwslezeres op het televisiescherm.

Josh probeerde de rondtollende gedachten in zijn hoofd tot rust te brengen en zich te concentreren op datgene wat de vrouw zei. Een felle tl-lamp vulde het vertrek en het geluid van de televisie stond keihard. Zijn keel was kurkdroog, terwijl zijn ledematen verdoofd en gevoelloos waren. Hij had pijn in zijn buik van de honger.

'In een zo langzamerhand vertrouwd wordend patroon vonden er vandaag stroomstoringen plaats in Little Rock, Arkansas, in Birmingham, Alabama, en in Jersey City, New Jersey. In elk van deze steden viel precies om negen uur 's ochtends lokale tijd de stroom uit, een stroomstoring die in alle gevallen een uur duurde. De plaatselijke autoriteiten meldden grootschalige paniek, verwarring en chaos nadat het weg- en vliegverkeer stil kwam te liggen, terwijl scholen en ziekenhuizen hun deuren moesten sluiten. Maar na deze vierde aanslag – de derde in slechts een paar dagen tijd – beschikten de reddingsdiensten over goed voorbereide plannen om aan deze aanslagen het hoofd te bieden. Reeds enkele minuten na het uitvallen van de elektriciteit voerden manschappen van de Nationale Garde op straat patrouilles uit en zagen zo kans om te voorkomen dat er geplunderd zou worden, iets dat bij eerdere incidenten nogal eens plaatsvond. Toch kwamen er in Birmingham nog twee mensen om het leven toen een vrachtwagen zich in een kapsalon boorde nadat de chauffeur een waarschuwingsbord niet had opgemerkt. In Little Rock stierf een man op de operatietafel, toen tijdens zijn hartoperatie de stroom uitviel en het noodaggregaat van het ziekenhuis niet onmiddellijk aansloeg.'

Josh keek met samengeknepen ogen naar het scherm en probeerde de kloppende hoofdpijn die de binnenkant van zijn voorhoofd teisterde van zich af te schudden, terwijl op hetzelfde moment zijn centrale zenuwstelsel door vreselijke angsten overspoeld dreigde te worden. Opnieuw een aanslag, zei hij tegen zichzelf. Luke loopt blijkbaar nog steeds vrij rond. Maar wáár hangt die knaap verdomme ergens uit? *En waarom blijft hij hiermee doorgaan?*

'Na deze nieuwe aanslag raken steeds meer mensen ervan overtuigd dat dit het werk van terroristen is, mogelijk van Al-Qaeda,' vervolgde de nieuwslezeres. 'Een woordvoerder van het Pentagon zei eerder vandaag dat ondanks eerdere ontkenningen, thans ernstig rekening wordt gehouden met de mogelijkheid dat terroristen een manier hebben ontwikkeld om in te grijpen in het functioneren van elektriciteitscentrales. We schakelen nu live over naar onze correspondent in het Pentagon, Ken Flagstaff. Ken, wat is het laatste nieuws dat jij ons kunt melden?'

Azim schakelde de televisie uit. Hij stond over het bed gebogen en keek met een gelaatsuitdrukking waarop een mengeling van medelijden en verachting te zien was op Josh neer. 'We hoeven niet naar de een of andere slap kletsende verslaggever die zich voor het Pentagon heeft geposteerd te luisteren, hè, Josh? Wij weten wie verantwoordelijk is voor deze stroomstoringen. Het enige wat we graag nog willen weten, is waar we die knaap kunnen vínden.'

Josh keek naar het lege tv-scherm, en toen naar Azim. Hij voelde de angst opnieuw in zich omhoogkomen, en dat besef maakte dat hij van zichzelf walgde. Hij had al zoveel verschillende emoties in zijn leven ondergaan: wanhoop, woede, verwarring, razernij – ze vormden allemaal onderdeel van datgene wat een soldaat op het slagveld kon verwachten.

Maar verachtelijke, laffe angst? Ik had altijd gehoopt dat ik me daartegen zou kunnen verzetten.

'Dus waar hangt die knaap ergens uit, Josh?'

Josh schudde zijn hoofd. 'Ik heb je al zo vaak gezegd dat ik dat niet weet.'

Azim klapte in zijn handen. Enkele ogenblikken later kwam de vrouw het vertrek weer binnen. Ze was nog steeds geheel in het wit gekleed, en ze had zoals altijd een sluier voor haar mond, alsof ze weigerde de lucht in te ademen van het vertrek waarin Josh had geslapen. Haar bruine ogen richtten zich kil op de plaats waar hij lag, en Josh had het gevoel dat ze ervan genoot: toen ze traag op hem af kwam meende hij een spoor van sadistisch plezier in haar ogen te zien.

Ze had een rieten mand bij zich. In de stilte die in het vertrek hing hoorde hij iets ritselen.

Alstublieft, God, niet wéér een slang.

'Eerst worden we geconfronteerd met J-O-S-H. Daarna met het woord H-E-L-P.' Azim zweeg even. 'En nu krijgen we de boodschap L-B-J. Wat zou dat kunnen betekenen, Josh?'

Hij haalde zijn schouders op. 'Lyndon B. Johnson. Een Amerikaanse president ten tijde van de Vietnamoorlog.'

Azim schudde zijn hoofd. 'Ik denk het niet. Tenzij het als de een of andere aanwijzing is bedoeld. Ik denk dat het een boodschap is. Hij vraagt jou om hulp, om je vervolgens te vertellen waar je hem kunt vinden. Ik denk dat de letters L, B en J iets betekenen. Of in díé volgorde, of in een willekeurig andere. Maar het is als een soort boodschap bedoeld. Dus, waar zit die knaap ergens, Josh?'

'Ik weet het niet; dat héb ik je al gezegd.'

De vrouw kwam nog een stapje dichterbij en Josh meende de slang in haar mand al te kunnen ruiken.

'Vertel het me, Josh,' zei Azim, die steeds nadrukkelijker begon te spreken. 'Vertel het me en ik zal je laten sterven als een man.'

'Ik wéét het niet!' schreeuwde Josh. 'Dat heb ik je verdomme al duizend keer gezegd!'

Azim klapte opnieuw in zijn handen. Zwijgend maakte de vrouw de mand open. De kop van een slang schoot tevoorschijn. Zijn bleke groene ogen flitsten hongerig door het vertrek. Het dier was minimaal een meter lang, en het had zwarte, rode en ivoorwitte banden rond het lichaam, terwijl het nu met gespannen nekspieren zijn blik op Josh liet rusten. Uit zijn opgewonden gekronkel kon Josh opmaken dat het dier stierf van de honger. Misschien dat het al een paar dagen lang niets te eten had gekregen, besefte hij terwijl hij de angst steeds verder voelde aanzwellen. *Die knaap zet z'n tanden in alles om zich heen.*

Azim tikte met zijn dunne stok op Josh' borstkas. 'We blíjven dit doen totdat je het me vertelt,' merkte hij toonloos op.

'Als ik het wist zou ik het je vertellen,' riep Josh. 'Maar hou dat klotebeest uit m'n buurt.'

'De pijn zal herinneringen bij je losmaken, Josh. Als je écht graag dood wilt, zeg het me dan.'

'Haal die slang bij me vandaan. Alsjeblieft, als-je-blíéft!'

Josh hoorde zichzelf jammeren – en haatte zichzelf erom. Hij dwong zichzelf sterk te zijn, maar alle kracht vloeide uit hem weg. Nog één dag, misschien twee, hoogstens drie. *Ik begin langzaam maar zeker te breken. Ik voel het.*

'Eén enkele kogel, Josh, dan komt aan dit alles een eind,' zei Azim. 'Vertel me wat ik wil weten.'

Josh bleef zwijgen en balde zijn vuisten. Een ander oord, hield hij zichzelf voor. *Probeer jezelf naar een andere plek mee te nemen.*

'Laat maar los,' zei Azim kwaad, hij maakte rechtsomkeert en liep de kamer uit.

De vrouw zette de geopende mand aan het voeteneind. De slang glibberde eruit tevoorschijn, gleed vervolgens met zijn lange lijf over de lakens en wreef zich tegen Josh' lichaam. Het dier bewoog zich kronkelend naar hem toe.

Josh schreeuwde, een ijselijke kreet die het kleine vertrek geheel leek te vullen.

De slang hield halt en keek naar Josh, aanvankelijk verrast, toen nieuwsgierig. Hij sloeg met zijn staart ontstemd tegen de huid van Josh' dij. Daarna begon het reptiel aan zijn borst te snuffelen.

Ik weet het, flitste het door Josh heen, plotseling doodsbenauwd door hetgeen net tot hem was doorgedrongen. Ik weet wat L, B en J betekent. *En ik weet waar ik Luke kan vinden.*

Josh rolde op zijn zij. De plek op zijn borst waar de slang hem had gebeten deed vreselijke pijn. Hij keek omlaag en zag de plek waar de slang zijn giftanden diep in zijn huid had gedreven en zag ook de plek waar zijn eigen bloed op de witte lakens was gedruppeld.

Hij probeerde te ontdekken of de slang ergens op de vloer van het vertrek lag, voldaan en in slaap gevallen. Maar hij kon geen spoor van het reptiel ontdekken.

Hij lag nu een uur wakker. De tl-buizen aan het plafond schenen fel op hem neer. Hij had geen flauw benul van de tijd meer. En ook niet welke dag het was. De schaal met vruchten was weggehaald, net als het water. Zijn lichaam voelde zwak en uitgeput aan. Josh had geen idee hoe het was om te sterven, maar hij zou het niet vreemd vinden als het hier erg veel op leek.

Josh herinnerde zich nog hoe de slang zijn tanden in zijn borst had gezet. Hij kon zich ook nog herinneren hoe hij na de golven angst, pijn en walging het bewustzijn had verloren. En hij kon zich nog iets anders herinneren: een serie herinneringen die bij hem boven was gekomen vlak voordat hij bewusteloos was geraakt. Josh kon onmogelijk zeggen of die herinneringen waren losgemaakt door het bloedverlies of door het slangengif.

Maar hij probeerde zich eraan vast te houden. *Die herinneringen zouden wel eens de draad kunnen zijn waaraan je leven momenteel hangt.*

Josh deed zijn uiterste best zich te concentreren, om de onderdelen van het verhaal langzaam maar zeker weer in elkaar te zetten. Die initialen betekenden iets. L, B en J vormden een code, een groep letters die hij en Luke met elkaar hadden afgesproken. Hij kon zich de precieze tijd en plaats niet meer herinneren, maar hij zag het beeld even duidelijk voor zich alsof het op de tv tegenover hem werd vertoond. Hij en Luke zaten ergens in de bergen. Achter hen bevonden zich rotsen en grote blokken steen, terwijl zich beneden hen een met struikgewas begroeid gebied uitstrekte. Naast hen brandde een bescheiden kampvuur, dat, afgezien van de sterren en de maan die aan de hemel stonden, voor het enige licht zorgde. Luke had een laptop op zijn knieën. Het apparaat was verbonden aan een autoaccu die naast hem op de grond stond. Ze hadden het over iets, hoewel Josh niet alle woorden helemaal begreep. Hij zag Lukes lippen bewegen, maar hij kon niet elk woord verstaan. Woord voor woord begon Josh datgene wat ze hadden afgesproken met elkaar in verbinding te brengen. Als ze de komende vierentwintig uur van elkaar gescheiden zouden raken, zou Luke contact zoeken met Josh door in drie verschillende steden de stroomvoorziening uit te schakelen. De beginletters van die steden zouden als code dienen: als je die code hanteerde zou je de GPS-coördinaten krijgen van de plek waar de ander zich verborgen hield. L, B en J waren de letters. Het enige dat Josh nodig had was een GPS-apparaat – GPS stond voor global positioning system, een systeem waarmee je uiterst nauwkeurig je plaats kon bepalen. Zo'n ding kon je voor een paar dollar kopen in elke willekeurige elektronicazaak, en dat apparaatje zou hem vertellen waar Luke was.

Ik weet het, besefte hij. *Ik weet waar Luke is.*

Josh, help. L, B en J.

Maar welke hulp zou ik hem nu, onder deze omstandigheden, kunnen bieden?

Het beste waarop ik kan hopen is een snelle dood zonder Lukes schuilplaats te verraden.

Josh lag bewegingloos in bed. De handboeien hielden nog steeds zijn twee handen en een voet op hun plaats, en hij was opgehouden te proberen of er beweging in zat. De komende paar uren – misschien wel dagen – zouden de moeilijkste van zijn leven worden, besefte hij. Zolang zijn geheugen aan flarden was geschoten, was het voor hem mogelijk geweest alle folteringen te weerstaan. Daarom sturen commandanten hun mannen altijd het veld in met een minimum aan informatie. Daarom organiseren terroristen zich altijd in kleine cellen, zonder contact tussen de verschillende groepen, zelfs niet in dezelfde stad. Je kunt geen geheimen onthullen als je niets weet, wát ze je ook aandoen.

Maar nú weet ik het. En tegelijkertijd zullen ze proberen deze informatie uit me te persen. Uiteindelijk zal de wilskracht van zelfs de sterkste man het begeven. *Het is slechts een kwestie van zoeken naar het breekpunt.*

Josh zette zich schrap. Op een gegeven moment zou Azim terugkeren. En dat gold ook voor de vrouw. Ze zouden ongetwijfeld weer slangen bij zich hebben. Of misschien iets dat nog veel angstaanjagender was. Ik kan alleen maar hopen dat ik hem kan provoceren, dacht hij grimmig. Ik moet hem op stang zien te jagen. Ik moet hen het bloed zodanig onder de nagels vandaan halen dat ze een fout maken.

Ik moet hen buiten zinnen maken. Zodat ze me zullen doden.

Josh voelde de stilte om zich heen. Hij wilde helemaal niet sterven, dat besefte hij maar al te goed. De afgelopen dagen waren er voldoende herinneringen bij hem bovengekomen om te weten dat er thuis nog een leven op hem wachtte. Paula bijvoorbeeld. Hij vermoedde dat ze uit elkaar waren, maar ze was nog steeds de mooiste vrouw die hij ooit had gezien. Misschien dat ze ooit weer eens bij elkaar zouden komen. En dan was er Kate nog. Hij wist nog steeds niet of ze kans had gezien om aan Flatner en zijn handlangers te ontsnappen. Als ze het gered had, zou er, als het hem lukte hier weg te komen, misschien nog iets moois tussen hen beiden kunnen groeien. En boven alles was daar

Emily nog. Een klein meisje met het uiterlijk van een engel. Emily, mijn dochter. Wat er ook gebeurt, ik moet handelen op een manier dat ze in elk geval nog trots op mijn nagedachtenis kan zijn.

Ik vind het niet erg om te sterven, als het dan toch moet. Zolang het maar een wáárdige dood is.

De deur werd opengeduwd. Een van de scharnieren piepte – die moest nodig eens geolied worden – en Josh had geleerd bang te zijn voor dat geluid. Hij keek op. De vrouw gleed geluidloos het vertrek binnen. De afgelopen paar dagen had Josh haar leren herkennen aan het sterke aroma dat ze verspreidde: een mengsel van uien, goedkoop parfum en ontsmettingsmiddel. Zijn maag draaide zich, zodra hij die onaangename geur opving, binnen de kortste keren om. Hij zag een lange injectienaald in haar hand, waarvan het metalen uiteinde fonkelde in het schijnsel van de tl-buizen. Mijn bloed, besefte Josh. Ze komen nog meer bloed bij me weghalen.

Hij lag volkomen bewegingloos. Azim bezat een kille intelligentie die Josh alleen maar kon respecteren. De vrouw was aanzienlijk opvliegender. Haar ogen waren gevuld met woede en minachting. De toorn die in haar woedde maakte haar extra kwetsbaar. Als ze werd geprovoceerd, zou ze hem wel eens naar de keel kunnen vliegen.

Van dit tweetal zal zíj waarschijnlijk geneigd zijn als eerste de fout in te gaan. Zíj is degene die me misschien in een vlaag van woede zal doden.

Ze boog zich over hem heen en keek naar zijn huid. Josh hield zijn ogen dicht en volgde haar bewegingen aan de hand van haar onwelriekende adem. Ze denkt dat ik slaap, hield hij zich voor. Hij voelde de naald in zijn schouder dringen. Het metalen uiteinde was dik, en Josh voelde zijn zenuwen toen de naald de huid doorboorde en zijn weg zocht naar een ader. Nú, zei hij tegen zichzelf. Sla toe.

Met alle kracht waarover hij beschikte kwam Josh met een ruk omhoog. 'Blijf met je poten van me af, stomme rotteef!' schreeuwde hij.

De vrouw keek hem verbijsterd aan, alsof Josh net uit zijn graf was opgerezen. De injectienaald viel uit haar hand en kletterde tegen de vloer. Een ogenblik lang verstijfde ze, was ze niet in staat zich te bewegen. Josh kwam ondanks zijn boeien nog wat verder omhoog, negeerde de pijn van de ketens die diep in zijn polsen beten. 'Maak me los, teringwijf!' schreeuwde hij. 'Maak me los, vóór ik je vermoord!'

De vrouw gaf hem een harde klap in het gezicht.

'*Kanith, kanith!*' schold Josh.

Ik mag in mijn tijd als militair dan niet veel Arabisch hebben geleerd. *Maar ik heb wél het woord voor '*stomme trut*' geleerd.*

Hij voelde hoe ze met haar volle handpalm keihard in aanraking met zijn wang kwam, en het weefsel eronder begon onmiddellijk op te zwellen. 'Ga terug naar je kameel, rotwijf!' schreeuwde Josh.

Hij spuwde omhoog, recht in haar gezicht, en een grote fluim speeksel belandde in een van haar ogen.

Ze sloeg hem opnieuw, en nóg een keer, want ze werd nu met de seconde woedender. De slagen regenden op Josh' lichaam neer en hij voelde hoe zijn krachten onder de bestraffing uit hem wegebden. De sluier was voor haar mond en neus verdwenen en hij zag nu voor het eerst haar hele gezicht: ze had onaangename, zure gelaatstrekken – dunne, opeengeklemde lippen en een zware, meedogenloze kaakpartij.

Dit is het, dacht Josh. Nu is het met me gebeurd. Maar in elk geval neem ik mijn geheim met me mee…

Azin kwam het vertrek binnengerend. Hij greep de vrouw bij de schouders en rukte haar naar achteren. 'Stop daarmee, Nadia, uit naam van alles wat ons heilig is, stop daarmee!' schreeuwde hij. 'Je doodt de man nog. Je maakt hem nog dood!'

De vrouw verzette zich tegen Azim en bleef proberen Josh met haar vuisten te bewerken. Het lukte haar opnieuw hem vol in het gezicht te raken, en vervolgens op zijn ribben. De pijnscheuten joegen door Josh' lichaam. Ik heb niet gegeten, ik heb niet gedronken, ik heb geen enkel uithoudingsvermogen meer. Als ik nu het bewustzijn verlies, word ik nooit meer wakker.

'En nú hou je daarmee op!' bulderde Azim, en hij sloeg zijn armen om haar heen in een poging haar onder controle te krijgen.

'Hij heeft me beledigd!' stootte ze witheet van woede uit. 'Hij moet dood!'

Azim liet los en gaf haar een harde klap in het gezicht. Uit een van haar neusgaten sijpelden een paar druppels bloed. 'Kalmeer een beetje,' zei Azim. 'Beheers je.'

Haar ademhaling werd wat rustiger en ze liet haar vuisten langs haar lichaam vallen. Er liep een traan langs haar wang naar beneden.

Josh lag nog steeds op zijn rug. Elke centimeter van zijn lichaam krijste het uit van de pijn. De zere plekken en zwellingen op zijn borst werden langzaam maar zeker blauw en hij kon nog steeds de inkepingen zien waar hij door de twee slangen was gebeten. Ik leef nog, zei hij grimmig tegen zichzelf. Het lukt me niet eens om mezelf van kant te laten maken.

Maar een volgende ronde met een slang overleef ik niet.

Azim draaide zich naar hem om en glimlachte. 'Slim, Josh, heel slim,' zei hij. 'Jij wilt dat we je doden. En dat zal ook zeker gebeuren, maak je maar geen zorgen. Een simpele, keurige kogel recht in het hoofd. Maar niet voor je ons hebt verteld waar we Luke kunnen vinden.'

Nog één, hoogstens twee dagen. Zolang moet ik proberen het nog uit te houden. Luke heeft me een boodschap gestuurd, maar als ik niet binnen twee, drie dagen reageer, zal hij beseffen dat er iets verkeerd is gegaan. Dan zal hij ongetwijfeld begrijpen dat hij verder moet trekken. Dat hij vooral niet op me moet wachten.

Probeer deze folteringen nog achtenveertig uur vol te houden. Dan kun je het ze vertellen. *En laat er dan in godsnaam een einde aan komen – met een simpele, keurige kogel door mijn hoofd.*

'Haal de slang,' snauwde Azim.

De vrouw bukte zich om haar sluier van de vloer te pakken. Ze bracht hem weer voor haar gezicht aan en beende toen het vertrek uit.

'Die slangen halen niets uit,' merkte Josh op. 'Heb je niets anders?'

Azim wreef in zijn handen. 'Een foltering is geen lopend buffet,' reageerde hij. 'Dat is de ellende altijd met ongelovigen. Ze beschikken over een uiterst korte spanningsboog. Als er niet onmiddellijk resultaten worden geboekt verliezen ze hun belangstelling. Maar een professionele folteraar gaat zo niet te werk. Hij gaat op zoek naar het zwakste punt van zijn slachtoffer en schraapt daar net zo lang overheen tot de stress en de pijn niet meer te verdragen zijn.'

Hij boog zich naar voren tot zijn gezicht zich een centimeter of tien boven dat van Josh bevond. 'Want weet je, ik heb het gekrijs heus wel gehoord, hoor, Josh. Ik heb het gekreun en gegil toen de reptielen hun tanden in je vlees dreven wel degelijk gehoord. En ik weet heus wel dat slangen jouw zwakke punt vormen.'

De vrouw was het vertrek weer binnengekomen, de rieten mand in de hand.

'Alsjeblieft, nee!' zei Josh, en hij voelde hoe de angst zich van hem meester dreigde te maken. 'Ik heb jullie al gezegd dat ik niets weet.'

De vrouw maakte het deksel van de mand los en de slang die erin zat schoot naar buiten: deze keer was het een reptiel met gele ogen en een huid die matzwart was. Josh voelde hoe hij terugdeinsde: elke spier en zenuw in zijn lichaam schreeuwde het uit van de pijn, smeekte hem het op te geven, om te vertellen waar men Luke kon vinden.

Josh sloot zijn ogen, maar de wanhoop begon hem langzaam maar zeker te overweldigen.

'Luke, Luke…' begon hij.

Azim draaide zich om en keek hem aan, met een blik die brandde van nieuwsgierigheid.

'Ja, Josh? Wat is er met Luke?'

'Luke, Luke…'

Josh zelf was ook verrast door de woorden; ze tuimelden over zijn lippen alsof hij zijn eigen tong niet meer onder controle had. De slang kwam langzaam langs de rand van zijn bed naar voren en liet zijn ogen van links naar rechts schieten. Er bungelde al een dode muis tussen Azims vingers, klaar om boven op Josh' borstkas gelegd te worden.

'Wat ís er met Luke? Waar is hij?'

'L, B en J,' mompelde Josh. 'Het betekent… je moet… ik…'

Néé, schreeuwde hij geluidloos. Néé, hou vol, man. Als Al-Qaeda deze software in handen krijgt, helpen ze de hele wereld de vernieling in.

Je moet proberen het nog minstens achtenveertig uur vol te houden.

Incasseer die afstraffing. Je bent verdomme militair.

'Wát betekent het?' schreeuwde Azim.

'Val dood,' beet Josh hem toe. Hij voelde hoe zich, nu hij zijn stem weer onder controle had, een opluchting van hem meester maakte. 'Val dood!' snauwde hij opnieuw.

'De slangen zullen je aan flarden scheuren, Josh!' schreeuwde Azim. 'Vertél het me, verdomme!'

Josh klemde zijn lippen op elkaar.

Azim draaide zich om en liep met grote passen het vertrek uit. 'Je zúlt breken, Josh,' zei hij kil toen hij de gang op liep. 'Ik ruik het. Langzaam maar zeker breek je. En over een paar minuten ben je helemaal van mij.'

De slang glibberde langs Josh' been, zijn tong voortdurend naar buiten schietend. Josh voelde hoe het zweet hem uitbrak, maar hij zette zich schrap voor de aanval van het reptiel, een aanval die ongetwijfeld zou komen.

Ergens in de verte hoorde Josh een explosie. En geweervuur.

19

Zondag 14 juni. 's Avonds.

De explosie had op vijftig, misschien honderd meter afstand geklonken, schatte Josh.

De slang was op weg naar zijn hals, en de droge huid van het dier schuurde langs zijn borst. Het lukte Josh het dier te negeren, aangezien hij op nieuwe explosies, nieuw geweervuur lag te wachten. Hij hoorde het geluid van rennende voetstappen door de gang.

Een reddingsactie. Alstublieft, God, laat het een reddingsactie zijn.

Het volgende moment stormde Azim het vertrek binnen, op de voet gevolgd door de vrouw. 'Maak hem los!' schreeuwde hij. 'Breng hem naar de auto. Ik zal proberen ze nog een tijdje tegen te houden!'

De vrouw boog zich over Josh heen en maakte razendsnel de twee paar handboeien los. In één vloeiende handbeweging sloeg ze de slang tegen de zijkant van zijn kop, waardoor het dier met een klap op de grond terechtkwam. Direct daarna maakte ze zijn enkel los. Ze had een Colt .45 in haar hand, maar het lukte haar Josh van het bed te trekken en overeind te zetten. Het pistool hield ze tegen zijn hoofd gedrukt, terwijl zijn enige bescherming bestond uit een boxershort.

'Eén verkeerde beweging en ik schiet je dwars door je hoofd,' beet ze hem toe.

Josh voelde hoe de adrenaline door zijn aderen kolkte. Een paar minuten geleden was hij bereid geweest om te sterven. Nu had hij weer een kansje dit alles te overleven.

Blijf kalm, zei hij tegen zichzelf. Probeer helder na te denken. *Je hebt een kans.*

Azim had de kamerdeur open laten staan. Ergens in de verte hoorde

Josh opnieuw een salvo. Zo te horen een machinegeweer, besefte hij. Hij stond onzeker op zijn voeten. Het was al twee dagen geleden dat hij voor het laatst had mogen lopen en zijn lichaam had een vreselijke opdonder gehad. Hij zag nauwelijks kans zijn evenwicht te bewaren en om overeind te blijven had hij de steun van de vrouw nodig.

'Lopen!' schreeuwde ze, naar de deur wijzend. 'Lopen!'

Josh schuifelde behoedzaam in de richting van de deur.

'Sneller!' krijste ze. 'Lopen, *kwanii*, lópen!'

Josh ving de Arabische uitdrukking op. Die kende hij. *Ze noemt me een flikker.*

In de gang stond nog een andere man. Een bewaker, vermoedde Josh. Hij richtte eenzelfde soort Colt op Josh als de vrouw in haar hand hield en gebaarde naar het einde van de gang. Plotseling kon hij zich enigszins oriënteren. Dit bouwsel was een eenvoudige bungalow. Eén centrale middengang, met helemaal aan het einde daarvan het vertrek waar hij was vastgehouden. Hij zag een woonkamer en een keuken aan de voorkant, en door een deur ving hij een glimp op van een donker stuk gazon dat direct aan de weg grensde.

Het geweervuur leek van de voorzijde van het huis te komen, maar te midden van het geluid van al deze schoten kon Josh onmogelijk bepalen uit welke richting dat precies kwam.

Josh zag een tweede bewaker samen met Azim naar de voorkant van de bungalow rennen. Beide bewakers – jonge mannen nog – waren onmiskenbaar van Arabische afkomst, met een korte, gedrongen bouw en gekleed in spijkerbroek en een zwart T-shirt, een en al spieren, en met een korte zwarte baard.

'Deze kant uit, híerheen!' beet de eerste bewaker Josh toe, en hij duwde hem door de gang naar de achterzijde van het huis.

Ik moet nu niet al te lang meer wachten om in actie te komen, besefte Josh. *En als ik bij die poging de pijp uitga, dan is dat iets waar ik al een hele tijd om gesmeekt heb.*

Josh had het idee dat hij Azims plan al had doorzien. De terrorist was van plan zijn tegenstanders nog een paar minuten tegen te houden, zodat ze nog net tijd zouden hebben Josh in een bestelbusje te laden en ervandoor te gaan. Op weg naar een ander onderduikadres.

Ze passeerden een venster en Josh wierp een snelle blik naar buiten. In de avondschemering meende hij op z'n minst drie mannen te zien die gebukt achter wat rotsen in het met struikgewas begroeide terrein zaten. Ze waren minstens een meter of dertig van hem verwijderd. Ze hadden hun gezichten onherkenbaar gemaakt, maar hij zag wel de lopen van hun geweren. Aan het eind van de gang hadden Azim en een bewaker zich achter de metalen deurpost opgesteld die ze als dekking gebruikten, hun wapens in de aanslag.

Azim legde een verspreid vallende barrage die het de aanvallers onmogelijk maakte verder op te rukken.

Duidelijk een impasse, dacht Josh.

'Sneller, sneller!' schreeuwde de vrouw, die buiten adem leek te zijn.

Zowel de bewaker als de vrouw ramde hun pistool hard tegen Josh' huid. Een vreselijke gedachte schoot door hem heen, waardoor hij onmiddellijk langzamer ging lopen. Misschien word ik helemaal niet gered. Misschien zijn dit Flatner en zijn trawanten wel, die me komen terughalen.

Misschien ben ik beter af als ik er nu vandoor probeer te gaan, en het risico neem dat ze me neerschieten.

De vrouw schoof hem door de achterdeur naar buiten. Vrijwel ogenblikkelijk voelde Josh hoe hij door een stoot warme lucht vol in het gezicht werd getroffen. Hij kon niet scherp meer zien. Hij bleef even staan en haalde twee keer diep adem.

De achterkant van het huis kwam uit op een vierkant terrein dat min of meer door rotsblokken was afgezet, en niet door een gewone afrastering. Een geasfalteerde oprit liep rond het gebouw en eindigde hier, op een parkeerterreintje dat zich een meter of tien van de achterdeur bevond.

Op de parkeerplaats stond een witte bestelbus. De vrouw wees ernaar. 'Díe kant uit,' beet ze Josh toe. 'De auto in.'

Josh kwam in beweging. De vrouw greep hem bij zijn arm, en een eindje voor hem uit had de bewaker de deur van de bestelbus al opengeschoven en gebaarde nu dat Josh snel in moest stappen. Op de laadvloer van de vrachtruimte lag een dunne matras, terwijl er ook kettingen, touwen en handboeien aan de vloer waren bevestigd. Grandioos, dacht Josh. *Dit lijkt verdomme wel een rijdende folterkamer.*

'Stap nou ín, man,' snauwde de bewaker in een accent dat deels Amerikaans en deels Arabisch klonk.

Nee, besloot Josh. Ik stap helemaal niet in, jongen. *Als je wilt kun je me neerschieten, maar ik stap deze wagen níét in.*

Hij haalde met zijn elleboog scherp naar achteren uit, schuin omhoog, en ramde hem tegen de onderkaak van de vrouw. Het was een beweging die hij voor het eerst had geleerd tijdens de training van het schoolrugbyteam, toen hij verdediger was geweest, en hij bleef het een erg effectieve stoot vinden. De vrouw draaide om haar as, geschrokken van de plotselinge pijn die door haar gezicht golfde, en hield het pistool nog maar losjes vast.

Een oorverdovende klap steeg op uit de binnenplaats, die onmiddellijk gevuld werd met de rook van een explosie. Een verdovingsgranaat, vermoedde Josh. Of een of andere zelfgemaakte mortiergranaat. Hij deed zijn ogen en mond dicht om zichzelf te beschermen. Hij voelde de hitte van iets dat brandde en probeerde zo snel mogelijk bij de bron van die warmte weg te rennen.

'Blijf staan of ik schiet!' schreeuwde de bewaker met schorre, gespannen stem.

Je gaat je gang maar, jongen. Hoe eerder mijn begrafenis, hoe beter.

Josh bleef rennen, zijn ogen nog steeds stijf dichtgeknepen, en sprintte half struikelend naar voren. Hij wilde naar de voorkant van het huis ontsnappen, naar de plek waar de aanvallers zich bevonden.

Hij hoorde een schot, en toen nóg een.

Ergens vlakbij hoorde hij een kogel in de grond slaan.

'Snel, deze kant uit, man!' klonk een afgemeten stem. 'Rénnen verdomme, man.'

Josh herkende het schorre stemgeluid. O'Brien.

Josh draaide naar links. Hij hoorde nog een schot. De bewaker schoot in het wilde weg.

Josh bleef doorrennen en won steeds meer snelheid. Hij probeerde zo goed en zo kwaad mogelijk de pijn te onderdrukken.

Dood of vrij, jongen, riep hij inwendig terwijl hij zichzelf dwong dóór te blijven lopen. *Beide is een stuk beter dan terug te moeten naar die hel.*

'Hier, deze kant uit!' schreeuwde O'Brien ergens links van Josh.

Nog een explosie. Iemand legde een zware barrage van verdovingsgranaten en rookbommen. Reddingstactieken, besefte Josh. Breng voldoende vuur uit en zorg voor voldoende verwarring om je mannetje eruit te krijgen zonder dat hij daarbij de pijp uit gaat. *Deze knapen weten precies waarmee ze bezig zijn.*

De lucht zat vol zwaveldampen. Josh zwenkte meer naar links, ontweek zo de explosies en liet zich leiden door de dodelijke hitte achter hem en het lawaai vóór hem.

'Springen, man, spríngen!' schreeuwde O'Brien. 'Tegen die richel aan!'

Josh keek op. De richel rechts van het terrein dat de bungalow omringde was nog maar een meter of tien van hem verwijderd. Daar liep de grond snel omhoog en vormde direct daarna een manshoge richel. Hij zou er in volle vaart tegenaan moeten lopen en dan een sprong nemen. Een andere manier was er niet.

Tien meter, toen vijf. Ondanks de pijngolven die door hem heen denderden deed Josh zijn uiterste best om zoveel mogelijk snelheid te maken. Toen sprong hij, zette zich met zijn voeten af in een poging zo hoog mogelijk te komen. Een ogenblik lang vloog hij door de lucht, en kwam toen hard op de grond neer. Hij deed zijn ogen open. O'Brien zat op één knie in de klassieke afvuurpositie in een soort greppel, met een XM8 aanvalsgeweer – een wapen dat in beperkte mate door de Amerikaanse strijdkrachten werd gebruikt, terwijl een handjevol ervan in criminele kringen circuleerde – tegen zijn schouder aan gedrukt. Het wapen had een opvallende bruine kunststof systeemkast en een zwartstalen loop, en je kon er 750 schoten per minuut mee afvuren, waarmee een dodelijk spervuur kon worden afgegeven.

Er kwam een hand omhoog die Josh naar beneden trok, achter de aarden wal die O'Brien als dekking gebruikte. 'Alles oké met je?' riep O'Brien hem toe, en hij maakte vervolgens aanstalten overeind te komen.

Er klonk een schot. Enkele bloedspetters kwamen op Josh' borst terecht en vormden vegen op zijn geteisterde huid. Een ogenblik lang dacht hij dat hij geraakt was. Hij wachtte tot de pijn tot hem door zou dringen, maar toen zag hij hoe O'Brien door zijn knieën zakte. Uit een hoofdwond kolkte bloed en van zijn lippen steeg een deerniswekkend gejammer op. De man stond op het punt te sterven, besefte Josh. Hij had nog maar enkele seconden te leven. Het was zelfs zinloos hem alsnog uit zijn lijden te verlossen.

Josh keek wanhopig om zich heen. Waar kwam dat schot verdomme vandaan? vroeg hij zich af. Hij bevond zich nu achter een aarden richel van waaruit hij op de bungalow uitkeek. Het bestelbusje waar de bewaker hem in had willen duwen was al geheel door vlammen omgeven, waardoor er dikke, zwarte rookwolken over de omgeving hingen. De bewaker zelf lag bloedend op de grond. Van de vrouw was geen spoor meer te bekennen.

Aan het geweervuur te horen, meende Josh op te kunnen maken dat het huis werd aangevallen door drie, misschien vier man. En hetzelfde aantal probeerde het te verdedigen.

Josh bukte zich en griste de XM8 van de grond. De loop van het wapen was vochtig en glibberig van O'Briens bloed. Opnieuw floot er een kogel laag over de richel. Die schampte af tegen de kast en sloeg het wapen uit Josh handen. Half struikelend deed hij een paar stappen achteruit, uit zijn evenwicht gebracht door de kracht van het schampschot. Plotseling merkte hij dat het lawaai van de schotenwisseling en de exploderende verdovingsgranaten was weggeëbd. Een ogenblik lang was het stil. En toen...

'Beweeg je niet, Josh. Blijf staan waar je staat.'

Josh herkende de stem onmiddellijk: kil en precies articulerend. Azim.

Je kunt me te grazen nemen, als je dat zo graag wilt, hield Josh zichzelf voor, maar in elk geval níét levend.

De XM8 lag op de grond. Josh keek snel op. Hij zag op nog geen tien meter bij hem vandaan Azim staan, die nu langzaam zijn kant uit kwam lopen. De terrorist had een in Zwitserland gefabriceerde Sig-Sauer P220 pistool in de hand, de Amerikaanse versie met een roestvrijstalen kast, een wapen dat bekendstond om zijn betrouwbaarheid en nauwkeurigheid. Het wapen was recht op Josh' hoofd gericht. En Azim zag er niet bepaald uit als iemand die zou missen. In elk geval niet op tien meter.

Ik ga niet terug, zei Josh tegen zichzelf. *Liever sterven als een soldaat, als ik daar de kans toe krijg.*

Snel stak hij zijn hand uit naar de XM8, met de bedoeling die in één snelle greep van de grond te grissen en hem op Azim te richten. De kans dat hij dit zou overleven was uiterst klein, maar dat interesseerde Josh niet meer. Zijn hart ging als een gek tekeer toen hij in beweging kwam, maar zijn gedachten kwamen van het ene op het andere moment tot rust. Je neemt een beslissing, hield hij zichzelf voor. En nadat je die eenmaal had genomen, was er geen weg terug meer.

Opnieuw een schot. De XM8 sprong van de grond omhoog en raakte Josh' hand. Tegen de tijd dat het wapen weer op de aarde terugviel was het trekkermechanisme door de kracht van de inslag van de kogel uit de Sig volkomen verwrongen geraakt. 'Beweeg je niet, Josh,' riep Azim hem opnieuw toe. 'Blij staan waar je staat en doe je handen omhoog.'

Josh richtte zich op. De XM8 was niet meer te gebruiken, besefte hij verbitterd. Hij keek op naar Azim. Er speelde een glimlach rond 's mans lippen. 'Morant is dood. O'Brien is dood. Er is verder niemand meer die jou zou kunnen helpen,' zei hij kil. 'Nou, kom op en doe wat ik zeg. Steek die handen van je omhoog.'

Josh bleef bewegingloos staan. Hij kon onmogelijk zeggen of hij de enige was die nog recht overeind stond. Hij zag of hoorde niemand meer. Momenteel was het een kwestie van alleen hij tegen Azim. Een tegen een.

Jij neemt mij niet opnieuw gevangen, herhaalde Josh geluidloos, en het zinnetje hamerde door zijn hoofd. Jij krijgt mij niet levend in handen.

Azim kwam langzaam op hem af en deed dat met kleine, behoedzame stapjes. De Sig was nog steeds recht op Josh' hoofd gericht. Mijn enige hoop is hem aan te vliegen, bedacht Josh. Mij met mijn hele lichaamsgewicht op hem te storten, en dan maar hopen dat hij net iets te traag reageert en geen tijd heeft een schot op me te lossen. En mijn kans om dit te overleven? *Iets meer dan nul procent – maar dan ook maar nét.*

'Jaag maar een kogel door mijn hoofd,' snauwde Josh. 'Kom maar op, als je durft. Schiet maar.'

Azim veegde met de rug van zijn linkerhand een zweetdruppel van zijn voorhoofd, terwijl hij zijn rechter gebruikte om de Sig recht op Josh' hoofd te richten. 'Een mooie, snelle soldatendood op het slagveld van jouw keuze? Daar hebben we het al uitgebreid over gehad, Josh. Die zit er voor jou niet in.' Er zat een spottende, zangerige ondertoon in zijn stem, het stemgeluid van een man die verrukt was van zijn eigen retoriek.

'Schiet me nou maar een kogel door het hoofd,' schreeuwde Josh.

'Je vrienden hebben geprobeerd je te redden, maar dat is ze niet gelukt. Jij bent nu van mij, en ik zal je breken. Ik weet dat, en jij weet dat.'

Het kloppen binnen in Josh' hoofd werd met de seconde erger. L, B en J herhaalde hij binnensmonds. Dat was de code die Luke hem had gegeven. *Ik weet waar hij is.*

'Schiet me door mijn hoofd,' schreeuwde hij.

'Beweeg je zijwaarts, Josh, maar wel langzaam,' beval Azim. 'Je doet precies wat ik zeg.'

'Blijf staan waar je staat, Josh.'

Josh draaide zich met een ruk om. Tien meter achter hem stond Marshall, die een M1 Garand-scherpschuttersgeweer in zijn handen had waarvan de loop recht op Azim was gericht. Josh vermoedde dat Marshall om de achterzijde van de richel was getijgerd. Josh keek hem aan. In de ogen van de oude man zag Josh de kalme, meedogenloze blik van een ervaren militair. *Een man die er absoluut niet mee zat zonodig iemand overhoop te schieten.*

'Blijf staan waar je staat,' herhaalde Marshall met krachtige, duidelijke stem.

Josh stond recht overeind, de voeten iets uit elkaar, elke spier in zijn lichaam gespannen, maar onbeweeglijk. Hij zag hoe Azims vinger zich zenuwachtig rond de trekker van zijn Sig bewoog. Het pistool was nog steeds op Josh gericht, maar hij hield zijn blik nu op Marshall gericht.

'Achteruit,' beet Azim hem toe. 'Of ik schiet hem dood.'

'Je hebt hem lévend nodig,' snauwde Marshall. 'Gewond desnoods, of kreupel, verminkt, om het even in welke toestand. Maar zijn hersenen moeten wél functioneren. Want wat jij nodig hebt zit ín die hersenen.'

'Van jou heb ik anders niets nodig,' zei Azim. 'En nu achteruit, ouwe. Voor jou betekent deze knaap helemaal níets. Dus doe niet zo stom, anders schiet jóuw leven er ook bij in.'

Marshall bleef zijn wapen op de terrorist gericht houden. Eén kogel maar, dacht Josh. Hij wist dat de oude man op z'n best een gemiddelde schutter genoemd kon worden. Als hij niet goed richtte, zijn we straks allemaal dood. *Of nog erger.*

De Garand ging af. Azim werd naar achteren geslagen. De kogel had hem in de schouder geraakt.

'Rennen, Josh, rennen!' schreeuwde iemand.

Een vrouwenstem. Kate.

Ze stond naast de Mustang, twintig meter bij hem vandaan. Er flitste maar één enkel woord door Josh' hoofd. *Ervandoor.*

Azim was door het schot uit Marshalls geweer even uit zijn evenwicht geraakt. Josh begon te rennen, verrast door zijn eigen snelheid en wendbaarheid. Zijn voeten roffelden over de grond.

Achter zich hoorde Josh een schot, en toen weer een. Hij holde in de richting van de wagen. 'Rijden, rijden!' schreeuwde hij, terwijl hij het gevoel had dat zijn longen in brand stonden.

Toen hij Kate bereikte zag hij hoe haar gelaatsuitdrukking veranderde. In haar ogen was een blik van afgrijzen verschenen. Plotseling liet ze haar schouders zakken, en haar gezicht leek helemaal te verschrompelen. Josh keek om. Marshall was in elkaar gezakt en lag nu op de grond.

De kogelwond in het midden van zijn voorhoofd was duidelijk te zien.

Dood.

'In de auto,' schreeuwde Josh.

Kate bleef bewegingloos staan, verstijfd als een standbeeld.

'De auto in,' riep Josh opnieuw, harder nog deze keer.

Met de rug van zijn hand gaf hij haar een harde tik op de wang. Als ze zo blijft staan, besefte hij, gaan we er straks allemaal aan. 'Je kunt hem nu toch niet meer helpen,' riep hij. 'Ga achter het stuur zitten en start de motor!'

Ze kwam in beweging en opende het portier van de Mustang. Josh liet zich op de passagiersstoel vallen en dook instinctief in elkaar om een zo klein mogelijk doelwit te vormen. Naast zich had Kate het contactsleuteltje omgedraaid en de motor kwam brullend tot leven. Ze drukte de gaspedaal in en slaagde erin snel op het stoffige weggetje te keren.

'Rij alsof de duivel je op de hielen zit!' schreeuwde hij.

Ze gaf een dot gas en de wagen scheurde weg. Josh wierp een snelle blik achterom. Azim kwam moeizaam overeind. Hij hield met zijn linkerhand zijn rechterschouder vast en probeerde het bloed dat uit de kogelwond stroomde te stelpen. Met zijn rechterhand hield hij nog steeds de Sig-Sauer P220 vast. En hij richtte die recht op de Mustang.

20

Maandag 15 juni. 's Middags.
Het was de geur waardoor Josh weer bij bewustzijn kwam. Met gesloten ogen inhaleerde hij het aroma van de verse koffie die door het vertrek zweefde waarin hij lag. Ik wil mijn ogen niet opendoen, zei hij tegen zichzelf. Ik wil hier alleen maar blijven liggen. Ruikend aan de vrijheid.

'Je moet iets drinken,' zei Kate. 'Dan zul je je ook een stuk beter voelen.'

Josh opende zijn ogen. Kate zat geknield naast hem, haar rode haar in een staart achter haar hoofd gebonden. Ze zag er vermoeid en afgetobd uit, haar gezicht vlekkerig van de tranen, maar na het trauma van de afgelopen paar dagen was het voor Josh een hele opluchting eindelijk weer eens een vriendelijk gezicht te zien.

Hij keek op en zag de glinsterende helderheid van de lucht boven hem. Toen hij om zich heen keek zag hij de hoge rotsen en diepe spleten van het bergachtige terrein.

'Waar zijn we?'

'In de bergen,' antwoordde Kate. 'We zitten hier veilig – we bevinden ons in een van de survivalist-kampementen.'

Josh nam de beker koffie aan die ze voor hem ingeschonken had. Ze zaten achter een rotsformatie op een stuk grond vlak bij een kleine grot. Kate had hem een zware katoenen broek en een zwart T-shirt aangetrokken: anoniem, gemakkelijk te dragen spul, de enige juiste kledij voor een man die op de vlucht was.

Josh keek naar beneden en zag hoe de vlakte zich een stuk lager uitstrekte. Er was maar één weg, die een kilometer of vijf, zes van hen verwijderd was, plus een onverhard pad waarover Kate de Mustang had gestuurd. De auto stond een meter of twintig verderop geparkeerd: er zaten wat krassen op en deuken in, maar verder maakte hij nog een rijvaardige indruk.

Veilig, dacht Josh, en hij proefde het woord op zijn tong. *Veilig.*

Hij nam een klein slokje van zijn koffie. De wonden op zijn borst waren opnieuw verbonden, terwijl ook de verwondingen in zijn nek en op zijn benen schoongemaakt waren en van nieuw verband waren voorzien. Hij was gewassen en Kate had ook zijn baard afgeschoren. Hij voelde de zwellingen op zijn borst waar de slangen hem hadden gebeten, terwijl zijn schouder op de plaats waar Azim hem open had gereten nog enigszins gevoelloos was. Het zou een paar dagen duren voor de omvang van de schade die zijn lichaam had opgelopen duidelijk zou worden. Hij had geen flauw idee hoe lang hij had geslapen. Minstens een uur of twintig.

'Het spijt me van Marshall,' zei hij.

Kates gelaatsuitdrukking bleef stoïcijns. 'Mij ook,' reageerde ze.

Josh zweeg. Het was afgrijselijk om je vader kwijt te raken. Zodra de nevel van het geheugenverlies was opgetrokken, kwamen de herinneringen weer in alle hevigheid op hem af. Hij herinnerde zich de kameraden die tijdens zijn diensttijd bij het Regiment waren gesneuveld allemaal weer even duidelijk. Hij wist weer dat hij diverse vrouwen van wie de echtgenoot om het leven was gekomen van het tragische nieuws op de hoogte had gebracht, maar ook ouders die hun zoon hadden verloren. En hij wist dat er geen woorden van troost bestonden, geen verklaringen, en ook geen rechtvaardigingen die het verdriet waarin deze mensen werden ondergedompeld ook maar enigszins konden verlichten.

Ook in dit geval kon hij niets zeggen waarmee de intensiteit van de pijn verminderd zou kunnen worden. Helemaal niets.

'Alles oké met jou?'

Kate wendde haar blik af. 'Het was zijn eigen keuze,' zei ze zacht. 'Hij kende de risico's die hij liep.'

'Jullie hadden dat niet moeten doen,' zei Josh. 'Ik ben het niet waard. Jullie hadden me daar in die greppel moeten laten liggen. Dit is jullie strijd niet.'

'Als ik ergens aan begin, dan maak ik het af – dat heb ik je al eens gezegd.'

Josh schudde zijn hoofd. 'Nee,' zei hij zacht. 'Neem het nou maar van me aan, soms moet je weten welke gevechten je wel aangaat, en welke je beter aan je voorbij kunt laten gaan.'

'Nou, dit gevecht ga ik in elk geval aan.'

'Waarom?' vroeg Josh kortaf. 'Ik ben maar een knaap die je ergens in een greppel hebt gevonden. Ik weet dat je man is gesneuveld, maar je moet echt ophouden je zelf te kwellen. Je moet verder met je leven.'

'Verder met mijn leven? Ze hebben mijn vader doodgeschoten,' zei Kate. 'Nu is het ook mijn gevecht geworden.' Ze hield haar beker met koffie met beide handen vast. Josh wist niet hoe lang ze al wakker was. Hij was zich bewust van het feit dat het haar gisteravond gelukt was samen met hem te ontkomen, maar hij had geen flauw idee hoe lang de rit hierheen had geduurd: kort nadat ze met de Mustang hadden weten te vluchten had hij het bewustzijn verloren. Ze had hem hierheen gebracht, waarna ze zijn wonden had verzorgd en hem een slaapmiddel had gegeven. Het was een dappere jonge vrouw, bedacht hij: ze was de afgelopen dagen afgevallen, zodat haar elegante gelaatstrekken nog eens werden benadrukt, maar haar hart was van staal.

'Die software is belangrijk. Als die in verkeerde handen valt zou het wel eens ongelooflijk gevaarlijk kunnen worden,' zei Kate. Haar ogen vlamden. 'Marshall zat daar heel erg over in. En ik ook. Dus moeten we al het mogelijke doen om te voorkomen dat zoiets ook daadwerkelijk gebeurt.'

Er klopt iets niet, bedacht Josh. *Iets in deze hele affaire klopt niet.*

'We hebben hulp nodig,' zei hij. 'We kunnen deze kwestie niet meer alleen af.'

'Wat voor een soort hulp?'

Kate klonk nerveus, alsof ze ergens bang voor was.

'Mijn geheugen,' zei Josh. 'Dat heb ik weer terug. Nog niet helemaal. Een hoop dingen zijn nog wazig. Maar een groot gedeelte is weer terug.'

Kate boog zich naar hem toe en nam zijn hand in de hare. 'Weet jij waar Luke is?'

Josh knikte. Hij nam nog een slok koffie en liet zijn blik langs de lege horizon glijden. In zijn andere hand had hij een dik biscuitje uit de kampvoorraden en hij nam er een hap van. Het eten deed hem goed, besefte hij: hij was nog behoorlijk zwak en zijn zenuwen verkeerden nog in een belabberde toestand, maar hij leefde nog, en zolang hij at en af en toe wat rustte, bestond er geen enkele reden waarom hij niet geheel zou herstellen.

Rust, bedacht hij grimmig, misschien zal ik me op een dag dan weer helemaal gezond voelen.

'Er was sprake van een code,' zei Josh.

'Ik heb het gezien, tijdens de derde aanslag in een paar dagen,' zei Kate. 'J, B en L, of B, J en L of iets dergelijks.'

Josh glimlachte. 'Ik weet wat die lettercombinatie betekent. Luke heeft het me, vlak voor ik werd neergeschoten, zelf verteld. Hij wacht op mij. Ik moet alleen naar hem op zoek. Die code vertelt mij waar hij ergens zit.'

Kate stak haar hand uit en raakte met haar uitgestrekte palm zijn schouder even aan. Het voelde heerlijk aan, haar huid tegen die van hem. De vluchtige liefkozing was zacht, vrouwelijk, vol genegenheid: het soort aanraking waarvan hij had gedacht die nooit meer te zullen voelen. 'Waar, Josh?' zei ze zacht. 'Wáár kunnen we hem vinden?'

'Zoals ik al zei, we hebben hulp nodig. We kunnen deze klus niet met ons tweeën klaren. Daar is hij veel te groot voor.'

'Maar Luke zit op jóú te wachten.'

Josh vroeg zich even af of hij een ondertoon van irritatie in haar stem hoorde. 'Mijn geheugen is terug. Ik weet wie ik ben, en wat me te doen staat,' zei hij.

Kate haalde haar hand van zijn schouder. 'En dat is?'

'Mijn naam is Josh Harding. Ik ben een Britse militair die dienstdoet bij de SAS, maar ik ben gedetacheerd bij een eenheid die terroristen moet bestrijden. Ik ben hiernaartoe gestuurd om Luke op te sporen. En ik heb hem gevonden.' Josh aarzelde. In zijn hoofd kwamen de puzzelstukjes een voor een op hun plaats te liggen, maar hij was zich bewust van het feit dat het beeld nog lang niet compleet was. 'Nu ik weet waar hij is, staat me duidelijk voor ogen wat me te doen staat.' Hij zweeg even en wierp een blik op de wildernis in de diepte. 'Ik ga me bij mijn onderdeel melden.'

'Onderdeel?'

Josh knikte. 'Zoals je weet ben ik militair. En ik ga me bij mijn onderdeel melden.'

Kate schudde haar hoofd. 'Je hebt me verteld dat je gefolterd bent, Josh,' zei ze. 'Je vertelde me dat ze je eerst bijna geëlektrocuteerd hebben. Vervolgens ben je bijna door slangen doodgebeten. Je bent nog zwak, Josh. Je zenuwen zijn nagenoeg aan flarden gescheurd. Je kunt nog niet helder denken.'

Josh zag de intensiteit van haar gelaatsuitdrukking: haar blik was enkel en alleen op hem gericht, alsof hij een patiënt was die op een onderzoekstafel lag. 'Vertrouw me, Josh. Ik ben arts. Ik weet alles van dit soort dingen af.'

'Ik móét me weer melden. Ik weet waar Luke zit, maar ik kan dit niet meer in m'n eentje af. Ze hebben me al twee keer in handen weten te krijgen. Ik mag van jou niet verlangen dat je me weer helpt. Ik moet hier weg om versterkingen te halen, daarna gaan we naar Luke op zoek, nemen hem met ons mee, en dan is deze hele geschiedenis achter de rug.'

'Je slaat iets over.'

Josh zei niets.

'Waarom ben je neergeschoten, Josh?' drong Kate aan. 'Waarom stuurt Luke boodschappen naar jou? Waarom roept híj geen versterkingen te hulp?'

Ze zweeg even, sloeg haar ogen neer en liet haar blik over de grond glijden. 'Er speelt nog iets anders. Wat is er tussen jou en Luke gebeurd?'

Josh schudde zijn hoofd. 'Ik kan het me niet meer herinneren.'

'Probeer het, Josh. Probeer het je te herinneren.'

Josh concentreerde zich. De herinneringen zweefden zijn hoofd in en uit. Die te pakken te krijgen was net zoiets als proberen met je blote handen een vis te vangen. Zodra je ernaar greep waren ze alweer verdwenen. Waar heb ik het met Luke over gehad? bleef hij zich afvragen.

Zijn hoofd klopte van de pijn en de frustratie. Niets was meer duidelijk. 'Ik moet me weer bij mijn eenheid melden,' zei hij toonloos. 'Dat is mijn plicht.'

'Vertel me nou alleen maar waar Luke ergens is,' zei Kate. 'Dan gaan we samen naar hem op zoek.'

'Nee,' snauwde Josh. 'Ik moet terug.'

'Je bent gek.'

'Nee – ik móét terug naar het Regiment.'

'Dat is een uiterst domme keuze.'

'Ik ben soldaat,' reageerde Josh kwaad. 'Ik heb sowieso geen keuze. Wij kennen alleen maar onze plicht. Zonder dat zijn we helemaal niets.'

Josh hield de telefoonhoorn in zijn hand. Ze waren vanuit hun schuilplaats door de vallei gelopen en vervolgens de vlakte overgestoken, en na een uur hadden ze de weg bereikt. Toen was het nog een kleine kilometer lopen geweest voor ze een van de munttelefoons hadden gevonden die speciaal voor gestrande automobilisten langs de weg waren geplaatst. De pijn was intens geweest, een direct gevolg van zijn gestrompel tussen de struiken en rotsblokken door. De zwellingen die door de slangenbeten waren veroorzaakt werden steeds erger: twee grote roodblauwe plekken verspreidden zich over zijn borst, terwijl zijn benen nog steeds aanzienlijk verzwakt waren door de elektrische schokken.

Mijn lichaam is zwak, maar mijn zenuwen kunnen nóg minder hebben, hield hij zich voor. Kate heeft ongelijk. Ik moet terug naar mijn basis. *Ik kan dit niet in m'n eentje.*

'U spreekt met Josh Harding,' zei hij zodra er aan de andere kant van de lijn werd opgenomen. 'Ik moet dringend met de vice-consul belast met administratieve zaken spreken.' Hij had het Britse consulaat in Los Angeles gebeld, vanuit Arizona de dichtstbijzijnde Britse vertegenwoordiging. Aan elke Britse ambassade en aan de belangrijkste consulaten was een vice-consul voor administratieve zaken toegevoegd: ogenschijnlijk iemand die belast was met het runnen van het kantoor, maar in werkelijkheid de vertegenwoordiger van de Firma, de bijnaam waarmee binnen het Regiment de veiligheidsdienst werd aangeduid. De vice-consul zou ongetwijfeld weten wie hij was. En hij zou weten wat er gedaan moest worden. Als ergens ter wereld een lid van het Regiment in moeilijkheden verkeerde, dan belde je deze persoon.

'Hij is momenteel in vergadering,' zei een secretaresse toen Josh was doorverbonden.

Josh keek op zijn horloge. Het was kwart over zes. De schemering daalde over het woeste landschap neer. Het was stil. Het enige dat te horen was, was het geritsel van een briesje, maar verder helemaal niets.

Het was de rustige periode tussen dag en nacht, bedacht Josh. Voor een man een uitstekend tijdstip om te verdwijnen.

'Zeg maar tegen hem dat Josh Harding aan de lijn is,' beet hij de secretaresse toe. 'Uit Hereford.'

'Ik zal u doorverbinden,' reageerde ze. 'Nu direct.'

'Met Kenneth Adams,' zei enkele seconden later een stem aan de andere kant van de lijn. 'Met wie spreek ik?'

Het accent was honderd procent Oxbridge, hoorde Josh meteen. Waarschijnlijk behoorde die stem toe aan een man van begin dertig, die ergens tussen het ministerie van Buitenlandse Zaken en de Firma dobberde. Misschien zandkleurig haar, hoewel donker ook nog zou kunnen. *Maar hoe dan ook, het zou ongetwijfeld een eersteklas bal zijn.*

'Josh Harding.'

Even was het stil. Josh zag het verraste gezicht van de man in gedachten al voor zich.

'Verdorie, kerel, waar heb je al die tijd gezeten?' zei Adams. 'We hebben overal naar je gezocht.'

Daar twijfel ik niet aan, dacht Josh. *Maar jullie hadden best wel wat beter je best mogen doen terwijl ter meerdere glorie van koningin en vaderland mijn ballen werden geroosterd.*

'Ik ben wat opgehouden,' zei Josh. 'Maar ik kom eraan.'

'Waar ben je nu?'

Josh richtte zijn blik omhoog naar de lucht. Dikke strepen rood hingen boven de horizon, terwijl het zonlicht steeds verder wegebde. De maan was al aan zijn tocht omhoog begonnen. In een verdomd niemandsland, bedacht hij wrang.

'Arizona,' antwoordde hij. 'Terwijl ik me zo onzichtbaar mogelijk hou.' Hij zweeg, keek opnieuw op zijn horloge. Het werd steeds later en hij had nog een paar uur rust nodig voor hij aan een nieuwe tocht zou beginnen. 'Ik heb de beschikking over een voertuig. Ik zou morgenochtend in Los Angeles kunnen zijn.'

'Je blijft waar je bent,' zei Adams nadrukkelijk. 'Geef me je coördinaten door, dan komen we je direct ophalen.

'Ik kan op eigen kracht naar jullie toe komen,' zei Josh. 'Dan ben ik morgenochtend bij jullie.'

'Nee,' reageerde Adams kortaf. 'Vertel ons nu maar waar je ergens zit, dan vragen we aan onze Amerikaanse vrienden of we vannacht een Black Hawk van ze kunnen lenen. We willen je graag zo snel mogelijk in veiligheid brengen.'

'Ik moet eerst rusten,' zei Josh. 'Tot morgenochtend kan het nog wel wachten.'

'Jij komt vannacht nog deze kant uit, Harding,' zei Adams. 'En beschouw dat als een dienstbevel.'

Welkom terug in de wereld van de ballen, zei Josh in zichzelf. *Misschien was ik mét geheugenverlies een stuk beter af.*

Het oorverdovende gebulder van de Sikorsky UH-60A Black Hawk verbrijzelde de stilte boven het met struikgewas begroeide terrein. Zand en afgerukte grassprietjes werden omhooggeslingerd, gevangen in de wervelwind van kolkende lucht onder de snel ronddraaiende rotorbladen van de helikopter.

Josh kwam achter het rotsblok vandaan waar hij beschutting had gezocht. Het was even na tienen 's avonds. Hij had een uur nodig gehad om terug naar hun schuilplaats te lopen, waar er een korte maar felle woordenwisseling met Kate had plaatsgevonden nadat hij haar had verteld dat hij over een paar uur door een helikopter zou worden opgepikt.

'Ga met me mee,' zei Josh opnieuw terwijl hij het eerste gegrom van de heli tegen de berghelling hoorde weerkaatsen.

'Vergeet het maar,' snauwde ze.

'Ik heb nog steeds hulp nodig,' zei Josh. 'Dan kunnen we samen naar Luke op zoek.'

'Je bent een stomme idioot, Josh,' schreeuwde ze. 'Er klopt iets niet, zeker weten. Iets dat je je nog niet hebt herinnerd. Dit is een valstrik.'

'Dit is het Britse leger,' zei Josh. 'Doe niet zo belachelijk.'

'Jóúw leven loopt gevaar,' merkte Kate kil op, ze draaide zich om en verdween tussen de rotsblokken. 'Maar als je me nodig mocht hebben, als er iets fout gaat, wacht ik op je bij die telefooncel langs de kant van de weg.'

Haar woorden galmden nog na in zijn oren. *Als er iets fout gaat, wacht ik op je.*

Er gáát helemaal niets fout, hield Josh zichzelf voor terwijl hij naar de wachtende Black Hawk liep. Een man van wie hij aannam dat het Adams was gebaarde ongeduldig dat hij op moest schieten. Hij zag er anders uit dan Josh had verwacht: korter en dikker, met grijs haar en een dikke vetkwab die over de broekband van zijn grijze pak puilde.

Maar ik ben weer terug bij mijn eigen mensen, nam Josh aan. Over een uurtje maak ik weer deel uit van het Regiment.

'Ben jij Josh Harding?' vroeg Adams.

Josh klom aan boord van de Black Hawk. Op het moment dat zijn voeten de grond verlieten, trok de helikoper meteen weer op. Het oorverdovende geklop van de rotorbladen dat door de open zijdeur naar binnen drong bezorgde hem het gevoel dat zijn trommelvliezen het elk moment konden begeven, terwijl het opgeworpen zand zijn longen en zijn ogen teisterde.

Terwijl de rotorbladen de heli steeds verder de lucht in tilden voelde Josh hoe er een enorme last van zijn schouders gleed. Ondersteuning. *Back-up*.

'Ja, dat ben ik,' schreeuwde Josh.

'Ga dan onmiddellijk achter in de heli zitten,' schreeuwde Adams terug.

Josh begaf zich naar de achterzijde van de cabine. De heli maakte nogal wat slingerende bewegingen en hij moest zich goed aan de metalen wand vasthouden om overeind te blijven.

Hij bleef even staan en liet zijn blik door de cabine glijden. Helemaal achterin zaten twee militaire politiemannen, hun persoonlijk wapen in de aanslag. Net als Adams hadden ze een oortelefoontje in waaraan een klein microfoontje vastzat, zodat ze boven het motorgeluid van de Black Hawk uit met elkaar konden communiceren. Hun gelaatsuitdrukking mocht zonder meer somber worden genoemd. Josh keek achterom naar Adams, en zag aan de uitstulping onder zijn jasje dat de man een schouderholster droeg waarin ongetwijfeld een vuurwapen zat.

'Waarom deze MP's?' vroeg Josh aan Adams.

'Omdat je onder arrest staat, dáárom.'

Josh knipperde even met zijn ogen. Nee, zei hij tegen zichzelf. Ik moet het verkeerd hebben gehoord. Dat moet door het motorlawaai van de Black Hawk komen. *Hij moet iets anders hebben gezegd.*

'Ik heb je niet goed… *Wát?*'

'Je staat onder arrest,' beet Adams hem toe. 'En ga nou zitten en houd je gemak!'

'Waarom, verdomme?' schreeuwde Josh.

'Insubordinatie,' zei Adams. 'Het niet opvolgen van bevelen. En daarna desertie. Je wordt voor de krijgsraad gesleept. En als ik alles wat jij hebt uitgevreten op een rijtje zet, mag ik hopen dat ze het vuurpeloton weer in ere herstellen.'

Josh liet zijn blik razendsnel door het interieur van de Black Hawk glijden. De piloot zat geconcentreerd achter het instrumentenpaneel en liet de heli boven de woestijn nog steeds hoogte winnen. Beide MP's hadden een standaardwapen – het Heckler & Koch MP5 machinepistool – schuin voor de borst. Als die opdracht krijgen me dood te schieten, doen ze dat zonder ook maar even met hun ogen te knipperen, besefte Josh.

Adams bevond zich nog steeds achter hem, hoewel hij nu op een van de metalen stoeltjes was gaan zitten die langs de wanden van de Black Hawk waren aangebracht.

'Dat slaat nergens op,' beet Josh hem toe.

'Bewaar je protesten maar voor de krijgsraad, Harding,' snauwde Adams.

'Die elektriciteitsstoringen, die aanslagen op de stroomvoorziening – daar komen er nog veel meer van,' zei Josh. 'Ik ben de enige die daar een eind aan kan maken.'

'Ik heb gezegd dat je je mond moet houden.'

'Ik ben de enige die daar een eind aan kan maken!' schreeuwde Josh, wiens stem schor van woede was geworden. 'Begrijp je dat dan niet?'

Adams wierp een blik in de richting van de MP's. Een van hen keek naar Josh, zijn vinger rond de trekker van zijn MP5. 'Je staat onder arrest,' blafte hij hem toe. 'Je krijgt echt de gelegenheid wel je te verdedigen.'

'Straks vindt er een catastrofe plaats.'

'Dat interesseert me geen barst,' reageerde Adams. 'Jij bent Brits militair. Het enige wat jij moet doen is bevelen opvolgen.'

'Die bevelen slaan nergens op.'

'Dat maakt niet uit,' snauwde Adams. 'Toch volg je ze op. En als je je er niets van aantrekt, moet je niet gek staan te kijken als je tot je nek toe in de shit blijkt te zitten.'

Josh keek via de zijdeur van de heli naar buiten. De lucht schoot met een snelheid van tweehonderdvijftig kilometer per uur langs de opening. De duisternis was al ingevallen, maar de Black Hawk was uitgerust met een veelheid aan elektronische apparatuur. Dit toestel was waarschijnlijk nog in staat zonder piloot naar Los Angeles terug te keren, dus in het donker vliegen was al helemaal geen probleem.

Een rivier: naar beneden kijkend kon Josh nog net de kronkelende contouren onderscheiden. Hij pijnigde zijn hersenen en probeerde zoveel mogelijk herinneringen naar boven te halen. Een rivier in Arizona die in westelijke richting stroomde. De Colorado. Kon niet anders. Als de piloot die rivier bleef volgen, moesten ze op een gegeven moment bij de Hooverdam uitkomen. En een dam betekende ook dat er een stuwmeer moest zijn.

Josh moest inwendig glimlachen. Een meer. Dat betekende dat hij zou kunnen proberen uit de heli te springen en nog een kansje had het te overleven.

Misschien maar een kans van een op tien. *Maar je had in elk geval een kans.*

Ik moet proberen te ontsnappen, hield hij zichzelf voor. Ik móét het proberen. Niet om mezelf in veiligheid te brengen. Maar als het míj niet lukt om Luke op korte termijn op te sporen, wordt hij straks door Azim of een van zijn handlangers te grazen genomen. En dan loopt de hele wereld een gigantisch risico.

Josh begon berekeningen te maken. De helikopterdeur stond open. De Black Hawk was speciaal ontworpen voor militaire acties op de korte afstand, om haastig verse troepen aan de grond te zetten en gewonden op te pikken. Dat was dan ook de reden dat de zijdeur tijdens de vlucht meestal openstond. Ze zaten nu op pakweg tweeduizend meter hoogte en vlogen over het open terrein. Josh zat op een van de langs de zijkant gemonteerde stoeltjes, met de deur schuin tegenover zich, niet ver bij de plaats vandaan waar de MP's zaten.

Josh stond op en liep naar Adams. Hij voelde hoe de MP's hem met hun blik volgden. 'Je begaat een gigantische vergissing,' zei hij.

'Wat?' schreeuwde Adams, die zijn best moest doen om zich boven het motorgeluid van de Black Hawk verstaanbaar te maken.

'Ik zei dat je een gigantische vergissing begaat,' herhaalde Josh, die niet de moeite deed zijn stem te verheffen.

'Wat?'

Adams boog zich iets naar voren in een poging Josh' zacht uitgesproken woorden op te vangen.

Kip ik heb je.

Razendsnel ramde Josh zijn linkervuist in Adams' borst, terwijl tegelijkertijd Josh' rechterhand naar beneden schoot en het pistool uit de holster onder Adams' jasje weggriste. Het was een eenvoudige Glock 19, een pistool waarmee Josh redelijk vertrouwd was. Hij hield het wapen in een ijzeren greep en drukte de loop tegen Adams' oor.

'Blijf daar zitten en beweeg je niet,' schreeuwde hij naar de twee MP's. 'Beweeg je niet, anders haal ik de trekker over.'

Beide mannen verstrakten en keken Josh woedend aan.

'Niet schieten,' zei Adams, die in zijn microfoontje sprak, zodat de twee MP's hem via hun oortje zou kunnen horen.

Josh wierp een snelle blik naar buiten en zag dat ze nu boven Lake Mead vlogen. Ik moet zo snel mogelijk Luke zien te bereiken, herhaalde hij inwendig. *Ik moet Luke zien te bereiken vóór Azim hem weet te vinden.*

Hij greep Adams hoofd beet en gaf een harde ruk aan het al grijs wordende haar. Met de Glock nog steeds tegen 's mans oor gedrukt sleepte hij hem mee naar de voorkant van de Black Hawk. De piloot keek hem even van over de schouder aan. Een man van vier-, vijfentwintig. Onwillekeurig had Josh bewondering voor de manier waarop hij de heli ondanks de korte worsteling op koers wist te houden. 'Dalen,' beet Josh hem toe. 'Dalen met dat ding!'

'Je maakt het alleen maar erger voor jezelf, man!' schreeuwde Adams.

'Dat beoordeel ik zelf wel,' brulde Josh, die zijn greep op het haar van Adams nog eens verstevigde.

'Leg dat pistool neer, Harding. Ik zal er voor zorgen dat je een eerlijk proces krijgt.'

Josh negeerde hem en draaide zich nog even naar de piloot om. 'Ga zo laag mogelijk vliegen, verdomme,' gromde hij.

'Niet doen!' blafte Adams richting piloot.

De piloot hield de Black Hawk op koers en vervolgde de oversteek van Lake Mead.

Ze proberen me te slim af te zijn, dacht Josh. Ze weten dat ik niemand kan dwingen dit toestel te laten dalen zolang ik dit pistool tegen Adams' hoofd gedrukt houd. *Ik kan geen kant uit.*

Tenzij...

Josh vuurde één keer, en nog een keer. De kogels boorden zich in het instrumentenpaneel van de Black Hawk. Een waaier van vonken spoot eruit tevoorschijn, recht in het gezicht van de piloot. Ogenblikkelijk zette Josh het pistool weer tegen het hoofd van Adams. Hij voelde hoe de heli in de lucht heen en weer begon te slingeren; het toestel reageerde niet meer op de bedieningsorganen. Enkele seconden later hielden de motoren ermee op.

Josh wierp een blik op de hoogtemeter.

En nú gaan we naar beneden.

En snel ook.

Zestienhonderd meter. *Op honderd meter spring ik.*

Josh voelde hoe de Black Hawk naar beneden dook. Het was alsof zijn benen onder hem wegvielen. Zijn hart klopte in zijn keel. De vlieger worstelde wanhopig met zijn twee stuurknuppels in een poging het toestel weer onder controle te krijgen.

'Je bent knettergek, Harding,' piepte Adams. 'Dit zul je nooit kunnen navertellen.'

'Jullie in ieder geval ook niet!' schreeuwde Josh.

Elfhonderd meter.

Het meer was zo dichtbij dat Josh het water bijna kon ruiken.

De twee MP's probeerden te gaan staan, maar er ging op dat moment een schok door de Black Hawk en ze werden weer terug op hun plaats geslingerd.

'Maak hem af!' gilde Adams. 'Maak die klootzak af!'

Nog vijfhonderd meter.

Een van de bewakers hield zijn MP5 recht voor zich uit en probeerde ermee op Josh te richten, maar de Black Hawk begon, terwijl hij steeds sneller hoogte verloor, heviger te slingeren. De neus van het toestel zakte verder weg terwijl het sneller en sneller in de richting van het zwarte, koude water van Lake Mead dook.

Tweehonderd meter.

Een kort salvo geselde de metalen wanden van het toestel. De woeste bewegingen van de Black Hawk maakten het de MP onmogelijk fatsoenlijk te richten.

Josh wierp een blik op de open zijdeur.

Nog honderdvijftig meter.

Hij liet Adams los en zette zich af, waarbij hij al zijn kracht in zijn kuiten concentreerde – hij moest proberen zo ver mogelijk van de cabinevloer los te komen. Zijn lichaam kromde zich naar de geopende deur. Pal buiten het toestel kolkte een woeste maalstroom van lucht.

Die maalstroom trof Josh keihard in het gezicht, en direct daarna op de borst, waardoor alle lucht uit hem weg werd geperst en hij bijna niet meer in staat was om adem te halen. Een ogenblik lang leek het wel of hij horizontaal door de lucht schoot, min of meer op dezelfde hoogte als de Black Hawk. Achter zich hoorde hij hoe het vuur op hem werd geopend. Eén schot, toen nog een, en een derde.

Niets geraakt.

Plotseling voelde hij hoe hij met een enorme snelheid naar beneden tuimelde. De Black Hawk bevond zich hoog boven hem. De wind maakte dat hij razendsnel om zijn as begon te draaien. Hij werd licht in het hoofd en het kostte hem de grootste moeite om in de luchtstroom waarmee hij werd geconfronteerd zijn ogen open te houden.

Hij spreidde zijn armen en benen zo wijd als hij kon in een poging zijn lichaamsoppervlak zo groot mogelijk te maken. Langzaam voelde hij hoe het hem lukte wat meer controle over zijn val te krijgen. Zijn lichaam had een min of meer stabiele houding aangenomen, terwijl zijn uitgestoken armen en benen als een soort buffer tegen de volle impact van de luchtstroom fungeerden. Hoog boven hem zag hij de Black Hawk duidelijk overhellen, om vervolgens – nog steeds snel hoogte verliezend – aan een scherpe bocht te beginnen.

Josh deed zijn uiterste best deze stabiele positie vast te houden. Maar uiteraard kon hij niets doen aan het feit dat hij steeds sneller begon te vallen. En over een paar seconden zou hij het water raken.

Beneden zich zag hij de kille duisternis van het meer.

21

Maandag 15 juni. 's Avonds.

Tijdens de laatste seconden van zijn val had Josh zijn lichaam tot een zo soepel mogelijke duikpositie gekromd, waarbij hij zijn handen voor zich uit gestrekt hield, en de handen in elkaar geslagen. Hij had zijn hoofd iets ingetrokken, zodat het vlak achter zijn armen zat, en enigszins gebogen, zodat zijn kruin als eerste met het water in aanraking zou komen. Zijn schedel daar was het dikste stuk bot dat er in zijn lichaam te vinden was, en de evolutie had die in de loop der jaren speciaal ontwikkeld om optimaal bescherming aan de hersenen te bieden – als je dan toch een klap op het hoofd kreeg, was dát de beste plek om die te incasseren. Zijn benen hield hij tegen elkaar aan gedrukt, recht in het verlengde van zijn lichaam.

De perfecte duikhouding.

Maar het had nauwelijks enig verschil gemaakt. De klap was een moment van pure verschrikking geweest. Toen als eerste zijn handen, toen zijn hoofd en direct daarna zijn schouders door het water kliefden, had hij het gevoel dat alle botten in zijn lichaam van het ene op het andere moment verpulverd werden.

De pijn trof als eerste zijn hoofd en plantte zich golf na golf voort door zijn lichaam. Hij verloor de macht over zijn spieren. Direct daarna verlamde het ijskoude water zo'n beetje zijn hele lichaam en leek het bloed in zijn aderen op slag te bevriezen. Zijn ademhaling stopte en hij had het gevoel dat zijn hart was opgehouden te kloppen.

Een ogenblik lang was Josh ervan overtuigd dat hij dood was. Het leek volkomen onvoorstelbaar dat hij nog meer ontberingen zou kunnen doorstaan.

Toen kwam er een einde aan de beweging. Een barstende hoofdpijn zorgde ervoor dat zijn hoofd bijna explodeerde. Josh voelde dat hij niet langer bewoog. Het water kolkte nog steeds om hem heen, maar een krachtige, dieper gelegen stroming kreeg hem te pakken en sleepte hem mee naar voren.

Hij vermoedde dat hij zich een meter of tien onder water bevond. Langzaam begon hij zijn benen uit te slaan. Die reageerden in het begin traag. Hij had nog maar nauwelijks kracht over in zijn spieren, kon zich haast niet tegen de stroming verzetten. Hij probeerde het opnieuw, harder deze keer. Beide benen kwamen in beweging en Josh voelde hoe zijn lichaam vooruitkwam.

Tijdens zijn vrije val was hij niet in staat geweest zijn longen vol lucht te pompen. En hij was nagenoeg door zijn zuurstof heen.

Ik hoop maar dat ik vlak in de buurt van de oever ben terechtgekomen. Ook al lukt het me straks om aan de oppervlakte te komen, ik beschik niet meer over voldoende kracht om nog een heel stuk te zwemmen.

Josh sloeg hard met zijn benen en gebruikte zijn armen om zichzelf terug naar de oppervlakte te brengen. Hij opende zijn ogen. Het water was helder en schoon, maar hij had toch nog een paar seconden nodig om een beetje fatsoenlijk te kunnen zien. Hij keek recht omhoog. Hij zag iets bewegen. Een lage golf. De oppervlakte.

Toen schoot zijn hoofd boven het water uit. Josh opende zijn mond en hapte verwoed naar adem. De zuurstof vulde zijn lichaam en kwam in zijn bloedsomloop terecht, waarna de barstende hoofdpijn nagenoeg onmiddellijk verdween.

Ik leef nog.

Die drie woorden joegen een schok van blijdschap door hem heen. Hij keek snel om zich heen, liet zijn blik over de korte, donkere golfslag van Lake Mead glijden. Ongeveer driehonderd meter voor zich uit zag hij de betonnen wand van de stuwdam waardoor het meer was ontstaan. De stroming trok het water er langzaam naartoe, zodat de Colorado River haar reis naar de kust kon vervolgen. In het noorden, vermoedde Josh, bevond zich Nevada. En in het westen Californië. Zou hij daar ook veiligheid vinden? vroeg hij zich verbitterd af. *Misschien dat die wel nergens voor hem te vinden was.*

Recht voor zich uit zag hij de Black Hawk in het water storten. Een hoge golf verspreidde zich in een steeds groter wordende cirkel over het water terwijl de romp van de heli steeds dieper kwam te liggen. Het speelde zich zo'n anderhalve kilometer bij hem vandaan af, maar Josh kon in het nachtelijk duister het geschreeuw van de bemanningsleden, die niet wisten hoe snel ze de Black Hawk moesten verlaten, duidelijk horen. Even later zag hij hoe zich een rubberbootje van de plaats waar de heli was neergestort losmaakte.

Het is een enorm meer, zei hij tegen zichzelf. *De kans dat ze me weten te vinden is uiterst klein.*

Josh begon te zwemmen. Hij schatte dat hij zo'n tweehonderd tot tweehonderdvijftig meter van de dichtstbijzijnde oever verwijderd was. Het enige dat hij kon onderscheiden was een kiezelstrand en een stuk of wat coniferen.

De oevers van Lake Mead waren een nationaal recreatiegebied, en het moest al tegen middernacht lopen. Waarschijnlijk was er niemand in de buurt. Hoogstens een toevallig passerende beer.

Maar ik moet verder, hield Josh zich voor, want over een paar minuten stuurt Adams het halve Amerikaanse leger achter me aan voor een grootschalige zoekactie.

Hij zwom met verwoede slagen, stak zijn hoofd onder het wateroppervlak en tilde dat alleen maar op als hij weer adem moest halen.

Als mijn krachten het niet begeven, lukt het me, zei Josh tegen zichzelf. Ik móét in mezelf blijven geloven.

Na tien minuten bereikte hij de oever, terwijl hij klappertandde van de kou. Het strand bestond uit kleine kiezelstenen. Josh bleef een ogenblik lang bewegingloos liggen en probeerde op adem te komen. Met zijn hand bracht hij wat water naar zijn mond en dronk het gulzig op, en deed dat nog een paar keer, tot hij verzadigd was, en tijgerde daarna naar voren. De bomen stonden een meter of tien verderop. Toen hij een van de enorme dennen bereikte, maakte hij zich zo klein mogelijk en ging erachter liggen. De oever was totaal verlaten.

Ik moet een paar minuten rusten, zei hij tegen zichzelf. *Daarna ga ik verder met mijn ontsnapping.*

Zijn kleren waren doorweekt. Elke centimeter van zijn huid voelde kil en vochtig aan. Het kostte hem moeite weer overeind te komen en hij wankelde op zijn benen. Ik moet weer verder, hield hij zichzelf voor, en liep moeizaam voorwaarts. Ik moet weer verder.

Als ze me vinden, liquideren ze me.

Josh liep twee uur lang door het bos dat zich langs de oevers van Lake Mead uitstrekte. Hij besefte dat er waarschijnlijk al mensen naar hem op jacht waren, maar het recreatiegebied dat het stuwmeer omzoomde was zo'n vierhonderd vierkante kilometer groot. Als je in zo'n gebied één enkele man wilde opsporen, waren daar honderden mensen voor nodig. *De eerstkomende paar uur zou hij waarschijnlijk nog wel veilig zijn.*

Hij had nog steeds geld bij zich. Tweehonderd dollar in contanten plus nog wat kleingeld: de bankbiljetten waren drijfnat, maar die zouden wel weer droog worden. Uiteindelijk kwam hij op een smalle weg terecht, volgde die anderhalf uur lang en stootte op een munttelefoon die daar speciaal was geplaatst voor automobilisten met pech. Hij toetste het nummer in van de telefooncel waar Kate op hem zou wachten, kreeg haar aan de lijn en vertelde wat er gebeurd was. 'Blijf waar je bent,' droeg ze hem op. 'Hou je schuil in het bos. Ik kom naar je toe; over een paar uur ben ik bij je.'

Nadat hij Kate had verteld waar ze hem kon vinden hing hij op en trok hij zich terug tussen de bomen, een meter of vijftig bij de weg vandaan, waar hij zich verstopte tussen een groepje hoge dennen. Hij veegde wat naalden en bladeren bij elkaar, zodat er een soort slaapplaats ontstond, en ging liggen, waarna hij onmiddellijk zijn ogen sloot. Hij ademde zwaar en zoog de rijke, versterkende zuurstof zoals die alleen in bossen te vinden is diep in zich op. Voor het eerst sinds weken kon hij weer helder nadenken. Hij wist wie hij was. *En hij wist wat hem te doen stond.*

Hij rustte twee uur uit, net voldoende slaap pakkend om weer een beetje op krachten te komen: het vermogen om te slapen wanneer dat nodig was, op welk uur van de dag ook, was een van de eerste lessen die hij in het leger had geleerd. Daarna was hij behoedzaam naar de weg teruggelopen en was achter een groepje bomen gaan zitten, vlak bij de plaats waar hij met Kate had afgesproken. Het was even na tweeën 's nachts. Zijn hart klopte in zijn keel, die twintig minuten dat hij daar zat, maar toen zag hij de Mustang de bocht om komen. Kate was de enige persoon die hem nog kon helpen, besefte hij. *En als het hun niet lukte om op korte termijn Luke op te sporen, zou Azim hen voor zijn.*

Nadat de Mustang in de berm van de weg tot stilstand was gekomen wachtte Josh nog een paar minuten, zodat hij zich ervan kon overtuigen dat ze niet gevolgd was, en holde toen pas naar Kate. Ze reden de auto vervolgens zo'n meter of vijftig het bos in, zodat de Mustang vanuit de lucht niet te zien zou zijn, en gingen toen naar Josh' schuilplaats terug. De lucht voelde vochtig en koud aan en er zong een lichte bries tussen de bomen door. Maar het was goed om haar weer naast zich te weten.

'Hoe groot is de schade?' vroeg Josh toen Kate zijn verwondingen eens wat beter had bekeken.

'Behoorlijk,' reageerde ze. Ze behandelde de wond in zijn hals met een wattenstaafje dat ze in een desinfecterend middel had gedoopt, en deed er vervolgens schoon verband op.

'Onder normale omstandigheden zou ik minimaal twee weken rust voorschrijven,' zei ze met een milde glimlach.

'Opdracht van de dokter?' vroeg Josh.

Kate knikte. 'Maar je bent een lastige patiënt,' zei ze. 'Van het soort dat absoluut niet naar een arts luistert.'

Hij kwam iets omhoog om haar een kus te geven. Haar lippen voelden warm, zacht en vochtig aan, en toen haar tong langs zijn huid gleed voelde hij hoe sommige van zijn verwondingen op slag begonnen te herstellen. Als een man ervan overtuigd is dat hij op het punt staat te sterven, bedacht Josh, denkt hij over heel wat dingen na. Op zo'n moment flitsen er wel honderd zaken door zijn hoofd waarvan hij spijt heeft: plaatsen die hij nooit heeft bezocht; mensen die hij nooit heeft ontmoet; de dochter die hij nooit meer zal zien. Maar boven dit alles uit torent het besef dat hij nooit meer een vrouw in zijn armen zal houden, nooit meer zal voelen hoe ze zich onder zijn aanraking zal overgeven, nooit meer zal horen hoe ze iets in zijn oor fluistert.

De afgelopen dagen waren er heel wat momenten geweest waarop hij er heilig van overtuigd was geweest dat zijn laatste uur was aangebroken. Er waren momenten geweest dat hij de dood even warm begroet zou hebben als een lang verloren gewaande broer. Maar nu hij kans had gezien uit de klauwen van de dood te blijven, was hij dankbaar dat hij nog leefde. Van elk moment, concludeerde hij, diende genoten te worden alsof het om een sappige vrucht ging die aan een boom hing, klaar om geplukt te worden.

Dus hield Josh Kate stevig tegen zich aan gedrukt, putte hij kracht uit de warmte van haar lichaam. Ze lag naast hem, rustte op de strook grond die was omringd door de hoge dennen die op dit stuk oever van Lake Mead groeiden. Een paar minuten lang stelde Josh zich uitsluitend tevreden met het voelen van haar omhelzing. Pas na een tijdje begon hij de knoopjes van haar blouse los te maken en bedreef hij behoedzaam de liefde met haar.

'Je zei al dat er iets niet klopte,' merkte hij op, terwijl hij naast haar lag nadat ze samen tot een hoogtepunt waren gekomen.

Haar lippen gleden langs zijn voorhoofd, waarbij ze hem effectiever tot rust bracht dan welk kalmeringsmiddel ook. 'Maak je maar geen zorgen, liefste. Het geeft niet. We gaan nu naar Luke op zoek.'

De eerste stralen zonlicht braken tussen de boomtakken door. 'Jezus, het is al ochtend,' zei Josh. 'We hebben kostbare tijd verloren laten gaan.'

Kate keek achter zich. De zon was al een heel eind boven de horizon. Tussen de bomen door zag ze het verstilde water van het meer, terwijl het oranje licht van de vroege ochtend over het wateroppervlak speelde. 'Het zou best leuk zijn als we eens een paar dagen van dit oord zouden kunnen genieten,' zei ze. 'Wat is het prachtig hier.'

Josh trok haar wat steviger tegen zich aan. 'Zodra we deze missie tot een goed einde hebben gebracht,' zei hij, 'gaan we samen ergens naartoe.'

Kate knikte. 'Hierheen?'

'Misschien. Maar ik ben niet van plan om de volgende keer wéér uit een helikopter te springen.'

Even was het stil tussen hen beiden. Het was waanzin om over de toekomst te praten. Er was nog zoveel te doen. 'Weet jij waar we Luke kunnen vinden?' vroeg Kate.

Josh knikte.

Ze reden vanaf het meer pal naar het noorden en volgden daarbij alleen maar secundaire wegen. Toen ze een stadje bereikten bleef Josh in de auto wachten terwijl Kate in het plaatselijke winkelcentrum wat boodschappen deed. Hij liet zijn blik aandachtig langs de horizon glijden. Hij zag hoe een bewaker langs de buitenkant van het parkeerterrein patrouilleerde. En hij zag ook hoe iemand – een man – op zijn gemak tussen de geparkeerde auto's door liep en elk voertuig even leek te controleren. Was dat iemand die naar zijn eigen auto op zoek was? vroeg Josh zich af. Of een FBI-agent? Josh liet zich helemaal onderuitzakken en schermde zijn gezicht af zodat niemand dat zou zien.

Je houdt iedereen als een havik in de gaten, zei Josh tegen zichzelf. Maar dat is nu eenmaal je lot als je op de vlucht bent.

Kate sloeg het portier van de Mustang achter zich dicht. 'Hier,' zei ze, en gaf hem een grote papieren Burger King-zak.

Josh deed hem open en keek erin. Een Bacon Double Cheeseburger, een Whopper met kaas, twee extra grote porties friet en een grote kartonnen beker met Coke. Het eerste vlees dat ik sinds dagen heb gegeten, besefte hij plotseling. *En dat heb ik hard nodig.*

Hij reed de Mustang het parkeerterrein af en ze hervatten hun rit naar het noorden, het stadje zo snel mogelijk achter zich latend. Langs de weg stond een politiebureau en toen ze dat passeerden voelde Josh hoe hij instinctief het gaspedaal wat verder intrapte. Rustig aan, hield hij zichzelf voor. Dit is een groot land, en mannen kunnen jarenlang spoorloos verdwijnen. Als het je lukt kalm te blijven, zou je dat net die twee extra dagen kunnen opleveren die nodig zijn om Luke op te sporen.

Sinds zijn arrestatie had het alleen maar getold in zijn hoofd. Het was het laatste geweest wat hij had verwacht. De eerste paar uur werd hij alleen door de adrenaline van zijn ontsnapping voortgedreven, en daarna door zijn weerzien met Kate. Maar hij begreep nog steeds niet wat hij had gedaan dat het leger zich zo woedend tégen hem had gekeerd.

Mijn geheugen, bedacht hij grimmig. Dat zit nog steeds vol gaten. Er moet iets tussen Luke en mij hebben plaatsgevonden. Iets dat nog steeds niet is afgerond. Iets dat het leger helemaal niet leuk vond.

Ik weet alleen niet wat dat geweest zou moeten zijn.

Ik móét hem vinden. Ik moet proberen erachter te komen wat er in die periode vóór ik werd neergeschoten is gebeurd.

Hij zag een eindje verderop een parkeerhaven opdoemen en bracht de Mustang daar tot stilstand. De bossen die de smalle strook omzoomden die aan Lake Mead grensden waren allang uit het zicht verdwenen, en ze bevonden zich nu in de dorre woestijn die het meer scheidde van Las Vegas. Langs de kant van de weg stonden borden waarop land te koop werd aangeboden tegen een prijs van tweeënhalve dollar per hectare. Maar blijkbaar had niemand belangstelling, besefte Josh: het was een woest gebied, waar het al jaren achtereen niet had geregend en waar zelfs de meest geharde dieren moeite hadden te overleven.

Josh nam een hap van zijn Whopper en schrokte het voedsel naar binnen. Hij had proteïne nodig, koolhydraten, en natuurlijk suiker, en hij had dat alles snél nodig.

De grote slag moest nog altijd geleverd worden. En dan zou hij alle kracht nodig hebben waarover hij kon beschikken.

'Heb je alle spullen?' vroeg hij aan Kate.

Ze knikte. 'Een GPS-plaatsbepaler. En een exemplaar van *London Calling*, uitgevoerd door de The Clash.' Ze aarzelde, en hield toen een slank zwart apparaatje omhoog waarmee je aan de hand van een stel coördinaten moeiteloos elke plaats op aarde kon vinden, en een cd-hoesje met het bijna icoonachtige omslag waarop Paul Simenon zijn basgitaar tegen het toneel van een concertzaal kapotslaat. 'Dat GPS-apparaatje begrijp ik. Dat kan ons vertellen waar Luke ergens uithangt, zolang we de juiste coördinaten maar intoetsen.' Toen hield ze de cd omhoog en keek even naar de afbeelding op de voorkant van het hoesje. 'Maar dit. Nou, ik zou niet weten wat je ermee aan moet.'

Josh moest grinniken. '*London Calling*, hè?'

'Zit hij in Londen?'

Josh schudde zijn hoofd. 'De drie letters die het signaal vormden. L, B en J.'

Kate keek hem niet-begrijpend aan. 'Oké, vertel het me maar.'

'De eerste drie nummers van *London Calling*. Het titelnummer begint met een L.'

Kate keek op de achterkant van de cd en liet haar blik over het lijstje met nummers glijden. '"Brand New Cadillac". Gevolgd door "Jimmy Jazz".'

'Inderdaad. L, B en J.'

'Waar zit Luke dan ergens?'

Josh stak zijn hand naar de cd uit, nam hem van haar over, scheurde het cellofaan er vanaf, deed hem open en haalde het inlegvelletje eruit. 'Bekijk de tijdsduur van die drie nummers, en toets het aantal seconden in onze GPS-plaatsbepaler in. Dus als het nummer drie minuten en achtentwintig seconden duurt, toets je een twee en een acht in.' Hij gaf de cd weer aan Kate. 'De uiteindelijke cijfercombinatie brengt ons bij Luke.'

Haar vingers schoten koortsachtig over de toetsen, terwijl Josh geduldig de rest van zijn Whopper naar binnen werkte, om zich vervolgens aan de Bacon Double Cheeseburger te goed te doen. Hij pakte een handjevol frietjes en stopte die in zijn mond. Naast hem zat Kate, met in de ene hand het GPS-apparaatje en in de andere de cd. Haar vingers raakten de kleine plastic toetsjes met de kracht van een timmerman die een spijker in de muur sloeg.

'Swansea,' zei ze met opgewonden stem. 'Hij zit in Swansea.'

Josh voelde hoe er enkele frietjes in zijn keel bleven steken. Hij begon vreselijk te hoesten. Toen hij weer tot spreken in staat was, vroeg hij: 'Wat doet hij dáár? Wat moet-ie in Wales?'

'Hoe bedoel je?'

Josh zag haar vragende blik. Het zei haar helemaal niets. Ze had waarschijnlijk nog nooit van Swansea in Wales gehoord.

'Waar ligt dat ergens?' vroeg hij.

'Swansea ligt in Arizona,' zei Kate. 'Ongeveer honderdvijftig kilometer noordoostelijk van hier. Zo afgelegen als maar mogelijk is.'

'Dan gaan we dáár naartoe,' zei Josh.

Josh stopte de cd in het audiosysteem van de Mustang, startte de motor en stuurde de auto de weg weer op. De meeslepende, gierende akkoorden van het eerste nummer denderden door de luidsprekers van de Mustang.

'London calling,' klonk Joe Strummers raspende, schorre stem terwijl het nummer steeds meer vaart kreeg.

Josh tikte met zijn vingers op het dashboard en liet het ritme van de muziek door zijn aderen kolken. Instinctief begon hij de vertrouwde teksten mee te mimen. Voor een apocalyps bestond er geen betere begeleidingsmuziek.

22

Dinsdag 16 juni. Twaalf uur 's middags.
De weg kronkelde zich langs de zijkant van de berg omhoog, een weg vol gaten en met overal stukken rots en steenslag. Josh hield het stuur van de Mustang stevig vast en probeerde de oneffenheden zo goed mogelijk te omzeilen. Zijn lichaam had de afgelopen twee weken zoveel opdonders opgelopen dat hij de kwetsuren niet eens meer exact kon lokaliseren: er was alleen nog maar sprake van een onafgebroken doffe, zeurende pijn die elke zenuw in zijn lichaam langzaam maar zeker deed opbranden.

De rit hiernaartoe had drie uur in beslag genomen, langer dan Josh had verwacht. Ze waren een keertje bij een benzinestation gestopt om te douchen en een kop koffie te drinken. Daarna waren ze nog een keertje bij een vierentwintiguurswinkel gestopt om nieuwe voorraden voor die dag in te slaan: water, lucifers, wat voedsel in blik en koekjes, plus zoveel reservebrandstof als ze maar in een stuk of wat jerrycans kwijt konden, die vervolgens op de achterbank van de Mustang werden vastgesjord.

De route die ze hadden genomen was lang en moeizaam geweest, en had Kate en Josh door het nagenoeg lege westen van Arizona gevoerd. Ze reden langs hoge bergen, in een mengeling van diverse tinten rood, brons en geel gekleurd, en volgden kronkelwegen door diepe dalen, omzoomd door rotsblokken, terwijl in de onvruchtbare aarde alleen een paar verdwaalde cactussen kans zagen te overleven. Het was snikheet, en toen Josh omhoogkeek naar de diepblauwe hemel waar van enige bewolking geen sprake was, besefte hij dat hij op moest passen met deze zonneschijn. Ze waren slechts enkele kilometers van Death Valley verwijderd, de warmste plaats op het Noord-Amerikaanse continent, waar de hitte nog steeds elk jaar het leven van een paar onoplettende toeristen eiste.

Swansea was een mijnstadje, in 1909 gesticht door de Clara Consolidated Gold and Copper Company. In 1924 werd de mijn uiteindelijk gesloten, waarna het stadje door de nog resterende bewoners werd verlaten. Tijdens de hoogtijdagen hadden er 750 mensen gewoond en was er zelfs een spoorlijn die het plaatsje met het hoofdtransportnet van Arizona had verbonden. Naast de mijn waren er verder nog een smeltoven, een kapper, een hotel en een sheriff te vinden geweest. Nu was er helemaal niets meer. In tegenstelling met veel andere spookstadjes in Arizona stond het nergens op een toeristenkaart aangegeven: voor iemand die in het oude Westen was geïnteresseerd was het veel te recent allemaal, en er hadden ook geen belangrijke pistoolhelden uit eerdere tijdperken gewoond. In de loop der jaren was alles in het stof veranderd waaruit het ooit een keer was opgebouwd.

Josh' blik schoot naar de horizon. Op een hoogte van rond de duizend meter werd de weg wat minder steil. In de helling van de berg waren diepe geulen en spleten geërodeerd waar de regen het sediment had weggespoeld, maar naarmate ze hoger kwamen werd het oppervlak een stuk vlakker en was de grond bedekt met een fijn laagje stof. 'Dáár,' zei Josh, die het kleine groepje vervallen gebouwen dat in de verte opdoemde het eerst had gezien. 'Daar heb je het.'

De weg kwam uit op een soort plateau dat zich plotseling leek te verbreden. De indeling van het stadje werd nu ook op slag duidelijk. Een hoofdstraat met een verzameling half in puin liggende gebouwen. Een afgevlakte bergtop. En direct daarachter een enorme gleuf, die honderden meters lang was en minstens vijftig meter diep, als een gigantisch litteken in de flank van het stadje: de gebruikelijke overblijfselen, besefte Josh, van een dagbouwmijn.

Hij bracht de Mustang langs de kant van de weg tot stilstand. Het was moeilijk te bepalen waar het stadje begon of eindigde. De gebouwen waren vervallen tot versplinterd hout en puin, en de afrasteringen die hier ooit wellicht hadden gestaan waren allang weggerot. Bij het begin van de straat bleef Josh staan. Op de hoek lag een soort uithangbord, in tweeën gebroken. Op het ene stuk stond 'Swan', en op het andere 'Bev'.

'Wie de laatste persoon die dit stadje de rug heeft toegekeerd ook mag zijn geweest,' zei Josh, 'hij hoefde zich in elk geval geen zorgen te maken over het uitdraaien van het licht.'

Kate glimlachte. 'Waar wij ons zorgen over moeten maken is de laatste man die hier naar bínnen is gegaan.'

Bundels zonlicht boorden zich recht door de vervallen bouwsels. Josh keek om zich heen en begon aan zijn wandeling door de hoofdstraat. De circa acht meter brede weg werd omzoomd door twintig lege omhulsels van gebouwen, waarvan de muren op instorten stonden, terwijl onkruid en vetplanten zich in de specie tussen de stenen hadden genesteld, waardoor die langzaam maar zeker tot gruis werd gereduceerd. Als je goed keek zag je nog waartoe deze gebouwen ooit dienst hadden gedaan – een bank, een hotel, een ijzerwinkel.

Swansea had nooit enige grandeur gehad, concludeerde Josh terwijl hij zijn blik langs de gebouwen liet glijden. Die waren snel en goedkoop uit de grond gestampt. De voorgevels waren op geen enkele manier van decoraties voorzien: houten planken en balken waren zo snel mogelijk tot een gebouw in elkaar geflanst.

Hij zocht zich behoedzaam een weg door het vele puin en afval dat op straat lag. Precies wat ik nodig heb, bedacht hij. *Een man zonder verleden verbergt zich in een stadje zonder toekomst.*

'Zie je iets?' Josh merkte dat hij was gaan fluisteren, alsof het op de een of andere manier verkeerd was om hier je stem te verheffen. *Alsof je misschien de doden uit hun slaap zou kunnen wekken.*

Kate schudde haar hoofd. 'Maar hij móét hier ergens zijn,' fluisterde ze terug. 'Ik weet het zeker.'

Nu pas drong de speciale geur tot Josh door. Het plaatsje lag onder een dikke laag stof die zich hier in de loop der jaren had verzameld. Elk half ingestort muurtje, elke kapotte dakpan leek met een dikke laag vuil bedekt te zijn. De wind had stukjes steen, planken en stucwerk de straat op geblazen, waar het puin jarenlang was blijven liggen, om daar weer in stukken uiteen te breken en ingebed te worden in het oppervlak van de grond. Niemand, besefte hij. Gewoonlijk kon je de aanwezigheid van iemand ruiken. Zo iemand liet zijn geur in de lucht achter. Hier was helemaal niemand. Alleen de geur van verval.

'Weet je zeker dat we de goeie coördinaten hebben gebruikt?'

Kate knikte. 'Swansea,' zei ze. 'Dat is er uit die coördinaten komen rollen. Weet je zeker dat we de goede *code* hebben gebruikt?'

Josh knikte. 'We hebben het er uitgebreid over gehad. Mijn geheugen is wat dat betreft weer helemaal terug. Luke houdt erg veel van rock – hij kent alle klassieke elpees en cd's uit zijn hoofd. Volgens mij heeft hij dat van zijn moeder. We hebben een heleboel cd's afgesproken, en steeds vormden de nummers van een bepaalde plaat de benodigde aanwijzingen. De Beatles en de Stones uiteraard, maar ook Van Morrison en nog wat Dylan-nummers.'

'Waar hangt hij dan ergens uit, verdomme?'

'Water,' zei Josh.

'In de auto,' reageerde Kate.

'Nee,' zei Josh. 'Ik bedoel, er moet hier ergens in de buurt een waterbron zijn. Niemand bouwt een stadje als er geen drinkwater in de buurt te vinden is. Luke is niet op zijn achterhoofd gevallen. Hij zal zich vast ergens in de buurt van het water verborgen houden.'

Kate keek hem met stralende ogen aan. 'Waar zou dat zijn?'

'Kalm aan,' reageerde Josh. 'We moeten op zoek naar de smeltoven. Voor een smeltoven heb je water nodig.'

Hij begon in de richting te lopen waar hij de smeltoven vermoedde. De hoofdstraat van Swansea liep kaarsrecht, met aan beide kanten gebouwen. Achter de gebouwen stonden nog een paar ruïnes die waarschijnlijk woonhuizen waren geweest. Recht voor zich zag Josh de mijn liggen, waarvan de roestende sleeptoren nog hoog boven het landschap uitstak. Daarnaast bevond zich de niet meer in gebruik zijnde transportband, waarop het ijzererts werd gesorteerd en vervolgens naar de smelter werd vervoerd. Het was een dagbouwmijn geweest. In dit verlaten landschap was er geen enkele poging ondernomen om na het sluiten van de mijn de schade aan de omgeving te herstellen. In de zijkant van de berg bevonden zich diepe sleuven, en waar er explosieven waren gebruikt – nodig om de duizenden tonnen rots tot bewerkbare brokken te reduceren – lagen nu enorme hoeveelheden puin.

Rond de installatie was oorspronkelijk een hek van prikkeldraad geplaatst, maar dat was grotendeels weggeroest. Josh duwde de poort open en stapte naar binnen. Overal om hem heen bevonden zich machineonderdelen. Hij liep snel in de richting van de deur die toegang zou moeten geven tot de smeltoven. De scharnieren waren verroest en gaven geen centimeter mee. Hij zette zijn schouder tegen de deur en zette kracht. Niets. Hij gooide zijn lichaam er nog een keertje tegenaan, maar pas bij de derde poging begaven de scharnieren het en schoot de deur open.

Josh stapte naar binnen. Er hing nog steeds een flauwe geur van houtskool en metaal in de ruimte, een geur die al die decennia dat hier niet meer werd gewerkt blijkbaar nooit had kunnen ontsnappen.

'Luke!' schreeuwde Josh. 'Luke!'

Zijn stem echode tegen het golfplaten dak.

'Luke!' schreeuwde hij opnieuw, harder deze keer. 'Luke!'

De woorden schoten door het vervallen gebouw, stuiterden tegen de wanden. Elke keer dat het terugstuiterde verloren ze iets van hun kracht, en Josh hoorde hoe ze uiteindelijk wegstierven, als het wegstervende einde van een grammofoonplaat. Waar hang je verdomme uit? vroeg Josh zich af. *Waarom geef je geen antwoord?*

Ik hoop maar dat je niet al vast vertrokken bent. In je eentje overleven doe je in deze omgeving niet, nog geen minuut. *En er zijn te veel mensen naar je op zoek.*

Er sprong een zaklantaarn aan, waarvan de lichtbundel op Josh bleef rusten. Hij sprong op en deinsde automatisch terug voor het felle licht. Hij bracht zijn onderarm naar zijn ogen om die af te schermen, en draaide zich om. Vanuit de schaduw stapte een magere, bleke gestalte naar voren.

'Ben jij dat, man? Ben jij dat écht?' vroeg de jongen.

Josh keek eens wat beter. De gestalte werd door het licht uit de zaklantaarn enigszins aan het oog onttrokken. Josh deed een stap naar voren. 'Luke?'

De zaklantaarn werd gedoofd. Josh kon hem nu wat duidelijker zien. Een magere jongen, vijftien, zestien jaar, met verward blond haar, dikke lippen en een gelaat dat wasbleek genoemd mocht worden. Zijn ogen lagen diep in de kassen en er hing een donkere schaduw over zijn wangen. Er zaten wat winkelhaken in zijn Limp Bizkit-T-shirt. En er hing een vreemde geur om hem heen: een zuur mengsel van zweet, angst en vuil.

'Jezus, wat zie je er uit.'

Luke haalde zijn schouders op. 'Zelf zie je er ook niet al te florissant uit.'

Josh deed nog een stap naar voren. Hij stak een hand uit, en Luke deed hetzelfde. De hand van de jongen was koud en bezweet, en zijn vingers trilden. Doodsbang, besefte Josh. Bang op een manier zoals een dier bang is. *Of een kind.*

Hij trok Luke dichter naar zich toe, sloeg zijn armen om hem heen en drukte hem tegen zijn borst, op de manier waarop hij het bij een reeds lang verloren gewaande broer zou hebben gedaan. Een ogenblik lang keken ze elkaar zwijgend aan.

'Het is oké, man. Het is oké,' zei Josh. 'Ik ben er. Alles komt in orde.'

Er liep een traan over Lukes wang. 'Verdorie, man. Ik ben zó bang geweest. Zo ongelooflijk bang, dat geloof je niet.'

'Maar nu zijn we er,' zei Josh. 'Alles komt in orde.' Hij nam de zaklantaarn van hem over en keek om zich heen. Luke had hier twee weken lang in z'n eentje ondergedoken gezeten. Droge bladeren waren bij elkaar geveegd tot een soort geïmproviseerd bed. Op het dak had hij een eenvoudig zonnepaneel geplaatst, dat net voldoende energie opleverde om een laptop aan de praat te houden, terwijl de computer via een kleine schotelantenne toegang had tot internet. Verder was Luke hier helemaal aan zichzelf overgeleverd geweest; niemand om mee te praten, terwijl hij te bang voor woorden was geweest. Geen wonder dat hij er langzaam maar zeker onderdoor dreigde te gaan. Er waren meer dan voldoende dappere mannen die dit nooit zouden hebben uitgehouden.

'Laten we eerst eens wat eten,' zei Luke nerveus. 'We moeten praten.'

Josh keek om zich heen. Lukes ideeën, zoals die van zoveel tieners, over wat hij nodig had om te overleven, mochten nogal naïef worden genoemd. Hij had twee tweeliterflessen Coke, een stuk of wat pakken chips en talloze dozen met koekjes. Nauwelijks drinkwater, geen fruit, geen brood en geen cornflakes. Nóg een reden dat hij er zo slecht uitzag, bedacht Josh. Hij neemt alleen maar suiker en zetmeel tot zich.

'Wie is zíj?' zei Luke, terwijl hij in de richting van Kate wees.

'Dat is Kate,' zei Josh. 'Ze is arts. Ze heeft me de afgelopen paar weken geholpen. Ik mag blij zijn dat ik haar bij me heb.'

'Hoe voel je je, Luke?' zei Kate. 'Als je wilt kan ik je snel even onderzoeken.'

Luke schudde zijn hoofd. 'Met mij is alles in orde. Bang, maar verder is alles goed met me.'

Hij schonk drie plastic bekertjes Coke in, nam een grote slok uit het zijne en sloeg vervolgens de rest achterover. Josh zag dat zijn hand nog steeds trilde.

'Wat is er verdomme allemaal gebeurd, man?' zei Luke plotseling, en hij keek daarbij beschuldigend naar Josh. 'Je zou me helpen.'

'Ik weet het niet,' antwoordde Josh.

'Hé, je zou me hier weghalen,' zei Luke, die duidelijk steeds bozer werd. 'Dat was de afspraak.'

'Daar weet ik ook niets van,' zei Josh.

Luke keek hem geschrokken aan. Josh zag hoe de angstige blik in zijn ogen, die de afgelopen paar minuten – toen hij duidelijk steeds erger geïrriteerd was geraakt – langzaam maar zeker was verdwenen, plotseling was teruggekeerd. 'Nou, veel weten doe je blijkbaar niet.'

'Ik ben mijn geheugen kwijtgeraakt,' zei Josh. 'Nadat ik ben neergeschoten. Wat zich vóór dat tijdstip allemaal heeft afgespeeld, ben ik helemaal kwijt.'

'Je geheugen? Shit!'

'Je zult me alles wat zich tussen ons heeft afgespeeld moeten vertellen, Luke,' zei Josh. 'Dus laten we gaan zitten. Dan kun je bij het begin beginnen.'

23

Dinsdag 16 juni. 's Nachts.

'Het begon met Ben en mij. Gewoon een paar jongens, hè? We zochten elkaar op school altijd op omdat we allebei in computers waren geïnteresseerd. We begonnen met spelletjes, het gebruikelijke spul. Daarna gingen we wat programmeren, en vervolgens begonnen we bepaalde websites te kraken. Niets kwaadaardigs. We probeerden alleen uit te vinden hoe goed we waren, denk ik. Er proberen achter te komen waartoe je in staat bent.'

Luke zat op het bladerbed waarop hij de afgelopen twee weken had geslapen. In zijn ene hand had hij een bekertje Coke en in de andere een koekje. Josh zat in kleermakerszit naast hem. Kate zat vlak achter hem en liet haar handen op Josh' schouders rusten. Ergens boven hen viel er wat daglicht door de kieren van het dak van de smeltoven.

'We hebben de schoolcomputer wel eens gekraakt en hebben toen cijfers veranderd. Daar hebben we behoorlijk voor op onze donder gekregen. Ook zijn we het computersysteem van de telefoonmaatschappij binnengedrongen, zodat we gratis konden bellen. Verder hebben we nog een stuk of wat systemen van andere bedrijven gekraakt. Niet om daar kwaad mee uit te richten. We wilden alleen maar een beetje om ons heen kijken, erachter komen waartoe we in staat waren.'

'Zoals wát?' vroeg Josh. 'En waarom deden jullie dat?'

Luke keek op, met op zijn gezicht een vage glimlach. 'Waarom dóét iemand iets? Om het geld, oké. Je hebt al kennisgemaakt met mijn moeder. Zien wij eruit als rijke mensen? Ik bedoel: ik hou van mijn moeder, begrijp me niet verkeerd, maar ze is knettergek. Of niet soms?'

Josh moest glimlachen. 'Ze volgt haar eigen route door het leven.'

'Ik heb nooit een vader gehad, althans, voorzover ik weet. We hebben nooit een fatsoenlijke auto gehad, of een fatsoenlijk huis, of wat dan ook. Dus al die tijd heb ik lopen nadenken of er een manier bestond waarop ik aan een behoorlijke hoeveelheid geld kon komen. Een miljoen dollar, of twee miljoen, zo'n soort bedrag. Zodat we een huis aan het strand in Jamaica konden kopen, waar ma dan de hele dag op d'r gemak wiet kan roken. En misschien een reisje naar Londen maken, op bezoek gaan langs de plekken waar The Clash vroeger heeft opgetreden. Zoals die zaal op de hoes van hun eerste album.'

'The Westway?' zei Josh. 'Vergeet het maar.'

'Nou, wat dan ook, man. Ik wilde alleen maar uit dat dorp weg. Ben en ik, wij allebei, dat was het enige wat we wilden.' Hij zweeg even en nam nog een slok Coke. 'Als je websites kraakt en in chatrooms terechtkomt, krijg je allerlei verhalen te horen van jongens die kans hebben gezien websites van grote bedrijven te hacken. Je weet wel, jongens die het lukt het computersysteem van Starbucks binnen te dringen en die dan gaan rotzooien met de prijzen van café latte. Of wat dan ook. Om vervolgens van dat bedrijf een miljoen dollar te krijgen om te vertellen welke zwakke plekken er in hun systeem zitten, en hoe ze die het beste kunnen repareren. Al die verhalen van jongelui die miljoenen verdienen door alleen maar voor hun computer te zitten en af en toe iets uit te proberen.'

'Dat is typisch iets voor mannen,' onderbrak Kate hem.

Luke keek naar haar op. Haar weelderige rode haar viel tot in haar nek en haar ogen leken zich in die van hem te boren. Het parfum, besefte Josh. Het parfum zweefde door de ruimte tussen hen in, gaf de kwalijk riekende lucht die in de smeltoven hing een zoete geur.

'Wat?' zei Luke, en hij richtte zijn blik haar kant uit, zoals een jong hondje naar zijn baasje opkijkt.

'Als je wat ouder bent, ga je beseffen dat mannen een hoop onzin uitkramen. Ze hangen in cafés rond, scheppen op dat ze met dat en dat meisje naar bed zijn geweest, dat ze de ene goede deal na de andere hebben gesloten. Maar gewoonlijk is dat allemaal flauwekul.'

Josh moest lachen. 'Gewóónlijk? Het is altíjd flauwekul.'

'Denk je echt dat die jongelui dat geld van Starbucks en andere grote bedrijven hebben gekregen? Probeer je mij dát duidelijk te maken?'

'Ik denk dat het wel eens gebeurt,' antwoordde Kate. 'Alleen vermoed ik dat het een stuk minder vaak gebeurt dan de mensen in de chatrooms zéggen dat het gebeurt.'

Luke knikte. Josh kon aan zijn gelaatsuitdrukking zien dat hij teleurgesteld was. Maar dat hoorde er nu eenmaal bij als je tiener was, bedacht Josh. Dan werden je illusies een voor een weggeschuurd, als een stuk hout dat van zijn verf wordt ontdaan. *Probeer er maar aan te wennen, jongen. Het leven heeft nog heel wat meer teleurstellingen voor je in petto.*

'Maar hoe dan ook, daar liepen Ben en ik aan te denken. Ik neem aan dat dat een tikkeltje naïef is geweest. We dachten dat als we kans zouden zien om in het computersysteem van een of ander groot bedrijf binnen te dringen, dat bedrijf ons misschien wel zou willen betalen als we daarmee ophielden.'

'Porter-Bell, inderdaad,' zei Josh. 'Daar zijn jullie begonnen.'

Luke knikte. 'Er wordt in de chatrooms veel over die lui gesproken. Het bedrijf wordt daar "Hanging Bell" genoemd, omdat ze altijd keihard optreden tegen hackers, en omdat het vreselijk moeilijk is om in hun systemen door te dringen. Wij vonden dat we het maar eens moesten proberen. Wat hadden we per slot van rekening te verliezen? Niets. We hadden toch niets anders te doen, want om nou te zeggen dat de meisjes voor ons in de rij stonden... nee. We hingen maar wat op onze kamers rond en deden spelletjes op onze computer.'

'De Drie-stedenaanslag?' zei Kate. 'Waren jullie dat?'

Een ogenblik lang zweeg Luke. Er verscheen een ernstige uitdrukking op zijn gezicht, alsof er zojuist een vervelende herinnering bij hem naar boven was gekomen. 'Ik neem aan dat we mazzel hadden. Daar komt het bij computers kraken vaak op neer. Je probeert eens wat dingen; je zoekt uit wat werkt en wat niet. Ze maken gebruik van firewalls, barrières, alles wat je kunt bedenken om hun systeem te beschermen. Maar Ben en ik hebben toen een worm ontworpen. Weten jullie wat een worm is?'

Josh schudde zijn hoofd.

'Het is een stuk software dat zich via een soort tunnel toegang tot het systeem verschaft, om er vervolgens aan de andere kant weer uit te komen. Je verpakt de instructies als het ware in weer een ander stukje code, en dat stelt je in staat erdoorheen te breken. Datgene wat er naar binnen komt, wordt dan door het systeem niet herkend.'

'Net zoals een pistool dat je in een laptop verstopt om door de douane heen te brengen?'

Luke grinnikte. 'Net zo. Over het algemeen lukt het niet om erdoorheen te komen. De firewalls zijn speciaal ontworpen om wormen op te sporen, samen met al het andere dat de hacker gebruikt om een systeem binnen te dringen.'

'Maar deze kwam er wél doorheen?'

'Nou, we probeerden het een keer of tien, en steeds werden ze onmiddellijk teruggestuurd. Maar toen lukte het ons. Met een perfecte worm. Hij kwam moeiteloos door hun bescherming heen, zonder dat hij werd opgemerkt, en eenmaal binnen begon de worm zichzelf uit te pakken. Een paar minuten lang hadden wij het binnen hun systeem alleen voor het zeggen.'

'Hébben jullie nou de Drie-stedenaanslag uitgevoerd of niet?' vroeg Josh.

Luke knikte. 'Ben en ik hebben die samen voorbereid. We vonden dat het tijd was voor iets spectaculairs, iets waar de aandacht van de wereld onmiddellijk op gevestigd zou worden. Dus kozen we voor Londen, Parijs en New York. Die steden maken wat het aansturen van hun elektriciteitsnetten betreft stuk voor stuk gebruik van software die door Porter-Bell is ontwikkeld, en gebruiken ook nog eens de laatste versie daarvan, en daar konden we in komen. Dus schakelden we de hele boel uit.' Hij wierp Kate een glimlach toe, en Josh zag duidelijk dat hij haar probeerde te imponeren. 'Ik kan je wel zeggen dat het heel wat losmaakte. De macht die we op dat moment hadden, de chaos die we creëerden. Ben en ik, met ons tweeën. Toen we het op de tv zagen gaf dat een enorme kick.'

'Tot de mensen begonnen te denken dat het het werk van terroristen was,' zei Josh.

'Daar schrokken we wel een beetje van. Ik denk dat we nauwelijks hebben nagedacht over het soort reacties die dit zou kunnen losmaken.'

Het licht dat door de kieren van het dak naar binnen viel werd al wat zwakker. Het was al na achten, besefte Josh, en de brandende hitte van de dag was al begonnen weg te ebben, en daarvoor in de plaats kwam de kilte die hier 's nachts nu eenmaal over de wildernis neerdaalde.

'We namen contact op met Porter-Bell,' vervolgde Luke. 'Natuurlijk zonder gebruik te maken van onze echte namen. Zo stom zijn we nu ook weer niet. We hadden een fake internetadres in elkaar gedraaid, vertelden die lui dat we toegang tot hun software hadden en zeiden erbij dat we contact met hen zouden opnemen om te kijken of we tot zaken konden komen.' Hij zweeg even, alsof hij de herinneringen die zich in zijn hoofd hadden vastgezet op een rijtje probeerde te zetten. 'Aanvankelijk zeiden ze dat we dood konden vallen. We kregen te horen dat honderden gekken – lui uit de hele wereld – al vóór ons hadden geprobeerd hun geld af te persen. Dus besloten we hen op nóg een paar demonstraties te trakteren. We hebben de elektriciteit toen niet voor een heel uur afgesloten, maar gewoon, voor een minuutje of twee – op verschillende plaatsen. Iets wat het avondnieuws niet eens zou halen.' Luke knipte met zijn vingers. 'Maar voldoende om die lui bij Porter-Bell te laten weten dat we in hun systeem konden.'

'En toen wilden ze wél naar jullie luisteren?' zei Josh.

'O, reken maar. Toen ze eenmaal doorhadden dat we geen stelletje gekken waren, dat wij over een manier beschikten om in hun computersysteem te komen, waren ze een en al oor. Ze wilden onmiddellijk een ontmoeting organiseren. Maar, zoals ik al zei, zo stom waren Ben en ik nu ook weer niet. We wisten dat we het heel slim moesten spelen. Ik bedoel maar, waar we mee bezig waren was hartstikke illegaal. En we wilden heel veel geld binnenhalen. Vijf miljoen dollar. Voldoende om de rest van ons leven mee door te komen. We spraken af dat de ruil zou plaatsvinden op neutraal gebied. Zíj zouden ons het geld overhandigen, waarna wíj hun de worm zouden geven.'

Luke keek naar Josh op, zijn blik plotseling duister en strak. 'En toen verscheen jij op het toneel.'

Josh had het gevoel dat je hebt als je naar een film kijkt die je als kind ook als eens hebt gezien: de grote lijnen van het verhaal komen je vaag bekend voor, maar de details kun je absoluut niet herinneren. 'Wat deed ik daar dan?' vroeg hij.

Luke haalde zijn schouders op. 'Ik zou het niet weten, man.'

'Wat heb ik gezegd? Ik zal toch wel iets tegen je hebben gezegd?'

'Ik weet absoluut niet hoe je ons hebt weten te vinden,' vervolgde Luke, die zijn blik tussen Josh en Kate heen en weer liet schieten. 'Ben ging ervan uit dat het kwam door het feit dat we dat fake internetadres bij een Britse provider hadden ondergebracht. We wilden liever geen Amerikaanse provider gebruiken, omdat we dan wellicht gemakkelijker op te sporen zouden zijn. We gingen ervan uit dat we het beste een Britse provider konden gebruiken, omdat we dan in elk geval de taal zouden begrijpen.'

Josh voelde hoe er in zijn hoofd iets begon te borrelen. Terwijl Luke vertelde wat er zich had afgespeeld, kwamen er steeds meer herinneringen bij hem naar boven. Flarden van ontmoetingen, fragmenten van bevelen en reizen schoten door zijn hoofd, waardoor er een pad werd uitgelicht dat tot nu toe voor hem in duisternis gehuld was gebleven. 'Zo zijn we je op het spoor gekomen,' zei hij. 'Zodra jullie in Londen de stroomtoevoer hadden afgesloten is de Britse inlichtingendienst naar jullie op zoek gegaan. De Britten maken zich grote zorgen over een mogelijke terroristische aanslag in Londen, en we gingen er allemaal van uit dat het onze oude Al-Qaeda-vrienden waren geweest. We volgen het internetverkeer en stuitten toen op jullie e-mails aan Porter-Bell. Daarna hebben we van onze opsporingsbevoegdheid gebruikgemaakt om via de provider te weten te komen waar jullie ergens uithingen.' Josh balde zijn vuisten. Plotseling wist hij waarvoor hij naar Amerika was gekomen. 'Ik ben hierheen gestuurd om jou op te sporen.'

Luke grinnikte. 'Dat is je dan gelukt. En toen werd het pas echt interessant.'

'Wat wilde ik precies?' vroeg Josh.

'Je zei dat je een SAS-agent was, naar Amerika gestuurd omdat Londen een van de steden was die zonder elektriciteit was komen te zitten. Je had opdracht ons op te sporen en ervoor te zorgen dat het nooit meer zou gebeuren. Je moest proberen erachter te komen wie het had gedaan, aangezien de Britse overheid ervan overtuigd was dat Al-Qaeda van zins was de software te gebruiken voor een aanslag in Engeland. Als de kans bestond dat Al-Qaeda die software in zijn bezit zou krijgen, dan moest dat tegen elke prijs voorkomen worden. Dát was jouw missie. Ons opsporen en de software in handen krijgen vóór iemand anders daarmee op de loop ging. Je vertelde ons dat elke inlichtingendienst ter wereld naar ons op zoek was, maar dat ook elke terroristengroep achter ons aan zat. Volgens jullie informatie probeerde Al-Qaeda ons op te sporen, enkel en alleen om die software in handen te krijgen, zodat ze hun aanslagen zouden kunnen plegen. En als we naar die ontmoeting met de mensen van Porter-Bell zouden gaan, zei je, stond het zo'n beetje vast dat we zouden worden geliquideerd.'

Josh haalde zijn schouders op. 'Dat klink niet onlogisch.'

'Toen bood je ons een deal aan. Je zei dat als wij jou zouden helpen bij het opsporen van de Al-Qaeda-man die naar ons op zoek was, jij ervoor zou zorgen dat we het land werden uitgesmokkeld, terwijl we het eventuele geld dat we Porter-Bell zouden afpersen mochten houden. Je zei dat niemand echt geïnteresseerd in ons was. Wat jou betrof was het enige waarvoor je gekomen was het neutraliseren van de Al-Qaeda-mensen die achter ons aan zaten.'

'Heb ik nog een naam genoemd?'

'Wat voor een naam?' vroeg Luke.

'De naam van de Al-Qaeda-man die achter jullie aan zou kunnen zitten.'

Luke zweeg een fractie van een seconde, en zei toen: 'Azim. Een knaap die Azim zou heten.'

Azim, bedacht Josh. Ik was blijkbaar al een hele tijd bezig die knaap in handen te krijgen. En dat probeer ik nog steeds. *Hoewel ik hem deze keer het liefst zou liquideren.*

'En ben je met die deal akkoord gegaan?' vroeg Kate.

'Ben en ik vonden dat we niet veel keus meer hadden. We hadden al gezien dat er hele vreemde dingen om ons heen gebeurden, in onze woonplaats, rond onze school. Het gerucht deed de ronde dat federale agenten de hele staat aan het omploegen waren. Plotseling kregen we door wat we hadden losgemaakt. Iedereen in de wereld was op zoek naar ons. Als we het er levend van af wilden brengen, als we ons geld wilden hebben, dan hadden we hulp nodig. En jij was de enige die met een aanbod kwam.'

'Wat wilde ik dan dat jullie zouden doen?'

'Die knaap, die Azim, dat was de man op wie je je met name had gefocust. Dát was de man die je in handen wilde krijgen.'

Nog meer herinneringen. De ontmoetingen met Ben en Luke. Josh kon zich weer herinneren hoe hij langzaam met hen had overlegd, op ze in had gepraat, hen langzaam maar zeker had weten te overtuigen, moeizaam hun vertrouwen winnend: door naar hen te luisteren, door te begrijpen wat ze wilden, en ten slotte zijn best te doen zich aan de afspraak te houden. 'Jij en Ben zijn toen een paar dagen weggeweest, dat kan ik me nog herinneren,' zei hij. 'We hebben voor een veilige plek in de bergen gezorgd waar jullie je een tijdje konden schuilhouden. Daarna hebben we een ontmoeting met de mensen van Porter-Bell geregeld. Maar we hebben daarbij een heel spoor van aanwijzingen op internet achtergelaten, zodat de buitenwereld precies zou weten waar en wanneer die ontmoeting zou plaatsvinden. Voldoende aanwijzingen om er zeker van te zijn dat Azim ook van de partij zou zijn, uitsluitend met de bedoeling ons de software afhandig te maken.'

Josh' stem had een opgewonden ondertoon gekregen toen hij zich de gebeurtenissen van die paar dagen weer herinnerde. Hij had ontdekt dat Azim in het gebied aanwezig was, op zoek naar Luke, met de bedoeling zijn software te stelen, zodat Al-Qaeda er gebruik van kon maken, waarna hij zich had gerealiseerd dat dit dé kans was om hem te grazen te nemen: dan kon de herinnering aan die nacht waarin hij bij de Afghaanse grens aan zijn klauwen was ontsnapt voor altijd worden begraven. 'Dán zou ik hem te pakken nemen. Daarna zou ik ervoor zorgen dat jullie het land uit konden. Jullie zouden je geld krijgen en ik zou een van de meest gezochte terroristen ter wereld in handen krijgen.'

'We kampeerden de dag vóór de ontmoeting met de mensen van Porter-Bell 's nachts buiten in de bergen,' zei Luke, die het relaas nu overnam. 'Zondag, 31 mei. We zaten met z'n drieën rond een kampvuur, als een groepje bandieten. Man, het was hartstikke leuk. We wisselden die code uit, voor het geval er iets met ons zou gebeuren en we van elkaar gescheiden zouden raken.'

Josh grinnikte. 'Toen kwamen we erachter dat we allebei van The Clash hielden.'

'En van al die andere grandioze rocknummers uit de jaren zeventig,' zei Luke. 'Échte muziek, zoals mijn moeder het noemt.' Hij viel stil. 'En toen maakte je er een puinhoop van, man. Toen er stront aan de knikker kwam, was je er niet voor ons.'

Josh zweeg.

'Wat is er verdomme gebeurd, man?' vroeg Luke, wiens stem schor was gaan klinken. 'Waarom wás je er niet voor ons? We vertrouwden je, man. We vertrouwden je verdomme volkomen!'

24

Dinsdag 16 juni. 's Nachts.

Josh zag de opgekropte kwaadheid in de ogen van de jongen. Hij droeg het verhaal nu al een paar dagen met zich mee, een giftige stoofpot van verraad en woede.

Geloof me, dacht Josh, als ik de klok terug zou kunnen draaien, zou ik het doen.

Hij herinnerde zich weer dat ze langs de kant van de weg hadden gestaan. Het was een verlaten stuk weg, diep in het hart van de woestenij van Arizona. Josh kende de omgeving zo langzamerhand vrij goed. Het was dezelfde plaats waar Kate hem had gevonden nadat hij was neergeschoten. Dezelfde plek waar hij later met Marshall nog eens naartoe was gereden. Dezelfde plek waar Ben was vermoord.

Josh had deze plek een dag vóór de schietpartij gevonden. Het terrein langs de weg was volkomen open, maar enkele rotsblokken konden voor dekking zorgen, en hij had die plaats dan ook uitgekozen om zich schuil te houden en – indien nodig – dekkingsvuur af te geven. Hij had een MP5 bij zich, hem ter beschikking gesteld door het Britse consulaat in Los Angeles, plus nog een kistje verdovingsgranaten voor het geval de ontmoeting helemaal uit de hand zou lopen.

'Je herinnert je het zeker wel weer, hè?' merkte Luke beschuldigend op.

Josh knikte, maar deed er verder het zwijgen toe. Wat zich toentertijd in die paar minuten had afgespeeld zag hij nu weer duidelijk voor zich. Het was een beeld, vermoedde hij, dat tot aan zijn dood toe haarscherp in zijn ziel gegrift zou blijven. Op het oorlogsterrein kunnen talloze afschuwelijke dingen gebeuren, besefte hij verbitterd. Er bestonden hon-

301

derd verschillende manieren om dood te gaan, en duizend manieren om gewond te raken. Maar niets is erger dan het verraden van een vriend.

'Het is zó gegaan,' zei Josh. Zijn stem klonk omfloerst, alsof hij in een kerk sprak. Buiten zag hij de sterren die langzaam maar zeker de avondhemel oplichtten. Hij zag hoe Kate en Luke aan zijn lippen hingen. 'Luke en Ben zaten in de berm van de weg. Jullie zagen er onschuldig uit, erg jong ook nog. Een stel jongens die de woestijn wilden ontdekken, of misschien wel aan het liften waren. Ik had alle zetten uitgewerkt in mijn hoofd zitten. De mensen van Porter-Bell zouden arriveren, het geld aan jullie overhandigen en de software in ontvangst nemen. Op een gegeven moment zou Azim ten tonele verschijnen. Zodra dat zou gebeuren, zou ik hem omleggen. Als de mensen van Porter-Bell van plan mochten zijn om geweld te gebruiken, zou ik ook hén neutraliseren. Hoe dan ook, ik zou ervoor zorgen dat zowel jij als Ben veilig weg kon komen. Als het allemaal volgens het door mij opgezette plan verliep, zou Porter-Bell de software in handen hebben, zodat er nergens ter wereld nog opzettelijk uitgevoerde grootschalige stroomstoringen zouden kunnen plaatsvinden. En ik kon naar huis afreizen met Azims scalp in m'n bagage. Een held. *Althans, dat dacht ik.*

Azim moest ergens in de buurt zitten. Ik had die man een halfjaar lang achter zijn vodden gezeten in het grensgebied tussen Afghanistan en Pakistan. Ik had die knakker al een keertje in het telescoopvizier van mijn geweer gehad. Ik kon de schoft als het ware rúíken. Ik zag hem niet, maar ik voelde als het ware hoe hij als een licht briesje tussen de rotsblokken door bewoog. Hij móést ergens vlak bij ons in de buurt zitten. En zodra hij tevoorschijn kwam, zou ik hem door zijn hoofd schieten. Dan zou ik deze klus erop hebben zitten. Eindelijk fatsoenlijk afgerond deze keer.

Toen stopte er op het afgesproken tijdstip een groepje van drie bikers langs de kant van de weg. De leider van het stel was een grote, zware kerel met een paardenstaart en een baard, een knaap die op een Honda reed. Hij werd geflankeerd door twee andere bikers. Nu besef ik dat dat Flatner geweest moet zijn, hoewel ik dat toen natuurlijk nog niet wist.

Vervolgens arriveerde er een auto. Een Jaguar xjs, zwart. Niet bepaald een auto die je in Arizona vaak ziet rijden. Er stapte een man uit. Eind veertig, begin vijftig misschien. Hij had een blauwe spijkerbroek en een ruimvallend witlinnen overhemd aan. Op zijn neus had hij zo'n donkere zonnebril die vooral door vliegers wordt gebruikt. Maar uiteraard herkende ik hem direct. Het was Ed Porter.

Ik zocht de horizon af. Ik had in de ene hand het geweer en in de andere een kijker. Ik ben een uitstekend schutter; ben ik altijd al geweest. Wijs me maar een menselijk hoofd aan, als het moet op een afstand van vijfhonderd meter, en in negenennegentig van de honderd gevallen weet ik dat te raken. Niemand wist dat ik tussen die rotsen zat. Niemand kón het ook weten. Zodra Azim ook maar zijn hánd zou laten zien, zou hij sterven.

Via een speciaal beveiligde lijn was ik door middel van een oortje met de Firma in Vauxhall verbonden. Ik had mijn commandant, een klootzak die Mark Bruton heet, precies verteld wat ik van plan was. Hij had het plan goedgekeurd. Hij had me verteld dat hij van mening was dat Azim allang dood was, maar mocht hij nog in leven zijn, dan werd het zeer op prijs gesteld als ik hem alsnog zou liquideren. En zolang ik er maar voor zorgde dat de software veilig aan de mensen van Porter-Bell werd overhandigd, zodat niemand meer op eigen houtje de stroom kon uitschakelen, gingen zij akkoord met het plan. Het enige dat ik hoefde te doen was het ten uitvoer brengen.

Ik had alle voorbereidingen getroffen. Ik was ervan overtuigd dat er niets mis kon gaan.'

'Maar het ging wel degelijk mis, man,' zei Luke. 'Je hebt het in het honderd laten lopen.'

Josh knikte. Hij voelde hoe de schuld als een donkere wolk over hem heen schoof. 'Dit is er gebeurd,' zei hij zacht. 'Luke en Ben stonden langs de weg. Luke had zijn laptop in zijn hand. Porter liep op jullie toe, vergezeld van Flatner. Porter had een zwarte canvas zak in zíjn hand. Het geld. Op dat moment kwam alles in een stroomversnelling. Azim hield zichzelf, op slechts een paar meter afstand, in het zand schuil. De klootzak had zich – letterlijk – volledig ingegraven, en had een rietje boven de grond uit gestoken waardoor hij ademhaalde. Hij kwam uit het zand overeind als een zombie uit het graf, maar had wel een AK-47 in zijn handen. Met één snelle beweging was hij bij Ben en zette de loop van zijn geweer tegen zijn hoofd. "We zijn hier met een heel stel," schreeuwde hij. "Overal verspreid. Geef me die software nou maar en laat jullie wapens vallen, dan zal jullie niets overkomen!"

Ik had hem. Ik had die klojo in mijn vizier. Op dat moment wist ik dat ik alleen nog maar de trekker hoefde over te halen en hij zou dood in elkaar zakken. Het schot zou uiterst zuiver zijn, dwars door zijn hoofd. Niemand zou zo'n schot overleven. Níémand.

Toen hoorde ik een stem in mijn oortje. Het was Bruton.

"Ben je daar, Harding?" tetterde hij in mijn oor. "Ben je daar?"

"Ja," antwoordde ik.

Ik had op dat moment mijn geweer nog steeds op Azim gericht. Ik kon hem nog steeds dwars door het hoofd schieten. Ik hoefde alleen die klotetrekker maar over te halen.

"De plannen zijn veranderd, Harding," zei Bruton. "We vinden het veel te gevaarlijk dat die twee maffe tieners over de mogelijkheid beschikken om, zodra ze zich een beetje vervelen, de stroom in Londen, Parijs, New York of waar dan ook uit te schakelen. Harer majesteits regering wenst dat die twee knapen worden geliquideerd."

"Maar ik heb die twee jongens mijn woord gegeven," beet ik hem toe.

"Nou, dat woord van jou heeft geen zak te betekenen," zegt Bruton. "Leg ze óm. Nú."

"Met alle respect, majoor, maar u kunt mijn rug op."

"Jij wenst overduidelijk voor de krijgsraad gesleept te worden, Harding," schreeuwde Bruton terug. "En nu sch- '"

Josh aarzelde. Hij nam een slokje van zijn Coke en een hap van een biscuittje. Het vertellen van dit hele relaas, het allemaal weer voor zich zien, precies zoals het zich op die dag had afgespeeld, hadden ervoor gezorgd dat hij bekaf was en hij zag er dan ook doodsbleek uit. Hij keek Luke aan: de gelaatsuitdrukking van de jongen was veranderd – verrassing had plaatsgemaakt voor fascinatie. Ik beloof je plechtig dat ik het goed met je zal maken, zei Josh tegen zichzelf. *Als me dat tenminste lukt…*

'Ik heb mijn oortje uitgerukt,' vervolgde Josh, die steeds vastberadener ging praten. 'Ik had geen zin meer om naar die flauwekul te luisteren. Bruton gaf me opdracht Ben en Luke neer te knallen – een dienstbevel. Maar ik dácht er niet aan dat bevel op te volgen. Vergeet het maar.

Ik keek deze kant weer uit. Tijdens mijn woordenwisseling met die idioot waren kostbare seconden verloren gegaan. En het was hier een complete chaos. Flatner en zijn twee handlangers hadden hun wapens getrokken. Pistolen. Ik herkende het merk. Het waren Desert Eagles, de zwaarste automatische pistolen die er in de wereld te vinden zijn. Een van hen had Ben bij Azim weggetrokken en had zijn wapen op hem gericht. Als uit het niets waren er nog twee Arabieren ten tonele verschenen. Beide mannen waren met een geweer gewapend. Die richtten ze op jou, Luke. Ze probeerden jou die computer afhandig te maken, maar je stond je mannetje.

Er was geen tijd meer om fatsoenlijk na te denken. Ik had Azim niet langer in mijn vizier. Dat moment had ik voorbij laten gaan. Ik kwam overeind, nam de MP5 in mijn ene hand en een verdovingsgranaat in de andere, en stormde vervolgens jullie kant uit. Ik dacht maar aan één ding. Ik moest jou en Ben zien te redden. Ik had jullie mijn woord gegeven, en ik zou me aan mijn woord hóúden ook, wat het me ook zou kosten. Je laat een makker die in de problemen zit niet in de steek. Dat is regel één binnen mijn Regiment. *En ik was bereid omwille van die regel te sterven.*

Het was bij jullie één grote chaos. Een paar seconden lang vlogen de kogels alle kanten uit. Er werd moordend vuur afgegeven. Ik schoot één kogel af, en toen nog een. Ik denk dat ik daarbij een van Azims mannen heb geraakt. Misschien zelfs wel twee. Ik weet het niet precies. Er stonden zoveel mensen met wapens te zwaaien, dat het onmogelijk was ergens fatsoenlijk op te richten. De hele missie werd één groot fiasco.

Ik zag jou, Luke. En toen zag ik Ben. Flatner stond op het punt je neer te schieten. Ik schreeuwde alleen maar: "Rennen, Luke, rennen. Ren voor je leven, verdomme!" En toen zag ik hoe je in de richting van het open, met struikgewas begroeide terrein begon te hollen. Onder het lopen keek je nog een keertje om en riep: "Ik neem nog contact met je op. Ik laat nog van me horen."

Toen zag ik hoe het pistool op Ben werd gericht. Ik zag Flatners vinger rond de trekker, en hij stond op het punt die over te halen. Ik stortte me boven op hem in een poging hem omver te werpen en zo te voorkomen dat hij kon richten. En dat was het. Op dat moment moet ik door die kogels zijn getroffen. Een in de nek en een in mijn been.

Want dat is het laatste wat ik me kan herinneren.'

'Ik vertrouwde je,' zei Luke. 'Maar dat had ik beter niet kunnen doen. En het heeft Ben het leven gekost.'

Josh schudde zijn hoofd. 'Ik ben in de steek gelaten door mijn eigen Regiment,' reageerde hij. 'Azim is een van de meest gezochte terroristen. Ik had hem kunnen liquideren, om daarna jullie te hulp te komen, maar op het allerlaatste moment werd ik met een heel ander bevel geconfronteerd.' Hij sloeg met zijn vuist keihard in zijn andere hand in een poging de woede die in hem opwelde te onderdrukken. 'De schoften. Ze hebben zich tegen mij gekeerd. En nu willen ze me arresteren en voor de krijgsraad slepen omdat ik een bevel niet heb opgevolgd.'

'Dus je kunt me niet helpen?'

'Zo bedoel ik het niet,' zei Josh. 'Ik zei dat ik je zou helpen, en dat ben ik ook zeker van plan.'

'Hoe dan, man?' vroeg Luke. 'Je hebt er de laatste keer anders wél een behoorlijke puinhoop van gemaakt.'

Die woorden deden Josh pijn. Op school had hij voor een aantal eindexamenvakken onvoldoendes gehaald. Dat was ook de reden waarom hij in het leger was gegaan, om toch nog iets van zijn toekomst te maken. Tijdens zijn training bij het Regiment had hij ook een paar cursussen opnieuw moeten doen. Zijn huwelijk met Paula, voorzover hij zich dat herinnerde, was ook mislukt, en hij had Emily achtergelaten met slechts één ouder om haar op te voeden: zijn gesprek met Luke had de sluizen wijd open gezet en al zijn herinneringen waren weer bij hem boven gekomen. En eerder dit jaar was hij er niet in geslaagd Azim te liquideren nadat hij de man midden in zijn vizier had gehad. Elke keer dat je ergens niet in slaagde tastte dat ook je mannelijkheid aan, totdat er alleen nog maar een wandelende verzameling teleurstellingen, nederlagen en excuses van je over was.

Maar deze keer zal ik niet falen. Dat kan ik simpelweg niet maken.

'Bij het Regiment hebben we een stelregel die ik altijd erg aansprekend heb gevonden,' zei Josh. 'We lokken onze vijand naar open terrein, zodat we hem kunnen aanvallen. En dat gaan we nu ook doen. We pakken Flatner en zijn handlangers aan, én Azim en zijn jongens, híér. En we leggen ze allemaal om. En als al onze vijanden dood zijn, hebben we gewonnen.'

Luke glimlachte: iets van de jeugdige krachtdadigheid was in zijn ogen teruggekeerd. 'Waar precies?'

Josh keek door de deuropening van de smeltoven naar buiten, naar de stoffige, verlaten straat. 'Dit lijkt me wel een prima plaats. We gaan het híér tegen die lui opnemen.'

Het vlees werd aan een oude houten staak gespietst. Kate haalde de dode kraanvogel door zijn eigen vet en draaide hem behoedzaam boven het kampvuur rond om ervoor te zorgen dat het dier aan alle kanten gelijkmatig gaar werd. De geur dreef naar de plaats waar Josh zat: een aantrekkelijke mix van wild en steak die zelfs de meest veeleisende lekkerbek in verleiding zou brengen.

'Ben je er klaar voor?' zei Josh terwijl hij naar Luke keek.

Hij knikte. Ze zaten in kleermakerszit op de stoffige vloer van de oude smeltoven. Josh zag dat het buiten een heldere nacht was. De sterren straalden op de bergen neer en een halvemaan zette Swansea in een bleek, zilverachtig licht. Dit ziet er beter uit dan Swansea in Wales, bedacht hij, en moest inwendig glimlachen. *Het is hier rustiger, en het eten smaakt hier ook nog eens een stuk beter.*

De laptop stond opengeklapt op de vloer tussen hen in: een Dell Inspiron in een blauwe hoes, identiek aan het apparaat dat door Kessler was geanalyseerd. De zonnepanelen genereerden overdag voldoende elektriciteit om de batterijen op te laden, en zolang ze het ding niet onafgebroken lieten aanstaan, moesten ze er qua vermogen voldoende aan hebben. Een kleine draagbare satellietschotel zorgde ervoor dat ze verbinding met internet hadden kunnen maken, zodat ze e-mails konden verzenden en ontvangen: gewoonlijk was zo'n verbinding erg duur, maar Luke wist precies hoe je in het systeem van een provider moest komen, zodat hij gratis toegang tot het web had. Als ik als tiener de beschikking over dit soort apparatuur had gehad, zou ik nooit het leger zijn ingegaan, concludeerde Josh met een treurige glimlach. Dan zou ik alleen maar aan elektronische oorlogvoering doen. Dat was een stuk veiliger dan een echte oorlog.

'Ik ben klaar,' meldde Luke.

Zijn vingers vlogen over het toetsenbord. Josh en Luke hadden het plan uitputtend besproken en hadden exact afgesproken wat ze zouden doen. Luke zou een bericht naar Porter-Bell versturen en daarbij gebruikmaken van precies hetzelfde fake e-mailadres als hij eerder samen met Ben had gehanteerd. Hij zou ze vertellen dat hij nog steeds bereid was om tegen een bedrag van vijf miljoen dollar afstand van zijn software te doen. Ze hoefden alleen maar akkoord te gaan, waarna hij hun een tijd en een plaats voor de ontmoeting zou doorgeven.

'Ze hebben toegehapt,' zei Luke, naar Luke opkijkend.

Josh was verrast door de snelheid waarmee het antwoord was binnengekomen. Het was nog geen vijf minuten geleden dat Luke de boodschap had verzonden, en nú al had hij antwoord. Hij weet ze wel helemaal gek te maken, bedacht Josh. *Ze zijn even nerveus als een geheelonthouder in een Texaanse bar.*

'Wat zeggen ze?'

'Ze gaan met onze voorwaarden akkoord, onvoorwaardelijk,' zei Luke.

'Vijf miljoen. Waar dan ook en wanneer dan ook. We hoeven het maar te zeggen.'

Josh keek naar het bericht op het scherm.

'Wat zal ik antwoorden?'

'Morgen in elk geval niet,' zei Josh. 'We hebben minimaal een dag nodig om ons voor te bereiden. Doe maar donderdag.'

'Hoe laat? Twaalf uur 's middags?'

'Jij hebt veel te veel tcm gekeken. Op dat uur is het veel te warm. Liever bij het aanbreken van de dag. En zeg maar dat we morgen de ontmoetingsplaats zullen doorgeven.'

Luke begon weer verwoed op het toetsenbord van de laptop te tikken.

'Waarom bij het aanbreken van de dag?'

Omdat bij het aanbreken van de dag de beste soldaten sterven. Met hun gevechtslaarzen aan.

Josh lachte en keek Luke vervolgens glimlachend aan. 'Omdat het geen zin heeft aan deze klootzakken een hele dag te spenderen.'

25

Woensdag 17 juni. Zonsopgang.
De zon verscheen net boven de horizon, en de eerste felle stralen speelden over Josh' huid. Hij voelde hoe Kate in zijn armen lag te slapen. Haar rode lokken lagen over zijn wang en haar arm lag uitgestrekt over zijn borst. De warmte van haar lichaam voelde geruststellend aan en terwijl ze ademhaalde kon hij haar hart voelen kloppen.

Misschien moeten we maar eens proberen samen verder te gaan nadat dit alles achter de rug is, peinsde hij. *Misschien, heel misschien, zie ik straks kans een relatie aan te gaan die standhoudt.*

Haar parfum zweefde nog steeds rond haar hals, maar was zodanig vermengd met de transpiratie van die nacht dat er alleen nog maar deeltjes van de geur op haar huid waren achtergebleven. *Clandestine* van Guy Laroche, besefte Josh. Die naam had al wekenlang ergens in zijn achterhoofd rondgefladderd. Een verpleegster met wie hij ooit eens een keertje de nacht had doorgebracht gebruikte het ook, en toen zijn vrouw het geurtje op zijn kleding had aangetroffen had ze hem er onmiddellijk uitgegooid. *Dat is een herinnering waarvan ik niet erg had gevonden als die me niét was bijgebleven.*

Mijn geheugen, besefte hij. Dat is blijkbaar weer in z'n geheel teruggekomen. Mijn familie. Mijn school, mijn vader en moeder, mijn exvrouw, mijn dochter. Ik herinner ze me allemaal weer – iedereen zit weer in het juiste vakje.

Ik weet wie ik ben, en waarvoor ik leef. *En ik weet ook dat ik bereid ben daarvoor te sterven.*

Josh kwam van de grond overeind. Het was even na zevenen in de ochtend. Kate had zich met opgetrokken benen tegen hem aan gevlijd, en beiden hadden ze op een hoop oude bladeren gelegen die van de straat bijeen waren geveegd. Luke lag een meter of tien verderop, zijn lichaam bedekt door een oude, versleten overall die hij waarschijnlijk in een van de verlaten omkleedruimtes had gevonden. Laat ze nog maar even doorslapen, bedacht Josh. Ik moet toch de directe omgeving eerst nog even in m'n eentje bekijken.

Hij rekte zich uit, verliet de ruimte met de smeltoven en stond even later op straat. Swansea voelde vroeg in de dag nog behoorlijk frisjes aan: het was alsof de spoken het stadje verlaten hadden en de gebouwen zagen eruit alsof ze op een dag weer moeiteloos in gebruik zouden kunnen worden genomen. Een vlucht kraanvogels zweefde in dichte formatie over en een van de grijze dieren was op een afbrokkelend stuk rots neergestreken. Het wierp een behoedzame blik op Josh en besloot hem vervolgens verder te negeren.

Een mijnstadje, mijmerde Josh. Er moeten hier ooit enorme hoeveelheden explosieven opgeslagen hebben gelegen.

Hij begon de lege gebouwen te doorzoeken. In het hotel trof hij de resten van een incheckbalie aan, maar de trap naar de eerste etage was grotendeels ingestort en het meubilair was al lang geleden weggehaald. In de keuken stond nog steeds een oud verroest fornuis, maar van brandstof was geen spoor te bekennen. Vervolgens stapte hij een gebouw binnen waarin volgens hem ooit een ijzerwinkel gevestigd was geweest. De toonbank stond er nog, hoewel het gepolitoerde bovenblad ervan in de loop der tijd dof was geworden. De planken waren bezweken en torsten nu een stoffige laag puin. Josh pakte een van de blikken die op de grond lagen op. Dat verpulverde onder zijn vingers, waarbij het bruine metaal als bladerdeeg uit elkaar viel.

Er viel een halfvergane zak zware spijkers op de vloer. Josh zocht ze zorgvuldig bij elkaar. Als hij een zelfgemaakte bom zou moeten maken, vormden deze stalen spijkers een behoorlijke hoeveelheid schroot. Hij stapte een vertrek binnen dat volgens hem ooit het magazijn geweest moest zijn. In een hoek stond een hele stapel theekisten, die hij vervolgens een voor een openwrikte. De meeste waren leeg. Uiteindelijk trof hij er een die vol zat met jachtmessen. Hij haalde ze eruit, allemaal. Ze waren sinds men hier was weggetrokken, zo'n tachtig jaar geleden, niet meer gebruikt en de lemmeten waren zo scherp als scheermesjes.

Eindelijk wordt het wat, bedacht Josh. *Ons eigen arsenaal.*

De volgende vier uur bleef Josh het stadje doorzoeken. Het bureau van de sheriff, de huizen, de smederij – hij inspecteerde elk gebouw van boven tot onder om te kijken of er nog iets te halen viel. Tegen de tijd dat hij daarmee klaar was, zat hij onder een dun laagje stof. Zijn handen gaven hem het gevoel dat hij in de geschiedenis had lopen graven. Maar hij had een uiterst nuttige buit bijeen weten te brengen. Een paar blikken stookolie, gevonden in de vervallen huizen, een doos of tien met geweerpatronen die hij in het bureau van de sheriff had aangetroffen; een stuk of wat lege flessen, gevonden in de saloon; en een hele collectie gevaarlijk uitziende zware stalen hamers die hij in de ruimte waar vroeger de smederij was gevestigd had ontdekt.

Voldoende spullen om veel schade aan te richten. *Als je tenminste tijd hebt om je voor te bereiden en weet hoe je ermee moet omgaan.*

Nadat hij naar de smeltoven terug was gelopen, pookte hij het kampvuur dat hij de avond tevoren had aangelegd nog eens op en gooide nog wat houten vloerdelen op het vuur om het weer een beetje aan te wakkeren. Hij kookte water en zette een pot veel te sterke koffie, om er vervolgens twee plastic bekertjes mee te vullen die hij en Kate bij een benzinestation hadden gekocht.

'Oké, kampeerders,' zei Josh, en hij gaf zowel Luke als Kate elk een bekertje. 'Tijd om op te staan. Er is nog een hoop werk te doen. Ik wil dat dit gebouw morgen wordt opgeblazen alsof het 4 juli is.'

Josh wees naar de toegang tot het stadje. 'Hier,' zei hij tegen Luke. 'We kunnen ze het beste híér ingraven.'

De weg kronkelde langs de berghelling omhoog: toen er in Swansea nog werd gewoond en gewerkt was het een geplaveide tweebaansweg geweest, maar na al die jaren was er niet veel meer van over dan een smal landweggetje.

'Hoe diep?' vroeg Luke.

'Tien centimeter, meer niet,' zei Josh. 'Bedek ze met een dun laagje zand en hark er dan lichtjes overeen, zodat het niet te veel opvalt dat er recentelijk is gegraven.'

Het afgelopen uur hadden ze de geweerpatronen uit hun dozen gehaald en vervolgens de slaghoedjes ervan opengemaakt. Daarna hadden ze de patronen met vier tegelijk met touw samengebonden. Begraaf ze onder de oppervlakte, en iedereen die erbovenop stapt raakt gegarandeerd een been kwijt. Het was in feite een simpele, ruw in elkaar geflanste landmijn. *Maar ik heb gezien hoe die dingen in Bosnië tegen onze mensen werden ingezet, en ik weet dan ook hoe dodelijk ze kunnen zijn.*

Ze werkten een uur lang, op verschillende plekken rond het stadje gaten gravend, waarna de springladingen in een doordacht patroon werden neergelegd en afgedekt. *Zodra er iemand aanvalt, lokken we ze in de richting van de landmijnen.*

'Oké,' zei Josh, terwijl hij de laatste van de springladingen inspecteerde. 'En dan nu de flessen.'

Het volgende uur waren ze druk bezig met het vullen van de oude flessen, waar eerst spijkers in werden gestopt en daarna nog een hoeveelheid stookolie aan werd toegevoegd, waarna de hals werd afgedicht met een prop katoen, die er circa vijftien centimeter uitstak. Josh klauterde behoedzaam naar het dak van het op instorten staande hotel, en moest goed oppassen daarbij niet een van de rottende steunbalken kapot te trappen die het nog resterende deel van het dak ondersteunden. Met een stuk touw bevestigde hij de flessen – met een tussenruimte van drie, vier meter – aan het dak.

Een gecombineerde spijker- en benzinebom, concludeerde hij grimmig. Iedereen die in de buurt van zo'n ding stond wanneer die explodeerde, zou de komende morgen spijt als haren op z'n hoofd hebben dat hij ooit geboren was. Waarschijnlijk zou niemand zoiets overleven.

'Prent goed in je hoofd waar we de mijnen hebben gelegd,' zei Josh tegen Luke nadat hij weer naar beneden was geklauterd. 'Kijk ernaar zo vaak als nodig is en blijf jezelf inprenten waar ze zich bevinden, totdat je de plaatsen blindelings kunt aanwijzen.'

'Zal ik doorgeven waar we hen willen ontmoeten?' vroeg Luke, terwijl hij een zijdelingse blik naar Josh wiep.

Josh had Kates kaart van de omgeving aandachtig bestudeerd en had met haar overlegd. Hij wilde niet dat iemand bij Porter-Bell erachter zou komen dat ze zich in Swansea verborgen hielden. Het zou voor hun huurmoordenaars veel te gemakkelijk zijn om het stadje 's nachts te infiltreren, hen onverhoeds te overvallen en hen allemaal in hun slaap te vermoorden. In plaats daarvan zou hij hen een ontmoetingsplaats opgeven op een uurtje lopen, aan de andere kant van de bergen, en erbij zeggen dat ze daar morgenochtend om acht uur present moesten zijn.

Zodra ze daar arriveerden zouden ze een briefje vinden dat hen door-verwees naar Swansea. Op die manier zouden ze rond negenen in het stadje arriveren. *En tegen die tijd hebben we onze deurmat met 'Welkom' erop wel afgestoft.*

'Geef ze de GPS-coördinaten,' zei Josh. 'En zeg ook tegen ze dat ze vooral niet in hun hoofd moeten halen eerder te komen. Zodra ze ons proberen te bedonderen, gaat de deal niet door en is het met hen ge-daan.'

Luke toetste de boodschap op zijn laptop in en drukte toen op *send*.

'Denk je echt dat het Azim lukt deze e-mails in handen te krijgen?' vroeg Josh.

Luke knikte. 'Ik maak gebruik van mijn reguliere oude e-mailbox. Ie-dereen die ook maar iets van computers weet, ziet kans dat ding pro-bleemloos te kraken.'

Josh knikte. 'Dan weet hij waar we zitten, en zal hij komen om te pro-beren ons te grazen te nemen. Hij wíl die software in handen krijgen, meer dan wát ook ter wereld.' Hij probeerde te glimlachen, maar die glimlach vervloog op zijn lippen. 'Probeer zoveel mogelijk slaap te pak-ken,' zei hij zacht. 'Het zal er morgen heet aan toe gaan.'

Josh woog het pistool in zijn hand. Het was een Wildey Survivor: een slank jachtpistool met een verlengde, twintig centimeter lange loop en houten greepplaten. De Wildey was het enige wapen waarover ze met z'n allen beschikten. Luke had het mee van huis genomen en had het al-tijd bij zich gehouden. Waarschijnlijk was het van zijn moeder geweest, vermoedde Josh, die het niet onmogelijk achtte dat ze het ooit eens een van haar vriendjes afhandig had gemaakt.

Maar je hebt maar één enkel wapen nodig. Zolang het maar in handen is van de juiste persoon.

Hij speelde met het pistool, bracht het omhoog, op één lijn met zijn oog, om te zien of er fatsoenlijk mee viel te richten. Hij beschikte over twintig patronen en voelde er weinig voor om er daar een paar van voor oefenschoten te gebruiken. De Wildey was een pistool waarover hij na-genoeg niets wist: hij had Charles Bronson ermee gezien in de film *Death Wish III*, maar dat was de enige keer geweest dat hij met het wa-pen was geconfronteerd. *Maar ach, als het goed genoeg was voor Charlie, dan is het ook goed genoeg voor mij.*

Zijn ervaring had Josh geleerd dat elk wapen zich gedroeg als een vrouw: ze waren temperamentvol en dienden met de grootste voorzichtigheid te worden behandeld. Ze weken een tikkeltje af naar links of naar rechts, moesten net iets lager of hoger gehouden worden en de trekkers ervan dienden juist krachtig of langzaam overgehaald te worden. Als je niet van hun bekoorlijke eigenaardigheden op de hoogte was, had je geen enkele kans het er goed vanaf te brengen.

Ik heb nog maar een paar uur de tijd om je karakter te doorgronden, bedacht Josh toen hij de Wildey wat beter bekeek. *En mijn leven zou er wel eens van af kunnen hangen.*

De twintig minuten daarna haalde Josh de Wildey helemaal uit elkaar, en controleerde hij of elk onderdeel van het pistool functioneerde zoals het behoorde te functioneren.

Aan de hemel hing een kwart maan. Josh zat buiten, vlak voor de ruimte waarin de smeltoven stond opgesteld. Vroeger was het misschien ooit een stoeprand geweest, maar nu was het niet meer dan een vormloos en gebarsten stuk steen. Hij liet zijn blik door de lege straat glijden en een ogenblik lang zag hij die zoals het hier vroeger ooit geweest moest zijn, vol mensen, paarden, lawaai, vuil en levendigheid. En om dan te moeten aanzien hoe dat alles op vrij korte termijn weer verdween, bedacht hij. Dat moet een hard gelag zijn geweest. Hoe de gezinnen een voor een wegtrokken, en om vervolgens als laatste bewoner van het stadje achter te moeten blijven.

Tijd om naar huis te gaan, bedacht Josh. Tijd om mijn dochtertje weer eens te zien. Om haar in mijn armen te nemen, mee te nemen naar een McDonald's, haar van school op te halen, haar mee te nemen naar de bioscoop, om in de tuin een schommel voor haar op te hangen. Al die dingen te doen die van een vader verwacht worden. Maar tot het zover is staat me nog een afschuwelijk etmaal te wachten.

Zelfs als ik het morgen overleef, zal dat verdomde Regiment me nog steeds in de boeien willen slaan. Nee, Josh, hield hij zich vastberaden voor. Ik ga niet voor ze op de loop. Ik ga de strijd met ze aan, op de enige manier die ik ken. Zolang ik Azim te grazen neem, kunnen ze me niet voor de krijgsraad slepen. Ze kunnen me een stevige douw geven. Dat zullen ze waarschijnlijk toch wel doen. Maar de man die met het hoofd van een van de meest gezochte Al-Qaeda-terroristen aan komt zetten – nou, hém zullen ze toch zeker niet het Regiment uit trappen. *Dat zouden ze misschien wel wíllen, maar ze hebben er het lef niet voor.*

Josh schopte tegen een steentje dat voor hem op straat lag. Hij moest moeite doen om de woede die in hem zat onder controle te houden: die kolkte door zijn lichaam, zorgde voor een verhoogde hartslag en deed zijn bloed koken. Bruton had nu al twee keer voor elkaar gekregen dat het Josh nét niet gelukt was Azim om te leggen. *Maar ik laat me geen derde keer tegenhouden.*

Josh kneep wat aarde fijn tussen zijn vingers. Morgen zal Azims bloed deze grond doorweken.

'Waar zit je aan te denken?' vroeg Kate.

Ze had een fles water in haar hand. Ze kwam naast hem zitten, sloeg haar arm rond zijn rug en nestelde haar wang in de ronding van zijn hals. Haar huid kriebelde tegen de zijne, en hij voelde hoe onder de oppervlakte van hen beiden de passie sluimerde.

'Ik denk dat het het beste is als jij hier zo snel mogelijk vertrekt,' zei hij. Zijn stem klonk kortaf en toonloos.

Kate haalde haar hoofd van zijn schouder en keek hem aan. Haar ogen fonkelden van kwaadheid. 'Ik blijf hier.'

'Nee,' zei Josh scherp. 'Het wordt hier veel te gevaarlijk.'

Kate lachte: een holle, oppervlakkige lach die Josh leek te bespotten. 'Alsof het oppikken van jou uit die greppel niet gevaarlijk was. Alsof het mee naar huis nemen van jou niet gevaarlijk was. Alsof het verbergen van jou voor de politie niet gevaarlijk was. Alsof het jou te hulp komen terwijl je gefolterd werd en op het punt stond door te slaan niet gevaarlijk was.' Ze zweeg even. Ze had de woorden verstikt van woede uitgesproken en haar gezicht was rood geworden. 'En wat denk je dat er door me heen ging toen ik mijn vader zag sterven toen hij probeerde jóú het leven te redden?'

Josh werd overvallen door schuldgevoelens. *Marshall is vanwege mij doodgeschoten,* besefte hij. *Maar dat hoort nu eenmaal bij het leven van een soldaat. Je nam je plaats in de vuurlinie in, en je ving een kogel voor je kameraden op. Zo werkte het nu eenmaal. Marshall was een oude militair. Hij kende het klappen van de zweep.*

'Daar gaat het nou net om,' snauwde hij. 'Je hebt al zoveel voor me gedaan. Ik wil niet dat je nóg meer risico voor me loopt.'

'Ik ben heel goed in staat voor mezelf te zorgen.'

Josh ging staan. 'Je hebt geen flauw idee hoe gevaarlijk dit gaat worden. Ik weet niet eens hoeveel man morgen deze kant op komen. Vijf, zes, misschien wel tien, twaalf. Ik kan onmogelijk precies zeggen hoeveel. En we beschikken over zegge en schrijven één pistool en een stuk of wat zelfgemaakte landmijnen, en we zitten opgezadeld met een tiener die alleen nog maar een vuurgevecht op zijn Playstation heeft meegemaakt. Hoe groot denk je dat míjn kans is dit alles te overleven? Nou, behoorlijk klein.'

'Waarom doe je het dan?'

'Ik heb geen keus.'

Kate wierp met een snelle beweging van haar hoofd haar rode haar naar achteren. 'Iedereen heeft een keus.'

'Ik ben soldaat. Wij hebben géén keus. We hebben bevelen.'

'Je hebt het bevel gekregen Luke en Ben dood te schieten.'

'Ik heb mijn eigen bevelen – en die voer ik uit,' zei Josh. 'Mijn opdracht is me aan mijn woord jegens Luke te houden. En Azim te liquideren, want dat is een boosaardig, gevaarlijk iemand. En wat al die angsthazen zeggen interesseert me geen barst. Ik doe het op míjn manier.'

'En míjn manier bestaat eruit dat ik hier blijf,' zei Kate. 'En het gevaar interesseert me niet – ik wil wel eens zien hoe dit afloopt.'

Josh haalde zijn schouders op. 'Ik heb je gewaarschuwd. Het is je eigen beslissing.' Hij zweeg even en keek haar recht in de ogen. 'Maar blijf uit de buurt van het gevaar. Ik heb mijn leven aan jou te danken. Het enige wat ik voor je terug kan doen is proberen je uit de gevarenzone te houden.'

26

Donderdag 18 juni. Zonsopgang.

Josh nam een grote slok uit de fles water en liet wat van de vloeistof over zijn gezicht spetteren. Hij keek omhoog naar de lucht. Die was al oogverblindend blauw, terwijl het nog maar acht uur in de ochtend was. Hij keek met een zorgelijke blik naar de hoofdstraat van Swansea. Verlaten, zoals altijd. En toch zou het daar over een paar uur misschien even druk zijn als in het verleden. *En misschien ook wel vol doden liggen.*

Het afgelopen uur was hij de helling van de berg afgedaald en was daarbij door ruw, moeilijk terrein getrokken. De kans was groot dat hier de afgelopen halve eeuw niemand een voet had gezet. Hij keek naar het stoffige kruispunt waar de mensen van Porter-Bell hun geld zouden moeten achterlaten – tenminste, als ze de software van Luke mee naar huis wilden nemen. Er was nog niemand te zien, precies zoals Porter-Bell had beloofd. De stroomstoringen van de vorige week, die door Luke waren gebruikt om met Josh te communiceren, hadden het bedrijf blijkbaar behoorlijk bang gemaakt. Misschien dat ze nu niets liever wilden dan het geld overhandigen, de software in ontvangst nemen en deze hele ellendige geschiedenis achter zich laten. Nadat hij het gebied had verkend en zich ervan had overtuigd dat er nog steeds niemand was, maakte Josh een velletje papier aan een stok vast en ramde die in het midden van het kruispunt in de aarde. 'We zien elkaar in Swansea', stond erop, met daaronder de tekst: 'Graag zo snel mogelijk'.

Terwijl zijn blik opnieuw langs het verlaten stadje gleed, liet Josh in zijn hoofd het plan misschien wel voor de honderdste keer de revue passeren. Het was nu even na achten. Over een uurtje zou het team van Porter-Bell arriveren en het briefje lezen. Hij ging ervan uit dat die lui met terreinwagens kwamen – Jeeps misschien, of quads, of wellicht met crossmotoren – maar ze zouden een halfuur later dan oorspronkelijk afgesproken arriveren – als de boodschap tenminste was doorgekomen. Dat zou betekenen dat ze rond negenen verwacht konden worden.

Gisteravond laat had hij Luke nog gevraagd een open e-mail te versturen waarin het tijdstip bevestigd werd, plus nog een andere, vercijferd deze keer, alleen naar Porter-Bell, waarin het tijdstip van acht uur naar halfnegen werd verschoven. Met een beetje geluk zou Azim die eerste boodschap weten te onderscheppen, waarin de Porter-Bell-mensen te horen kregen dat ze om acht uur verwacht werden. Op die manier zou hij hier als eerste ten tonele verschijnen. *En biedt hij mij rechtstreeks zijn nek aan.*

Azim zou hier over een halfuurtje moeten arriveren. Die liquideren we dan, en we wachten vervolgens af tot de Porter-Bell-bende ten tonele verschijnt. We nemen het geld in ontvangst en geven hun de software. Klaar is kees. En dan zo snel mogelijk weg hier.

Wat mij betreft kan Bruton op zijn eigen brandstapel geroosterd worden, vond Josh. *Als ze alleen maar robots als soldaten willen, dan moeten ze die maar zo snel mogelijk gaan bouwen. Vanaf nu beslis ik zélf hoe ik deze oorlog voer.*

'Ben je klaar?' vroeg Josh, en hij wierp Kate een snelle blik toe.

Ze stond in de schaduw van het bouwvallige hotel, tien meter bij hem vandaan, klaar om enkele van de benzinebommen die op de rand van het dak waren geplaatst naar beneden te laten komen. 'Ja, ik ben er klaar voor,' zei ze vastbesloten.

'Zodra ik het zeg ga je naar het dak en gooi je die bommen naar beneden,' zei hij. 'Je hoeft niet echt te richten, daar gaat het nu niet om. De explosie die ze veroorzaken is hevig genoeg om iedereen die in de buurt is van de sokken te blazen. Begrijp je het een beetje?'

'Ik heb het begrepen.'

'Ben jij er ook klaar voor?' riep Josh, en hij keek in de richting van Luke. De jongen stond in de deuropening van het oude kantoor van de sheriff, een meter of vijftien verderop.

'Verdorie, zeker weten, man. Ik kan haast niet wachten,' reageerde Luke.

318

Josh hoorde de bravoure in de stem van de jongen, maar hij zag ook de angst in zijn ogen. Doe nou geen stomme dingen, zei Josh geluidloos tegen zichzelf. Probeer niet de stoere jongen uit te hangen. Het gevecht kan behoorlijk angstaanjagend zijn, en je moet niet alleen weten wanneer je moet toeslaan, je moet ook weten wanneer het beter is je even terug te trekken.

'Blijf op je hoede!' zei hij kortaf. 'De komende twintig minuten verwacht ik ze eigenlijk nog niet, maar ze kunnen natuurlijk elk moment komen opdagen. Het ergste wat je tijdens het gevecht kan overkomen is onverhoeds aangevallen worden.'

De voorbereidingen zijn getroffen, laat nu de strijd maar losbranden, zei Josh tegen zichzelf. *En als we uiteindelijk allemaal door het vuur worden verteerd, dan moet dat maar.*

Hij legde zijn vinger langs de trekkerbeugel van de Wildey Survivor. Als ik iets aan dit alles zou kunnen veranderen, zou ik opteren voor meer vuurwapens, mijmerde hij. Een stuk of wat halfautomatische geweren, een machinegeweer, een stuk of wat handgranaten. En misschien nog een bataljonnetje of twee om in reserve te houden. Maar ik ben bang dat ik het voorlopig met één enkel pistool zal moeten doen.

Soldaten bepaalden nooit met welk wapen ze ten strijde zouden trekken, en ze kozen ook het gevechtsterrein niet uit. *Als dat wel zo was, dan zouden er niet zoveel militaire begraafplaatsen op de wereld te vinden zijn.*

Hij hoorde iets. Josh draaide met een ruk zijn hoofd om. Het leek op gerommel in de verte, alsof het ergens onweerde. Hij keek omhoog. Er was nergens een wolkje te zien. Met het pistool in de hand stelde hij zich achter de entree van de ijzerwinkel op. Er dwarrelde wat stof op zijn hoofd neer.

Opnieuw hoorde hij iets. Harder deze keer. Een motorfiets.

Tien voor halfnegen. *Er hoorde nog niemand te arriveren.*

Josh luisterde aandachtig. Het gegrom van de motoren klonk nog een kleine twee kilometer bij hem vandaan, maar was wel steeds duidelijker te horen. Het was een laag geronk, dat over de dorre vlakte galmde. Een minuutje rijden, misschien. Maar het zouden ook dertig seconden kunnen zijn.

Azim, concludeerde Josh. Het móét hem zijn. *En deze keer zijn de omstandigheden voor ons beiden gelijk.*

Het geluid van de motorfietsen zwol snel aan. Josh kon de uitlaatdampen bijna ruiken. Hij voelde bijna hoe de wielen de kurkdroge grond omwoelden en zag in gedachten al voor zich hoe ze een dikke zwarte rookpluim achter zich aantrokken.

Josh kwam uit de deuropening tevoorschijn en bewoog zich behoedzaam door de hoofdstraat. Hij zorgde ervoor dat hij dicht bij de voorgevels bleef, voor het geval er zich ergens in de bergen scherpschutters hadden geposteerd.

Hij was van plan de aanvallers te lijf te gaan zodra ze tussen de landmijnen waren beland. Kate en Luke zouden zich op de achtergrond houden, zo ver mogelijk bij het gevaar uit de buurt. *Misschien kan ik deze klus klaren zonder dat het nodig is hen er verder bij te betrekken,* bedacht hij. *Met een beetje geluk.*

'Zoek dekking,' riep Josh tegen Kate in het hotel. 'Als je iemand ziet die je niet bevalt, slinger je maar zo'n benzinebom naar hem toe!' Toen wierp hij een snelle blik in de richting van Luke, die nog steeds in de deuropening van het oude kantoor van de sheriff stond te wachten. 'Laat je niet zien.'

'Ik kom naar jóú toe,' schreeuwde Luke.

'Nee, dat doe je niet!' beet Josh hem toe.

Luke deed een stap naar voren. 'Ik kóm,' volhardde hij.

'Blijf waar je bent, verdomme!' reageerde Josh. 'En dat is een bevel!'

Hij liep verder naar voren, ervoor zorgend dat hij niet te zien was, en elke stap was een zorgvuldige stap in het ongewisse. Hij greep de Wildey nog wat steviger beet en voelde hoe er op zijn vuist zweetdruppeltjes verschenen. Zijn hart ging als een gek tekeer en maakte dat zijn borstkas hevig trilde. Toen hij het einde van de straat bereikte drukte hij zich met zijn rug stevig tegen de laatste stenen muur die nog overeind stond – hoewel hij wel vol scheuren zat – en liet zijn blik over de woestenij glijden die zich vanaf de rand van het stadje alle kanten uit leek te strekken.

Ik lok ze in het mijnenveld. Dan kunnen de springladingen die daar zijn ingegraven die lui weer terugblazen in het gat waar ze ooit uit tevoorschijn zijn komen kruipen.

Aan de horizon waren drie motorfietsen te zien. Het waren Hondamotoren van het type XR650: grote, krachtige crossmotoren, met een verhoogd stuur, spatlappen en enorme, van spikes voorziene banden, speciaal ontworpen om zich een weg dwars door modder of rul zand te banen. Op elk van die motoren zat een man van minstens honderdtwintig kilo. Ze waren van top tot teen in het leer gestoken, hadden een donkere zonnebril op hun neus staan, terwijl ze ook nog een matzwarte helm ophadden

Het was vreemd. Ze zagen eruit als handlangers van Flatner, maar of ze nou bij hem of Azim hoorden maakte weinig uit, concludeerde Josh, deed er in feite niet toe. In alletwee de gevallen was de keuze ongelooflijk simpel. *Ik dood hen, of zij doden mij.*

Hij hoorde hoe de motoren vijftig meter vóór hem tot stilstand kwamen, waarna iemand iets schreeuwde, maar direct daarna werd het gas weer helemaal opengedraaid en sprongen de motoren weer naar voren. De eerste motor schoot over het zand, met de twee andere er vlak achteraan. Door de accelererende machines werden grote stofwolken opgeworpen, en toen Josh naar de voorste biker keek zag hij dat die met zijn rechterhand een pistool tevoorschijn haalde, terwijl hij met zijn linker het stuur van zijn Honda vasthield.

Het mijnenveld dat Josh en Luke hadden aangelegd lag twintig meter vóór hen.

Er klonk een schot. De kogel ketste tegen het muurtje en ricocheerde zonder verder schade aan te richten een andere kant op. Josh besefte dat ze hem hadden gezien en dook achter de stenen weg. De motoren moesten nu bij het begin van het mijnenveld zijn gearriveerd, er misschien wel overheen stuiteren als kiezelsteentjes,die over het wateroppervlak van een meer worden geworpen.

Er gebeurde helemaal niets.

Jezus, dacht Josh. *Als die mijnen niet werken ben ik zo goed als dood.*

Precies op het moment dat Josh weer over het muurtje keek werd de ochtendlucht verscheurd door een explosie. De mijn was uit elkaar gespat, waarbij alle kracht recht omhoog was gericht, waardoor het motorblok van de Honda de volle laag kreeg. Het voorwiel zwiepte omhoog en de berijder werd van zijn machine geworpen. De brandstoftank stond al in brand. Binnen enkele seconden reageerde de brandstof op de vlammen – de tank explodeerde en de motorfiets veranderde in een dodelijke vuurbal.

Na alle oorlogsgebieden waarin hij ooit actief was geweest, wist Josh uit ervaring dat je je vijand altijd eerder zág sterven dan dat je dat hoorde. Hij had gezien hoe de berijder in de lucht werd geslingerd, waarbij zijn stevige omvang nu in zijn nadeel werkte. Met een harde klap kwam

hij op de grond terecht, terwijl de benzine uit de tank over zijn spijkerbroek en dikke lederen jasje spoot. De motor spuwde een waaier van
vonken uit. Toen hoorde Josh een tweede explosie. De direct daarna volgende schokgolf deed hem even terugdeinzen. Ergens te midden van dit
inferno hoorde Josh de deerniswekkende kreten van een man die in de
vlammen omkwam.

Eén man neer, nog twee te gaan.

Josh keek opnieuw behoedzaam van achter het muurtje. De tweede
motorfiets was scherp naar links uitgeweken, en de derde naar rechts.
Josh had het mijnenveld uiterst precies gepland, en had daarbij rekening
gehouden met de lessen die hij in het leger had geleerd. Als je mijnen
legt, doe je dat uiteraard om de vijand verliezen toe te brengen, maar je
probeert ook te bepalen wat de meest waarschijnlijke ontsnappingsrou-
te van die vijand is, en breng dáár dan ook een valstrik aan. De tweede
motorrijder kwam daar al snel achter toen hij over een volgende mijn
denderde en daarvan de dodelijke lading activeerde. Opnieuw een vuurbal. Opnieuw een schorre kreet.

Twee man neer, nog een te gaan.

Er stegen nu dikke zwarte rookwolken op. De derde motorrijder
voerde een korte draai uit in het besef dat hij het beste dezelfde weg terug kon rijden als hij gekomen was. Josh richtte zijn pistool. Zo'n veertig meter scheidde hem van de biker. Hij vuurde één enkele kogel af,
waarbij hij richtte op de ruggengraat van de man – een goedgericht
schot zou de man onmiddellijk verlammen. Hij miste en de kogel boorde zich zonder schade aan te richten in de grond. Jezus, dacht Josh, ik
had toch beter met dit pistool een paar oefenschoten kunnen afvuren.
Als ik te veel schoten mis, overleef ik dit niet.

De motorrijder zwenkte naar links, erop gebrand het vuur dat op
hem werd uitgebracht te ontwijken. Je begaat een vergissing, maatje,
concludeerde Josh met een grimmig lachje rond zijn lippen. *Je bent op
vijandelijk grondgebied aanbeland.*

Toen de derde mijn ontplofte, slipte de motorfiets. Het voorwiel van
de Honda schoot los en vloog de lucht in, terwijl de berijder van zijn
machine viel, hoewel hij uit alle macht probeerde zijn stuur vast te houden. Zijn hele lichaam kwam onder de benzine te zitten en een baaierd
van vonken sproeide over hem heen terwijl de verwrongen motor over
hem heen stuiterde. Overal om hem heen schoten de vlammen om-

hoog, waarbij eerst zijn benen door het vuur werden verzwolgen en daarna zijn lichaam, terwijl ten slotte de vlammen aan zijn gezicht lekten.

'Help me!' krijste de man wanhopig. 'Alsjeblieft! Wie dan ook – ik verbrand hier verdomme lévend!'

Tot nu toe had Josh slechts één keer iemand op het gevechtsterrein levend zien verbranden, maar er bestonden maar weinig dingen waarvan de aanblik, het geluid – en niet te vergeten de stank – vreselijker waren dan iemand door de vlammen verteerd zien worden. Je kon het verschroeide weefsel ruiken, als vlees dat aan het spit geroosterd werd. Je voelde de hitte terwijl de vlammen rond het lichaam kronkelden. En je hoorde het afgrijselijke geschreeuw, als van een kat die werd gewurgd, dat langzaam zwakker werd naarmate de stembanden door de vlammen werden aangetast.

'Help me!' gilde de man wanhopig, terwijl hij met zijn verbrande handen de motorfiets, die dwars over zijn onderlichaam lag, van zich af probeerde te duwen.

Vergeet het maar, broeder.

Josh holde naar het stadje terug. Eens kijken waarmee je ons nog meer denkt te kunnen bestoken, jubelde hij inwendig.

Opnieuw hoorde hij iets. Terwijl hij door de hoofdstraat rende, wierp Josh een snelle blik omhoog naar de gammele daken van de gebouwen. Een krassend geluid, als van een dier. Of van een mens.

'Luke,' fluisterde Josh in de richting van het kantoor van de sheriff. 'Ben je daar nog?'

Stilte. Josh voelde zijn hart als een gek tekeergaan. 'Luke?' zei hij opnieuw, harder deze keer.

'Hij is verdwenen.'

Josh draaide zich met een ruk om. Kate stond nog steeds bij het raam van het oude hotel. Hij hoorde haar, maar kon haar nog maar nauwelijks zien: ze bevond zich in de schaduw van een stel luiken die scheef aan hun scharnieren hingen.

'Waarom heb je hem niet tegengehouden, verdomme?' schreeuwde Josh.

'Waar had ik dat mee moeten doen?' riep Kate terug.

Haar stem klonk rauw en wanhopig. Het loopt allemaal totaal anders dan ik gepland had, zei Josh tegen zichzelf. Porter-Bell heeft blijkbaar besloten ons allemaal uit de weg te ruimen. En in dit tempo lukt ze dat straks ook nog.

Josh hoorde een schrapend geluid, direct gevolgd door het kraken van een stuk leisteen dat brak toen iemand er bovenop stapte. Er was nog maar een fractie van een seconde waarin hij kon reageren. Uit de lucht daalde een man neer. Josh dook opzij naar de grond, en slaagde er zo nog net in niet door de man verpletterd te worden: een honderdtwintig kilo zwaar monster, gekleed in spijkerstof en leer. Josh besefte maar al te goed dat als deze zwaargewicht boven op hem was terechtgekomen, zijn ruggengraat het onmiddellijk zou hebben begeven.

Beiden lagen nu languit op de grond. Het pistool was uit Josh' hand gevallen en lag buiten zijn bereik. De man stak zijn arm uit en kreeg Josh' gewonde been te pakken. Hij begon te trekken en draaide met een woeste beweging de botjes in Josh' voet uit hun verband. Josh voelde hoe de pijn door zijn been omhoogschoot en vrijwel onmiddellijk sprong de wond weer open. Enkele ogenblikken later begon het bloed al door de stof van zijn spijkerbroek te sijpelen. Het volgende moment werd er met een vuist op Josh' zij ingebeukt. De stoten waren zwaar en krachtig, alsof er een heipaal de grond in moest worden geramd.

Josh stak een hand in zijn zak en pakte een van de zware spijkers die hij uit de ijzerwinkel had meegenomen. Het staal was in de loop der tijd verroest en vervormd, maar de uiteinden waren nog steeds vlijmscherp. Hij nam hem in zijn rechterhand, greep de spijker stevig beet en kwam met een ruk overeind. Josh concentreerde al zijn kracht in zijn vuist, en dreef de spijker met een onverhoedse beweging in de hand van zijn belager. Hij voelde hoe de punt de huid doorboorde en vervolgens langs het bot van de knokkel schuurde. Josh duwde nog harder en merkte nauwelijks dat de kop van de spijker zich in de huid van zijn eigen handpalm begroef. De spijker drong zich door het bot en even later kwam het scherpe uiteinde ervan aan de andere kant van 's mans hand weer tevoorschijn.

De man schreeuwde het uit van de pijn en liet Josh' voet los.

Josh trapte zichzelf vrij en holde het verlaten hotel binnen. 'De bommen!' schreeuwde hij en keek omhoog naar Kate. 'Gooi die brandbommen zijn kant uit!'

Hij zag de angst in haar ogen. Ze kwam langzaam in beweging, maar haar handen trilden.

Het lijkt wel of ze versteend is. De angst heeft haar duidelijk te pakken. 'Gooi die bommen nou!' schreeuwde hij, en spande zijn longen in om zoveel mogelijk kracht achter zijn woorden te zetten.

Er gleed een traan over haar wang. Hij zag dat haar hand nog steeds trilde. Ze kán het niet, zei Josh tegen zichzelf. Ze kán het niet, verdómme nog aan toe.

Josh rende naar voren. Zijn aanvaller was moeizaam overeind gekrabbeld. De man hield met zijn goede hand de gewonde hand vast. De spijker stak er nog steeds dwars doorheen en zijn bloed liep langs de verroeste nagel. Zijn gelaat was grotendeels aan het zicht onttrokken door een motorhelm en een sjaal die hij rond zijn nek had gebonden, maar Josh zag voldoende van zijn huid om te zien dat het hier om een blanke ging, niet om een Arabier.

Waar hangt Azim verdomme uit? *Als dit Flatners mannen zijn, waar zit Azim dan ergens?*

Josh stond op twee meter afstand van de man op de stoffige weg. Ergens in de verte hoorde hij geschreeuw, en nog meer motoren. Ze drongen nu vanaf de andere kant het stadje binnen. Jezus, zei hij tegen zichzelf. *Ze blíjven komen. Ik moet deze knaap neutraliseren vóór zijn maats arriveren.*

De man kwam langzaam op hem af, grommend als een beer. Toen viel hij met een snelle beweging naar Josh uit en plaatste zijn volle gewicht achter de stoot.

Fout, makker, dacht Josh. Je concentreert je nu toch echt te veel op één ding.

De stoot miste Josh' kaak op een haar na. Hij danste naar voren, zodat hij zich nu áchter de man bevond. Hij reikte omhoog en sloeg zijn beide armen stevig rond de nek van het monster en trok uit alle macht. De spieren in zijn armen deden vreselijk veel pijn toen de man zich in alle mogelijke bochten wrong om zich te bevrijden. Met zijn honderdtwintig kilo had hij de kracht van een wilde stier. Een woeste oprisping ontsnapte aan het binnenste van de man toen Josh de nek van de man steeds verder afklemde. Zijn handen klauwden naar Josh' armen en hij trapte met zijn benen naar achteren in een poging aan Josh' greep te ontsnappen. Maar Josh had zijn nek stevig omklemd, waardoor de zuurstoftoevoer naar zijn hersenen langzaam maar zeker werd afgesneden.

Dat wordt een McDeath voor jou, klootzak. Snel, pijnlijk en goedkoop. Josh had in zijn loopbaan slechts één keer eerder iemand gewurgd – tijdens een missie in Afghanistan – maar hij wist uit zijn opleiding dat het moment vlak voordat de tegenstander zou sterven nog uiterst gevaarlijk kon zijn. De zuurstoftoevoer naar de hersenen was dan nagenoeg tot stilstand gekomen, het slachtoffer verloor het bewustzijn, maar besefte instinctief dat hij nog één laatste kans had om zich te bevrijden, en wierp daarvoor dan al zijn resterende kracht in de strijd.

De man stootte een weerzinwekkende, half-verstikte kreet uit en richtte zich plotseling op, terwijl hij met zijn massieve schouderspieren Josh van zich af probeerde te schudden.

Maar Josh was erop voorbereid. Hij zette nog meer kracht met zijn armen, en perste het leven uit de man. Hij voelde nog een laatste krachtsinspanning door het lichaam van zijn tegenstander trekken, maar toen vloeide alle tegenstand weg. De ademhaling van de man ging steeds trager, en hield toen op. Uiteindelijk zakte hij op de grond in elkaar.

Josh keek wanhopig om zich heen. Luke was nog steeds nergens te zien. En de andere motoren waren nog maar driehonderd meter van hem verwijderd.

Hij griste het pistool van de grond en rende in de richting van het hotel. Kate stond nog steeds bewegingloos achter de luiken, als een standbeeld, haar gezicht bleek en vertrokken. 'Het spijt me,' stamelde ze. 'Ik kon het niet… ik kon het niet…'

'Je hebt me mooi laten zitten!' beet Josh haar toe.

Hij had onmiddellijk spijt van zijn opmerking. In de hitte van het gevecht werden de meest vreselijke opmerkingen gemaakt: tijdens vuurgevechten was hij duizenden keren uitgemaakt voor alles wat mooi en lelijk was, maar dat soort aantijgingen had hij later in de mess onder het genot van een glas bier steevast van zich afgeschud. Dat kon Kate niet weten: dit was zijn territorium, niet het hare. 'Sorry, het is niet jouw fout,' zei hij snel. 'Jij bent nu eenmaal geen soldaat. Zoek dekking en probeer me verder niet voor de voeten te lopen.'

Hij haastte zich naar de trap achter in het gebouw. De houten treden waren vermolmd en de trapleuning was nagenoeg verdwenen, maar

Josh negeerde het gevaar en snelde naar boven. Hij voelde de treden onder zijn voeten bijna afbrokkelen.

Hij bereikte het dak en kroop naar de rand van het gebouw. Tien zelfgemaakte brandbommen stonden op een rijtje. Josh keek naar beneden en zag hoe de bikers de hoofdstraat binnenreden. Dezelfde zware zwarte Honda's, dezelfde stevig gebouwde, in leer geklede mannen met een matzwarte helm op. Met dezelfde pistolen zwaaiend.

Je kunt ze een dieet van dood en verderf toedienen, besefte Josh, maar ze blíjven terugkomen.

Josh wachtte even, telde de seconden af. Hij kon de bommen maar één enkele keer tot ontploffing brengen.

De bikers kwamen met brullende motoren dichterbij. De voorste biker kwam behoedzaam aangereden, zorgvuldig de grond afspeurend, op zoek naar struikeldraden of recentelijk omgewoelde aarde. Ze zijn op zoek naar mijnen, besefte Josh.

Maar deze keer zal de dood als regen uit de hemel op jullie neerdalen.

Nadat hij zich ervan had overtuigd dat de grond nog onberoerd was, reed de voorste biker naar de plek waar het lichaam op straat lag, precies ter hoogte van Josh.

'Kate, zoek dekking,' schreeuwde Josh, die besefte dat ze nog steeds ergens beneden moest staan.

Hij zag de motorrijders zes meter beneden hem naar omhoog kijken, maar voor ze het vuur konden openen smeet Josh de eerste benzinebom al naar beneden. Die explodeerde zodra hij de grond raakte en er schoot een enorme vuurbal omhoog. Hij gooide er nog een naar beneden. De flessen versplinterden, waarna eerst een lading nietige glasdeeltjes in het rond werd geslingerd, direct gevolgd door de spijkers die in de fles hadden gezeten en die door de explosie nog eens extra snelheid kregen en een dodelijke cirkel van schroot vormden.

Een biker stond al in brand en zwaaide wild met zijn armen in een wanhopige poging de vlammen te doven die zijn lichaam omhulden. Een ander lag languit op zijn buik op de grond. Een stuk of wat spijkers hadden hem vol in het hoofd geraakt en hadden zijn schedel doorboord, zodat overal om hem heen stukjes hersenen op de stoffige grond lagen.

Josh rende langs de dakrand en smeet een voor een de bommen naar beneden. Plotseling was de hoofdstraat één gekkenhuis vol explosies. Brandende benzine, stalen spijkers en glassplinters vlogen alle kanten op. Twee van de motoren explodeerden, waardoor gloeiend hete olie over de grond werd gespoten. Zwarte rookwolken kolkten omhoog. Het lawaai was oorverdovend. Josh liet zich plat op zijn buik vallen en greep de dakrand vast, sloot zijn ogen en kneep tegelijkertijd zijn mond dicht om te voorkomen dat de dampen hem de adem zouden benemen. Ik hoop maar dat Kate de tegenwoordigheid van geest heeft gehad om hetzelfde te doen, schoot het door hem heen.

Toen hij zijn ogen weer opendeed was de straat één chaos van brandend rubber en benzine. De motorfietsen vormden een verwrongen stalen massa. Er lagen lichamen op de grond, maar hoe Josh zijn best ook deed, vaststellen hoeveel doden er waren gevallen was een moeilijke zaak. Overal zag hij afgerukte ledematen liggen.

Hij zag een biker bij wie het been was afgerukt terwijl het bloed in pulserende bewegingen uit de open wond spoot. Zijn lippen trilden, alsof hij het nog uit probeerde te schreeuwen van de pijn, maar zijn tong was al weggebrand en er kwam geen enkel geluid meer uit zijn mond.

Josh haastte zich naar beneden. Hij liep op de zwaargewonde biker af, knielde naast hem neer en zette de loop van de Wildey tegen zijn hoofd. *Ik was van plan zuinig te zijn met mijn munitie, maar ik zal je desalniettemin uit je lijden verlossen, makker. Een soldaat moet altijd bereid zijn een kogel aan een tegenstander te spenderen.*

Hij haalde de trekker over. De kogel verbrijzelde de schedel van de man, verpulverde zijn hersenen, en hij was dan ook onmiddellijk dood.

'Blijf daar zitten en beweeg je niet!' schreeuwde iemand hem toe. Josh keek op. Twintig meter voor hem, langzaam zijn kant uit lopend, zag hij Flatner. Hij duwde Luke voor zich uit, van wie hij één arm op zijn rug had gedraaid, terwijl hij een pistool tegen de zijkant van het hoofd van de jongen gedrukt hield. Luke staarde naar de grond en er liep een straaltje bloed uit zijn neus. Hij had blijkbaar een harde klap in zijn gezicht gekregen.

Flatner kwam langzaam maar zeker door de hoofdstraat op Josh af gelopen, met naast zich Edward Porter. Hij keek naar Josh en er speelde een grijns rond zijn lippen.

'Blijf zitten waar je zit, Josh,' zei Flatner. 'Deze keer ben je van mij.'

27

Donderdag 18 juni. 's Ochtends.

Josh bleef bewegingloos staan. Er woedden nog steeds diverse branden om hem heen en de vlammen lekten nog aan de lichamen van de gesneuvelde bikers. Hij voelde de warme gloed tegen zijn rug, maar desondanks begon het bloed in zijn aderen langzaam maar zeker te bevriezen.

Flatner kwam nog steeds naar hem toe gelopen, een wrede grijns op zijn gezicht. Hij hield een Glock 18 in zijn hand, een van de simpelste, betrouwbaarste en nauwkeurigste handvuurwapens die er bestaan, en hij hield het wapen op Luke gericht.

Naast hem stond Edward Porter, die zijn eigen Glock 18 bijna nonchalant in zijn rechterhand hield, alsof hij niet gewend was met een pistool rond te lopen. Van dichtbij zag hij er een stuk ouder uit dan op de foto's die Josh wel eens van hem had gezien. Zijn haar werd al wat dunner en zijn huid was grauw en vlekkerig. Het gezicht van een man die snel ouder werd, concludeerde Josh. En van een man die geen tijd verdoet aan onderhandelingen of compromissen, maar onmiddellijk terzake komt. *Of iemand onmiddellijk afknalt.*

'Waar is de vrouw?' vroeg Flatner.

Josh zei niets.

Flatner wierp een snelle blik naar links en speurde beide kanten van de weg af. Of de dood van zes van zijn mannen – nog maar enkele minuten geleden – hem iets deed, kon Josh onmogelijk zeggen.

'Kom nú naar buiten, of ik schiet ze allebei dood.'

Flatner zweeg een ogenblik. Achter zich hoorde Josh het nog steeds branden. Toen zag hij Kate. Ze daalde de veranda van het oude hotel af en liep behoedzaam tussen de brandende wrakstukken door. Ze had zwarte vegen op haar gezicht en er liepen zweetdruppeltjes over haar wangen. Haar ogen stonden vermoeid en angstig. 'Doe de jongen alsjeblieft niets,' zei ze, en keek daarbij Flatner even aan. Ze moest moeite doen het snikken in haar stem te onderdrukken. 'We zullen alles doen wat je zegt. Zolang je de jongen maar niets doet.'

'Goed,' zei Porter. 'Dus jullie zijn bereid zaken te doen?'

'Je bent knettergek,' zei Josh woedend, en hij keek Porter strak aan.

Porter knikte bedachtzaam. 'Volgens de Forbes-lijst ben ik de op acht na rijkste man van de wereld,' reageerde hij. 'Daar zou je uit kunnen opmaken dat ik een stuk minder gek ben dan jij denkt.'

'We hadden je de software sowieso overhandigd,' zei Josh. 'Luke wilde alleen zijn geld hebben, meer niet. Als jij hem zijn vijf miljoen had gegeven, was dit bloedvergieten helemaal niet nodig geweest.'

Porter moest lachen. 'Je wordt niet zo rijk als ik door elke keer weer miljoenen dollars uit te delen aan kleine oplichters die vinden dat ze mijn bedrijf moeten chanteren. Ik ben vrij rechtlijnig: als jij me met respect behandelt, dan behandel ik jou ook met respect. Probeer je me te naaien, dan naai ik je zó genadeloos terug dat je alleen nog maar dood wilt.' Hij wierp eerst een snelle blik op Luke, en toen op Josh. 'Jullie hebben beiden geprobeerd me te besodemieteren. Dit lijkt me een geschikt tijdstip om jullie terug te betalen.'

Josh schudde zijn hoofd. 'Dit is helemaal geen besodemieteren. Luke heeft een zwakke plek in jullie systeem gevonden. En als híj die zwakke plek kan vinden, kunnen anderen dat ook. Hij heeft jouw bedrijf alleen maar een dienst bewezen en daar wil hij graag voor betaald worden. Zo eenvoudig ligt het.'

'Waarom dan al die bommen en landmijnen?' merkte Porter op.

'Waarom al die tot de tanden toe bewapende bikers?' reageerde Josh kortaf.

Porter bracht een hand omhoog. 'Zo is het wel genoeg,' zei hij. 'Ik heb het druk. Ik wil nú die software – anders gaat de jongen eraan.'

Josh schudde zijn hoofd. 'Kom eerst maar eens met het geld over de brug.'

'Ik zei: "Anders gaat de jongen eraan."'

Josh wierp een snelle blik naar opzij. Hij zag hoe Flatner de loop van de Glock nog eens extra hard tegen de zijkant van Lukes hoofd drukte.

'Het interesseert me geen bal meer,' zei Luke angstig. 'Je hebt Ben al vermoord. Schiet mij dan ook maar dood als je dat zo graag wilt. Mij interesseert het niet meer.'

Flatner gaf hem een harde klap in het gezicht. De klap deed Luke duizelen, maar hij bleef overeind en klemde zijn kaken op elkaar.

'Die jongen is alleen maar dapper,' reageerde Josh. 'Als je hem mishandelt, kom je daar geen stap verder mee.'

'Zullen we hem dan maar gewoon doodschieten, hm?' zei Porter bedachtzaam. 'Geen Luke meer, geen probleem meer.'

'Je hebt hem anders hard nodig,' snauwde Josh. 'Zonder hem zit je nog steeds met die zwakke plek in je systeem opgezadeld. En dan wordt die vroeg of laat door iemand anders ontdekt.'

'Ik krijg ze wel aan het praten, baas,' zei Flatner. 'Het enige dat ik nodig heb zijn een paar minuten de tijd om ze eens flink af te rossen. Dan praten ze gráág.'

Porter bracht zijn hand omhoog. 'Die tijd hebben we niet.' Hij keek Josh aan. 'Wat ben jij precies, de zaakwaarnemer van die jongen of zo? Krijg jij soms tien procent van de opbrengst van deze deal?'

'Ik heb hem beloofd dat ik hem zou beschermen,' antwoordde Josh. 'Ik heb in m'n leven geleerd aan niet al te veel te hechten, maar ik hou me wel aan mijn beloften.'

Plotseling en volkomen onverklaarbaar leek Porter van gedachten te veranderen. 'Oké, jullie winnen. Geef ons de software, dan geef ik jullie het geld.' Hij zette een zwart attachékoffertje dat hij in zijn linkerhand had gehouden op de grond tussen hen in. 'Dat zit hierin.'

Josh deed een stap naar voren. Hij klikte het koffertje open en zag keurige stapeltjes splinternieuwe vijftigdollarbiljetten. 'Het is één miljoen in contanten,' zei Porter, 'en de rest zijn obligaties aan toonder. Die kun je bij elke bank verzilveren zonder dat er vervelende vragen worden gesteld.'

Josh knikte. 'Tevreden?' vroeg hij, Luke aankijkend.

'Oké,' zei Luke. 'Geef ze de computer maar.'

Josh keek Kate aan. 'Ga maar halen,' zei hij.

Kate liep terug naar het vervallen kantoor van de sheriff, waar Luke de laptop had achtergelaten. Twee minuten later keerde ze terug, mét het apparaat, dat ze vervolgens aan Luke gaf.

Hij knielde op de grond neer. Flatner boog zich over hem heen, zijn pistool nog steeds tegen het hoofd van de jongen gedrukt. Josh wist dat de batterijen van de laptop het nog minstens een uur zouden uithouden, terwijl de satellietverbinding ervoor zorgde dat de Dell met internet verbonden bleef. Uiterst geconcentreerd begon Luke op het toetsenbord van de laptop te tikken.

'Hoe weet ik nou zeker dat jullie me de goede computer mee geven?' vroeg Porter. 'Hoe weet ik nou dat hier de juiste software in zit?'

'Noem maar een stad op,' zei Luke, met een snelle blik op Josh.

'Een willekeurige stad?'

'Noem er maar een op, dan zal ik de elektriciteit daar uitschakelen,' vervolgde Luke. 'Dan kun je zelf zien of dit de juiste software is.'

Er verschenen rimpels in Porters voorhoofd. 'Austin, Texas,' antwoordde hij. 'Ik heb altijd al een pesthekel aan Austin gehad.' Hij lachte grimmig. 'Daar is het nu, vroeg op de ochtend, waarschijnlijk al een graad of dertig. Zodra hun airconditioning ermee ophoudt drijven ze op hun eigen zweet het huis uit.'

Josh hield zijn mond en keek toe hoe Luke op het toetsenbord bezig was. Slechts één enkele gedachte bleef hem constant door het hoofd hameren. Luke mocht dan misschien zijn geld krijgen, maar Azim had zich nog steeds niet vertoond.

Ik heb ergens een rekenfout gemaakt. Het is met me gebeurd. Zelfs als Porter en Flatner ons niet overhoopschieten, kan ik onmogelijk naar Engeland terug zonder Azim geliquideerd te hebben. Dan sleuren ze me zéker voor de krijgsraad. *Ik heb bevelen naast me neergelegd, terwijl ik over geen enkel argument beschik waarmee ik me zou kunnen verdedigen.*

'Heb je een PDA of iets dergelijks bij je?' vroeg Luke aan Porter.

Porter haalde een klein, slank apparaatje uit zijn borstzak. 'Een Blackberry.'

'Kijk dan eens op een van de sites met nieuws,' zei Luke. 'Momenteel is in heel Austin de stroom uitgeschakeld. Ik denk dat het nieuws nu elk moment door kan komen.'

Porter keek gefascineerd naar het nietige schermpje van het apparaatje dat in zijn handpalm lag. Hij mag dan multimiljardair zijn, bedacht Josh, in zijn hart was hij nog steeds een techneut: wat hem het meest fascineerde waren machines, en de manier waarop die functioneerden.

Porter hield de Blackberry 7290 omhoog, met het schermpje naar buiten gericht, zodat iedereen het kon zien. Op dat schermpje was de website CNN.com te zien. Langs de onderkant van het beeldscherm, onder een oplichtend 'Breaking News'-logo – waren de woorden duidelijk te lezen: 'Austin getroffen door stroomstoring… Austin getroffen door stroomstoring. Details volgen…'

'Oké,' zei Porter. 'Ik geloof je. Maar geef die arme Texanen nu onmiddellijk hun elektriciteit terug, voor je het energiebedrijf failliet laat gaan.'

Josh deed een stapje naar voren en legde zijn hand op het attachékoffertje.

'Júllie mogen je dan aan je beloftes houden,' zei Porter, 'maar wat mij betreft zijn het net luciferhoutjes.' Hij knipte met zijn vingers. 'Ik breek ze probleemloos.'

Toen Josh opkeek zag hij dat Porter zijn pistool recht op zijn borst gericht hield.

'Ga bij dat koffertje vandaan,' zei Porter, de woorden nadrukkelijk en krachtig uitsprekend, op een manier die duidelijk maakte dat hij geen tegenspraak duldde. 'En geef me dan de computer.'

Josh schudde zijn hoofd. 'Ik ben net een keertje te veel besodemieterd.'

'Nogmaals, blijf met je klauwen van dat koffertje af,' schreeuwde Porter. 'En steek je handen in de lucht. *Nú!*'

Als het me deze keer m'n leven kost, dan moet dat maar, besloot Josh. Zonder Azim kan ik toch niets laten zien. *Ik ga liever hier de pijp uit dan terug naar Hereford, want die lulhannesen daar zullen me ongetwijfeld aan flarden scheuren omdat ik bevelen niet heb opgevolgd.*

Plotseling zag Josh hoe zijn militaire training hem bij deze confrontatie toch nog in het voordeel kon brengen. Met één snelle handbeweging haalde hij de Wildey uit zijn jasje tevoorschijn, waar hij hem de afgelopen tien minuten verborgen had gehouden. Zijn hoofd tolde, maar zijn bewegingen werden nu bepaald door een door adrenaline aangedreven mengsel van bezorgdheid, woede en wanhoop.

'Je hebt de veiligheidspal nog niet eens overgehaald,' blafte hij tegen Porter. 'Met dat pistool kún je nog niet eens schieten.'

Porters blik schoot naar zijn pistool. Een fractie van een seconde lang was hij afgeleid. Josh ramde zijn wapen naar voren en haalde woest de trekker over. De kogel sloeg de Glock uit Porters hand. Razendsnel haalde Josh de haan van de Wildey naar achteren en haalde opnieuw de trekker over. Deze keer boorde de kogel zich in de rechterhand van Flatner en verbrijzelde zijn knokkels. Ook zijn Glock viel op de grond, zonder dat er een schot mee was gelost.

Luke sprong ongedeerd naar voren. Hij griste zijn computer van de grond en zocht dekking achter Josh.

'Jij bent miljarden waard,' zei Josh tegen Porter. 'En toch sta je nu op het punt je leven te vergooien omwille van een miezerige vijf miljoen.'

Josh stond met de benen iets uit elkaar op de grond en knikte naar Luke ten teken dat hij het attachékoffertje moest pakken. Luke stapte naar voren, pakte het koffertje bij het handvat en drukte het tegen zijn borst. Er zijn al heel wat mannen de pijp uitgegaan vanwege dat geld, bedacht Josh. *Laat het nu niet meer los.*

'Nou, wie van jullie wil de volgende kogel?'

'Niet… niet…' stamelde Porter.

Hij kan opdracht geven andere mensen te liquideren, dacht Josh, maar de dood zelf onder ogen zien durft hij niet. Josh hield zijn pistool omhoog, en wel zo dat hij het voorhoofd van Porter precies in zijn vizier had. 'Ik zal jóú snel en clean uit je lijden helpen,' zei Josh. 'Maar wat Flatner betreft zal ik er een trage en pijnlijke aangelegenheid van maken.' Hij wierp hem een snelle blik toe. 'Dat is wel het minste dat ik voor je kan doen.'

'N-nee,' stamelde Porter met trillende lippen. 'Zeg maar hoeveel geld je wilt hebben… Ik kan…'

'Hou je mond en onderga het als een kerel,' beet Josh hem toe.

'Leg dat pistool neer.'

Josh draaide zich om. Kate had haar eigen Glock omhooggebracht. De matzwarte loop van het pistool was recht op Josh' borst gericht.

'Ik zei: leg dat pistool neer,' herhaalde ze.

28

Donderdag 18 juni. 's Ochtends.
Josh keek recht in Kates ogen. Die hadden dezelfde uitdrukking als bijna drie weken geleden, toen ze hem bloedend en al uit die greppel had gehaald. Energiek, krachtig en vastberaden waren de begrippen geweest die toen door zijn hoofd waren geschoten, en nu leken die even toepasselijk.

Josh liet het Wildey-pistool zakken. Hij stond er verkrampt bij, maar zijn hersenen gingen als een gek tekeer. Maar natuurlijk, zei hij tegen zichzelf. Je bent een stomme klootzak, Josh. *Ze heeft altijd al voor Porter-Bell gewerkt.*

Kate deed twee stappen naar voren. Ze hield de Glock recht voor zich uit, haar onderarm stabiel maar tegelijkertijd ontspannen, de manier waarop een getraind schutter zich zou voortbewegen vlak voordat hij iemand om zou leggen. 'Laat dat pistool vallen, Josh,' zei ze. 'Dit is een rechtstreeks bevel van je lijfarts.'

'Schiet hem overhoop, Kate,' snauwde Porter.

'Wie bén jíj, verdomme?' gromde Josh, Kate aankijkend.

'Ze werkt voor mij,' zei Porter. 'Dat heeft ze altijd al gedaan. Een van de voordelen als je miljardair bent. Dan kun je je een vrij uitgebreide loonlijst permitteren.'

Josh keek Kate nog eens aan. Het bedrog, besefte hij, was van begin tot eind perfect geweest. Elk teder woordje, elk moment waarop ze hem medische verzorging bood, elke kus en liefkozing – het was allemaal één grote leugen geweest.

'Klopt dat?' vroeg hij.

Kate schudde even met haar hoofd om een lok rood haar die over haar voorhoofd was gevallen terug op z'n plaats te krijgen.

'Ik weet niet hoe het op jouw planeet toegaat, Josh,' merkte ze op. 'Maar op deze schieten vrouwen vreemde mannen die ze in een greppel aantreffen gewoonlijk níét te hulp. Hoe pijnlijk dat ook mag zijn voor dat kleine soldatenego van jou, je bent echt niet zo onweerstaanbaar dat ik al na één enkele blik voor je viel en besloot jou – met gevaar voor eigen leven – te verzorgen.' Ze grinnikte even. 'Alleen een man, en dan moet hij nog behoorlijk stom zijn ook, denkt dat zoiets tot de mogelijkheden behoort.'

Kate bracht de Glock nog wat dichter bij Josh' voorhoofd: hij kon het vet en de olie van het trekkermechanisme van het pistool ruiken.

'Ik heb jou meegenomen en voor je gezorgd omdat meneer Porter hier mij daarvoor een leuk bedrag betaalde,' vervolgde ze. 'Waarom? Omdat Luke was ontsnapt. Herinner jij je zijn laatste woorden niet meer toen hij bij je vandaan renden? Hij zei dat hij contact met je zou opnemen. Dus wisten we vanaf het begin dat als we hém wilden opsporen, we dat het beste via jou konden doen. Als we jou hadden, zou jij ons uiteindelijk naar Luke leiden. Het enige wat ik hoefde te doen was vlak bij je in de buurt blijven. En zodra we hem gevonden hadden, zou meneer Porter mij een bedrag van vijf miljoen dollar betalen. Dus hartelijk dank, Josh. Je hebt ervoor gezorgd dat dit voor mij een uiterst lucratieve tijd is geworden. En je had je rol niet beter kunnen spelen, al had ik het script zelf geschreven.

Je hebt een behoorlijk nare hoofdwond opgelopen,' ging Kate door. 'En zoiets heeft vaak kortstondig geheugenverlies tot gevolg. Daarna ben ik je milde barbituraten blijven toedienen. Jij dacht dat het pijnstillers waren. Maar barbituraten veroorzaken amnesie en kunnen die ook nog eens verhevigen. Ik wilde niet dat je je geheugen terug zou krijgen vóór Luke zijn signaal zou uitzenden.'

'En Marshall dan? Die ging ermee akkoord dat jij je liet misbruiken? Zijn eigen dochter?'

Kate glimlachte. 'Jij bent zó onnozel, dat het bijna grappig is. En als het niet zou betekenen dat jij en Luke op het punt staan geliquideerd te worden.'

'Hij was je vader helemaal niet, hè?'

'Marshall? Nee,' antwoordde Kate. 'De laatste keer dat ik mijn vader heb gezien was toen hij in Florida aan het golfen was. Marshall was een gewiekst zakenman. Hij had hier in de woestijn de leiding. Nadat ik opdracht had gekregen jou in de gaten te houden totdat je met Luke contact zou hebben gemaakt, was hij dé aangewezen man om om hulp te vragen.' Ze keek hem strak aan. 'En laat dat pistool nou eindelijk eens vallen.'

De Wildey rustte in zijn handpalm, maar Josh had het gevoel dat alle strijdlust uit hem was weggezogen. Hij had als een dolle hond strijd geleverd, en het was allemaal voor niets geweest. Het spel was afgelopen. Hij gooide het wapen op de grond.

Porter stapte naar voren, een brede grijns op zijn gezicht: de angst van een paar ogenblikken geleden was verdwenen, vervangen door de rustige, zelfverzekerde gelaatsuitdrukking van een man die wist dat hij met geld alles voor elkaar kon krijgen, dat iedereen te koop was. Hij pakte het attachékoffertje van de grond en hield het stevig vast.

'De eerste hoofdregel bij het zakendoen, makker,' zei hij terwijl hij naar Josh keek. 'Besef wanneer iemand anders je te slim af is geweest. En ik ben jullie toch echt te slim af geweest, denk ik zo.' Hij bukte zich en pakte nu ook Lukes laptop van de grond. 'Ik geloof niet dat we deze twee knapen nog nodig hebben,' zei hij tegen Kate. 'Maak ze maar af.'

Josh voelde hoe Luke, die vlak naast hem stond, begon te beven. Je moest stalen zenuwen hebben om rustig toe te horen hoe je eigen executie werd besproken, en Luke was nog maar een jongen: zijn lippen trilden en zijn benen wekten de indruk het elk moment te kunnen begeven. Het spijt me, dacht Josh. Je hebt opnieuw vertrouwen in me gesteld – en zoals het er nu naar uitziet volledig ten onrechte.

Kate hield het pistool op Josh' hoofd gericht houden. In haar ogen zag hij de kille, vastberaden blik van een geboren killer.

'Het spijt me, Josh,' zei ze. 'Onder andere omstandigheden hadden we misschien een leuke relatie met elkaar kunnen opbouwen.' Ze haalde haar schouders op. 'Maar je begrijpt, geld is ook belangrijk…'

Josh sloot zijn ogen. De kogel die op hem afgevuurd zou worden was zó dichtbij dat hij hem al bijna voelde, al bijna zijn schedel binnen voelde dringen, om vervolgens midden in zijn hersenen te exploderen en daar al het weefsel en zenuwen aan flarden te scheuren.

Van alle mogelijke manieren om dood te gaan die het lot voor mij in petto zou kunnen hebben, had ik nooit verwacht nog eens door een vrouw doodgeschoten te worden.

Er echode een harde knal door het lege stadje. Een schot. Josh opende zijn ogen weer. Kates wapen lag op de grond, uit haar hand geschoten, terwijl er tegelijkertijd een man met een revolver in de hand hun kant uit kwam gelopen. Hij droeg een zonnebril van het type dat zeer gewild was bij vliegers, terwijl de cowboyhoed die hij droeg ervoor zorgde dat zijn hoofd behoorlijk tegen de zon werd beschermd. Verder had hij nog een witte sjaal rond zijn hals gedrapeerd. De twee bovenste knoopjes van zijn blauwlinnen overhemd stonden open, waardoor er wat borsthaar te zien was. Zijn manier van lopen maakte duidelijk dat het hier ging om een man die gewend was de leiding naar zich toe te trekken.

Josh had aan één blik voldoende om onmiddellijk te zien wie het was. Hij had in de loop der tijd geleerd hem te herkennen zoals hij zijn eigen schaduw herkende.

Azim.

Azim kwam kalm op hen toe gelopen, dwars door de nog steeds omhoogkringelende rook van de uitgebrande motorfietsen. Vijftien meter, toen nog maar tien – hij kwam, volkomen zeker van zichzelf, steeds dichter naar hen toe.

'Hij is van mij,' zei Azim, met een kort knikje naar Josh gebarend.

'Dan neem je hem toch mee,' reageerde Kate.

Azim bracht zijn revolver omhoog en richtte. Het volgende moment haalde hij de trekker over. Direct daarna stootte Kate een vreemd, woordeloos geluid uit. Toen leek ze iets te willen zeggen – maar het bloed kwam al schuimend over haar lippen. Het liep over haar kin en veroorzaakte vegen op haar blanke huid. Een ogenblik lang slaagde ze er nog in zich staande te houden, maar toen begaven haar benen het en zakte ze op de grond in elkaar.

Josh zag dat de kogel dwars door haar hart was gegaan. Ze moest ogenblikkelijk dood zijn geweest. Een uitstekend schot, bedacht hij. *Het hart van die vrouw is een verdomd klein doelwit.*

Azim bracht zijn wapen opnieuw omhoog. Hij vuurde en liet het eerste schot direct volgen door een tweede. De eerste kogel trof Flatner midden in de borst, terwijl de tweede zich in zijn rechteroog boorde. Het bloed spoot uit zijn gezicht. De tweede kogel had een groot gat midden in de achterzijde van zijn schedel geslagen. Hij balanceerde even op zijn hakken in een poging overeind te blijven, maar tuimelde toen achterover. Hij sloeg tegen de grond, vertoonde nog wat stuiptrekkingen en bleef toen bewegingloos liggen.

Azim had tot nu toe vier kogels afgevuurd, besefte Josh. Dus zaten er nog twee in de cilinder. En *op een daarvan staat mijn naam.*

Azim bracht in één soepele beweging opnieuw zijn revolver omhoog en hield het wapen stevig in zijn rechterhand geklemd. De loop ervan zwaaide langs Josh, en Azim aarzelde even, om de revolver vervolgens recht op Porters hoofd te richten. 'Blijf staan,' zei Azim kil. 'Ik neem die software uit naam van de Britse overheid nú in beslag. Als je probeert je te verzetten, is het met je gebeurd.'

Josh had de bewegingen van het wapen gevolgd. *Wat voor een stunt haalt die klootzak nú weer uit?* vroeg hij zich verbijsterd af.

Porter bewoog zich niet, was versteend van angst. Kate was dood. Flatner was dood. Zijn bescherming was hem in één keer afgenomen.

Zo gedwee als een lammetje pakte hij de laptop van de grond en overhandigde die aan Azim. Die haalde uit zijn zak een blanco cd-rom, stopte die in het apparaat en keek toen Josh aan.

'Jij en ik werken voor hetzelfde team, Josh,' zei Azim. 'Zoals ik je al eerder zei, ik ben van nature geen wreed mens. We hoeven het niet langer tegen elkaar op te nemen.'

'Hetzelfde team?' zei Josh. 'Wat bedoel je daar verdomme mee?'

'Ik bedoel daarmee te zeggen dat je het al die tijd bij het verkeerde eind hebt gehad,' zei Azim. 'Ik ben een dubbelagent, de hoogste mol binnen Al-Qaeda, en in dienst van de Britse inlichtingendienst. Ik speel de Firma al tijdenlang informatie in handen.'

Plotseling begon het Josh te dagen. 'Dáárom hebben ze je in Afghanistan net op het nippertje laten ontkomen,' zei hij. 'Dáárom kreeg ik opdracht van Bruton jou niet neer te schieten toen Ben en Luke op het punt stonden in ruil voor hun software het geld in ontvangst te nemen.'

'Precies,' zei Azim. 'Ze moesten me beschermen, want ik ben de beste bron waarover ze beschikken.'

'Waarom hebben ze me dat dan niet verteld, verdomme?' wilde Josh weten.

'Omdat jij slechts één enkel radertje in een uiterst gecompliceerde machine bent,' zei Azim. 'Als ze tegen iedereen zouden vertellen dat ik een dubbelagent ben, zou ik binnen de kortste keren morsdood zijn. En het is nu eenmaal onvermijdelijk dat dezelfde knapen die mijn collega's achter de broek zitten, ook achter mij aan zitten. Het zou toch wel erg vreemd zijn als ik de enige belangrijke Al-Qaeda-man was die níét door de Britten of de Amerikanen achter zijn vodden werd gezeten?' Hij keek Josh strak aan. 'Begrijp me goed, ik ben een van de belangrijkste bronnen waarover de westerse inlichtingendiensten beschikken. Aanzienlijk belangrijker dan de een of andere onwetende zandhaas.' Hij moest lachen. 'Een andere soldaat is er altijd wel te vinden, maar een agent zoals ik is heel wat moeilijker.'

'Maar je hebt me gefolterd. Je stond op het punt me te doden,' snauwde Josh. 'Dat zou ik niet bepaald "aan dezelfde kant staan" willen noemen.'

Azim glimlachte. 'Maar op dat moment had je je van het team losgemaakt, Josh,' zei hij. 'Je hebt een rechtstreeks bevel van Bruton naast je neergelegd. We hadden geen idee voor wie je op dat moment werkte. En het boven water krijgen van de software had onze prioriteit. Luke draaide in Londen overal het licht uit. We konden niet toestaan dat dat nog eens zou gebeuren. Ik deed gewoon datgene wat moest gebeuren. Bovendien…' Azim haalde de cd-rom uit de laptop en stak hem weer terug in zijn zak. 'Nu we de software in handen hebben is onze missie ten einde.'

'Dus vernietigen we de computer?' zei Josh.

Azim richtte zijn revolver en vuurde op de laptop. Van zo dichtbij verbrijzelde de kogel het apparaat nagenoeg geheel: het enige dat er nog van over was waren op de grond verspreid liggende splinters kunststof.

'Lukes kopie van de software is vernietigd,' zei Azim. 'Het is afgelopen. Het enige dat we nu nog moeten doen is Luke liquideren, zodat we niet de kans lopen dat hij zoiets nóg eens doet.'

De Wildey lag nog op de grond. Josh boog zich voorover om het wapen op te pakken.

'Zo simpel ligt het niet, ben ik bang,' zei hij, bracht met een ruk het pistool omhoog en richtte het wapen op Azim.

'Ik heb jou net het leven gered, Josh.'

Josh verstevigde zijn greep op het pistool. Hij perste zijn lippen op elkaar en keek Azim strak aan.

'We maken deel uit van hetzelfde team,' zei Azim.

Het was de eerste keer dat Josh een ondertoon van nervositeit in 's mans stem meende te horen.

'Ik ben m'n eigen team.'

Josh vergrootte de druk op de trekker. De Wildey stootte iets terug toen de kogel met hoge snelheid uit de loop explodeerde. Josh haalde razendsnel de haan weer naar achteren en vuurde toen opnieuw. Twee kogels, hield hij zichzelf voor. Als je er zeker van wilt zijn dat je nooit meer van iemand last hebt, dien je minstens twee kogels in die persoon te pompen.

Azim zakte in elkaar en sloeg tegen de grond.

Het is afgelopen. Het is eindelijk afgelopen, besefte Josh.

Epiloog

Maandag 3 augustus. 's Middags.
Mark Bruton zat aan tafel. Hij droeg een uniform, maar hij had zijn jasje over de rugleuning van zijn stoel gehangen. Hij werd aan weerszijden geflankeerd door twee somber kijkende mannen, die beiden tegen de veertig liepen en beiden zwart haar hadden. De een had een donkerblauw pak aan, en de ander een zwart. Beiden werkten bij de Firma, en wel bij de afdeling Terroristenbestrijding, en waren actief in het grijze gebied tussen het Regiment en de inlichtingendiensten. Geen van beiden noemde zijn naam, en daar zou in de loop van deze hoorzitting ook niet naar gevraagd worden. Josh besloot ze voor zichzelf Ant en Dec te noemen. *Je kon ze nauwelijks uit elkaar houden.*

'Ik wil dat je één ding goed begrijpt, Harding,' zei Bruton. 'Dit is geen krijgsraad. Nog niet. Maar het is wél een hoorzitting in het kader van een uitgebreid disciplinair onderzoek. Alles wat je hier zegt kan, als het inderdaad tot een zaak voor de krijgsraad mocht komen, tegen je worden gebruikt. Begrepen?'

Josh keek naar de officier. Zijn gelaatsuitdrukking, vond hij, was er een zoals je die bij alle kakkers binnen de dienst tegenkwam: zelfverzekerd, zelfingenomen en stupide. Er kon een Boeing 747 op zijn neus landen zonder dat hij het in de gaten had.

'Begrepen,' reageerde Josh, opzettelijk een pauze inlassend vóór hij het volgende woord uitsprak. 'Majoor.'

'En aangezien dit een hoorzitting in het kader van een disciplinair onderzoek is, dien je de waarheid te vertellen,' vervolgde Bruton. 'De volledige waarheid, Harding. Anders zou dit alles wel eens bijzonder vervelend voor jou kunnen aflopen.'

'Begrepen.' Opnieuw een korte pauze. 'Majoor.'

Ze zaten in een vertrek met betonnen wanden, zo'n zestien etages onder het hoofdkwartier van de Firma in Vauxhall. Onder de kelders van het gebouw bevonden zich gepantserde bunkers die zodanig ontworpen waren dat ze moeiteloos een grootschalige aanval met atoomwapens konden doorstaan: de inlichtingendiensten waren niet van plan om na zo'n aanval met hun werk te stoppen. Er waren talloze kantoren, allemaal voorzien van een eigen zuurstofinstallatie, zodat er ook na een aanval met biologische wapens gewoon doorgewerkt kon worden. Daaronder bevond zich een etage met cellen en ondervragingsruimtes.

En als je daar eenmaal in opgesloten zat, kwam je er zelfs bij een kernaanval niet meer uit.

Josh had hier nu al zo'n negen dagen doorgebracht – in eenzame opsluiting. Nadat hij Azim had doodgeschoten, had hij Porter laten gaan. Hij was niet langer geïnteresseerd in de miljardair. Probeer maar op eigen kracht thuis te komen, had Josh tegen hem gezegd. Hijzelf had de gehuurde Mustang genomen en was richting Los Angeles gereden. 's Avonds was hij bij een motel gestopt, waar hij zich eerst had gedoucht en geschoren, om vervolgens iets te eten en daarna eindelijk eens van een goede nachtrust te genieten.

De volgende ochtend, terwijl Luke in alle stilte in de richting van Boisdale was verdwenen, had Josh zich gemeld bij het Britse consulaat in Los Angeles. Daar was hij onmiddellijk in hechtenis genomen. De volgende dag was hij met een militair straalvliegtuig naar Londen overgebracht. Twaalf uur in zijn eigen toestel, besefte Josh. Alleen de brandstofkosten voor die trip liepen al tegen de twintigduizend pond. Het was onbegrijpelijk dat een organisatie die bekendstond om het beknibbelen – want er werd bij het Britse leger altijd op álles beknibbeld – zijn gasten zó in de watten legde. Ik word blijkbaar als een uiterst belangrijk persoon gezien, bedacht hij glimlachend.

Op zondagochtend landde het toestel op de RAF-basis Northolt, iets ten westen van Londen, waar Josh werd opgewacht door zes leden van de militaire politie, die hem rechtstreeks naar Vauxhall brachten. Daar werd hij in een cel opgesloten, en afgezien van het voedsel dat twee keer per dag door een luikje in zijn deur naar binnen werd geschoven, had hij daar met niemand contact: hij kreeg niet te horen waar hij precies was en ook niet hoe lang zijn opsluiting nog zou kunnen duren.

Misschien hebben ze de sleutel van mijn cel al weggegooid, conclu- deerde hij verbitterd terwijl de uren zich traag aaneenregen tot dagen.

Nu merkte Ant op: 'Je hebt een bevel naast je neergelegd. Waarom?'

Josh keek de man eens aan. 'Omdat dat bevel nergens op sloeg.'

Het gezicht van Ant bleef volkomen uitdrukkingsloos. Dec glimlach- te en keek Josh aan. 'Kom, kom, meneer Harding. U bent militair. En een goede ook nog. U weet heel goed dat een bevel een bevel is. We kunnen toch niet gaan onderhandelen over welke bevelen we wél opvolgen en welke niet?'

'Ik ken de regels,' zei Josh. 'Maar als de veiligheid van het land op het spel staat, zijn die niet meer van toepassing.'

'De veiligheid van het land?' reageerde Ant. 'Azim was de beste agent die we ooit binnen Al-Qaeda hebben kunnen infiltreren. Hij heeft ons geholpen bij het voorkomen van verschillende aanslagen die in dit land gepland waren. En u hebt hem doodgeschoten.'

'Ik heb alleen mijn taak maar uitgevoerd,' zei Josh.

'Het is uw taak om bevelen uit te voeren,' zei Ant.

'Het is mijn taak om mijn land te dienen,' zei Josh. 'En het bescher- men tegen bedreigingen van buiten.'

Even was het stil. Josh zag de woede in de drie paar ogen die hem aan- keken. Als de voorschriften dat toestonden, besefte hij, zouden ze me het liefst hier en nu tegen de muur zetten.

'Vertel ons eens wat er is gebeurd,' zei Dec.

Josh wist dat dat zinloos was. Er bestond al een volledig debriefing- rapport. Daar stond alles in wat er zich tijdens de missie had afgespeeld. Daar had hij niets aan toe te voegen. 'Dat weten jullie allemaal al.'

'Vertel ons dan eens waarom u hem hebt doodgeschoten,' zei Ant.

'Het was pure wraakzucht, hè?' onderbrak Bruton hem. 'Je was ge- woon woedend omdat hij je had afgerost. Hij had je beledigd. En daar- om heb je hem doodgeschoten.'

Hij keek Josh woest aan. 'Beken het maar, Harding. Je had jezelf niet meer in de hand. Jij bént helemaal geen soldaat, je bent gewoon een smerige vechtersbaas. We hebben jouw soort helemaal niet nódig in het leger.'

Zowel Ant als Dec wierp een zijdelingse blik op Bruton: beiden maakten ze hem stilzwijgend duidelijk dat hij moest proberen zijn woe- de onder controle te houden, maar ze waren het met datgene wat hij had gezegd niet oneens.

'Als u geen betere verklaring hebt voor het voorval, zal deze commissie zich genoodzaakt zien de krijgsraad bijeen te roepen en deze zaak aan hén voor te leggen,' zei Dec stijfjes. 'We hebben in dat geval geen andere keus.'

Josh haalde een schijfje uit zijn zak: een cd-rom, aan de ene kant groen, en aan de andere kant zilverkleurig. Hij kwam uit zijn stoel overeind en legde het schijfje op tafel. 'Kijk eerst hier maar eens naar,' zei hij.

De drie mannen keken zwijgend naar de cd. 'Wat is dit?' vroeg Ant.

'Azim heeft de computer waarop Luke het programma had geschreven vernietigd,' zei Josh. Hij stond nu en keek op de drie mannen neer. 'Hij wilde ons doen geloven dat hij het programma dat alle stroomstoringen heeft veroorzaakt had vernietigd. Maar voor hij dat deed, heeft hij er op dit schijfje een kopie van gemaakt. Nou, waarom zou hij dat gedaan hebben? Volgens mij omdat hij op die manier het programma aan zijn vriendjes bij Al-Qaeda door kon geven.'

'Wat wil je daarmee zeggen?' vroeg Bruton.

'Ik wil daarmee zeggen dat hij geen dubbelagent was, maar een dríedubbelagent,' beet Josh hem toe. 'Hij speelde júllie informatie in handen om jullie te laten geloven dat jullie hem echt hadden omgeturnd, maar in feite is hij altijd loyaal aan zijn eigen beweging gebleven. Hij had het voor elkaar gekregen dat jullie hem bij elke stap die hij deed beschermden. Daarom heeft Al-Qaeda hém er speciaal op uit gestuurd om die software in handen te krijgen. Ze wisten dat jullie Azim zouden helpen er de hand op te leggen.

En alleen door míjn ingrijpen hebben we dat weten te voorkomen,' vervolgde hij, met een stem die steeds feller klonk. 'Als het aan jullie had gelegen, zou Al-Qaeda nu Lukes software in handen hebben. En zou overal ter wereld het licht uitgaan zodra de jongens met die theedoeken rond hun hoofd zin hadden om het Westen eens lekker te pesten.'

Josh zweeg en draaide zich om. Zijn gezicht was rood van woede en zijn bloed kolkte door zijn aderen. 'Zoals ik al zei, ik voerde alleen mijn taak maar uit. Het beschermen van mijn land.' Hij glimlachte. 'En nu is de beurt aan jullie. Als dat inhoudt dat ik voor de krijgsraad wordt gesleept, dan moet dat maar. Als het betekent dat ik een medaille krijg, ook goed. Het interesseert me geen barst meer.'

Hij zweeg en zijn laatste woorden bleven nog even door het vertrek zweven. Hij zag hoe Ant en Dec elkaar zenuwachtig aankeken: dit zou er in hun rapportage niet echt goed uit komen te zien. Dec pakte het schijfje behoedzaam op. 'We zullen dit eens nauwkeurig laten onderzoeken. Als er inderdaad op staat wat u zegt, neem ik aan dat dat de zaak aanzienlijk verandert.'

'En wat wilt u dat ik ondertussen ga doen?' zei Josh. Hij zweeg opnieuw heel even. 'Majoor.'

'Ga maar terug naar Hereford, Harding,' zei Bruton. 'Daar mogen ze wat mij betreft met je doen wat ze willen. Het interesseert me geen moer meer wat er met je gebeurt.'

Josh liep op de Vauxhall Bridge en voelde hoe er vanaf de Theems een briesje stond. Hij bleef even staan om naar het stromende water te kijken. Het ligt nu allemaal achter ons, zei hij tegen zichzelf. En laat dat vooral zo blijven.

Het was al donker geworden. In de paar dagen dat hij door de Firma was vastgehouden, was zijn begrip van tijd helemaal verdwenen. Zijn zenuwstelsel was zich, na de folteringen die hij in Amerika had ondergaan, nog steeds aan het herstellen. Zodra hij in zijn kazerne arriveerde, zou hij zich eerst eens grondig medisch laten onderzoeken, hoewel hij nu een redelijk beeld had van de lichamelijke schade die hij de afgelopen weken had opgelopen. De elektrische schokken die hem waren toegediend hadden hem schrikachtig gemaakt en de plaatsen op zijn borst waar hij door de slangen was gebeten vertoonden nog steeds zwellingen. De verwondingen aan zijn been en hals deden pijn. Maar ik kan in elk geval lopen, hield hij zichzelf voor. En voorlopig is dat voldoende.

Het was een heldere avond en de spits begon net op z'n eind te lopen. Rechts van hem zag hij de lichtjes van de Big Ben op het water van de Theems weerspiegeld, terwijl aan de overkant van de rivier de lampjes van het London Eye – het grote reuzenrad – langzaam in het rond draaiden. Wat meer naar het oosten strekte zich tot aan Canary Wharf en nog verder een aangename, elektriserende nevel uit.

Over een paar dagen zou hij weer bij het Regiment zijn. Hij zou wel zien hoe hij zich voelde wanneer hij weer met zijn maats werd verenigd. Misschien werd het tijd om iets heel anders te gaan doen. Het enige wat hij nu wilde was naar Emily gaan, kijken of alles goed met haar was, en daarna proberen weer een beetje conditie op te bouwen.

Josh keek opnieuw naar het water. Plotseling gingen overal de lichten uit.

Het duurde even voor hij reageerde. Hij had gezien hoe de weerspiegeling van de parlementsgebouwen van het ene op het andere moment wegviel. Alles was plotseling pikzwart geworden. Jezus, dacht hij, er is blijkbaar ergens kortsluiting. Vervolgens keek hij naar het London Eye. Dat draaide niet meer, terwijl het in alle gondels donker was geworden.

Een stroomstoring, besefte Josh. *Wéér een stroomstoring.*

Hij keek om zich heen. Inderdaad, de hele stad was in duisternis gehuld. Aan de overkant van de brug waren de lichten ook gedoofd. Auto's waren gestopt en probeerden nu achteruitrijdend weg te komen, en een paar meter verderop hoorde hij het gegier van banden en getoeter van auto's die het kruispunt probeerden over te steken waarvan de verkeerslichten het niet meer deden. Vlak bij hem in de buurt hoorde hij een vrouw krijsen, terwijl een paar straten verderop een sirene van een politieauto huilend tot leven kwam. Overal om hem heen begonnen mensen te hollen.

Josh keek om naar het gebouw waar de Firma was gehuisvest, het zogenaamde Vauxhall Gaumont. Ook daar waren ze nu van elektriciteit verstoken.

'Dat zal ze leren om zo zielloos met mijn held om te springen,' zei een stem.

Josh draaide zich met een ruk om.

'Luke?' riep hij. 'Luke? Waar zit je ergens, kleine opdonder?'

Hij liet zijn blik over de mensenmenigte op de brug glijden. Het publiek daar was massaal in beweging gekomen. Hij hoorde een vrouw gillen dat iemand haar handtas had gestolen, en vervolgens hoorde hij een vader naar zijn zoontje roepen.

Plotseling stapte er een bleke gestalte uit de schaduw. Luke was gekleed in een spijkerbroek en een sweater, waarvan hij de capuchon diep over zijn ogen had getrokken, zodat zijn gezicht nauwelijks te zien was. Hij had zijn handen diep in zijn zakken gestoken en er hing een zwarte canvas rugzak aan zijn schouder.

Hij keek naar Josh op. 'Is dat een stroomstoring of is dat géén stroomstoring, hè?' zei hij grinnikend.

'Jezus, wat heb je gedaan?' beet Josh hem toe. 'Doe onmiddellijk het licht weer aan.'

'Behandelen ze je een beetje fatsoenlijk?' vroeg Luke. 'Want als ze dat niet doen, zal ik ze ervoor laten boeten.'

'Ach, niet slechter dan gewoonlijk,' antwoordde Josh. 'Hoe wist je dat ik hier was?'

'Ik heb rustig de tijd genomen,' merkte Luke op. 'Nadat ik weer bij m'n moeder was teruggekeerd, hebben we al het geld dat we Porter-Bell afhandig hebben gemaakt op de bank gezet, waarna ik vond dat we er eerst voor moesten zorgen dat alles met jou in orde kwam. Dus besloten we met z'n tweeën naar Londen af te reizen. Ik heb altijd al het plekje willen zien waar ze die foto voor het omslag van het eerste album van The Clash hebben genomen. En m'n moeder wilde naar Abbey Road.'

'Is je moeder hier ook?'

'Dat wil zeggen, momenteel is ze in het hotel. Als ze tenminste niet druk bezig is ergens wat wiet te scoren.' Luke grinnikte. 'Hoe dan ook, het duurde een paar uur voor het me lukte me een weg in het systeem van jullie organisatie te hacken. De jongens daar hebben een paar behoorlijke firewalls geïnstalleerd, maar uiteindelijk ben ik erdoorheen gekomen. Eerst kwam ik erachter dat ze je daar vasthielden, en toen las ik dat ze je vandaag de straat op hadden geschopt. Toen bedacht ik dat als ik hier maar lang genoeg zou wachten, ik je op een gegeven moment moest zien langskomen. Ik zou je onmiddellijk herkennen, zelfs in het donker.'

'Je hebt een kopie van de software achtergehouden, hè?'

'Ach, je weet nooit wanneer je zoiets nog eens nodig zou kunnen hebben. Ik was van plan om, als ze jou het leven lastig zouden maken, contact met die lui op te nemen om ze te vertellen dat ik het hele land zou lamleggen – net zo lang tot ze je zouden vrijlaten.'

'Nou, ik ben weer vrij,' zei Josh vastberaden. 'Dus schakel de stroom maar weer in. Vóór ze het leger achter ons aan sturen.'

Luke zuchtte eens diep. 'Ik vind het eigenlijk wel prettig in het donker,' zei hij. 'Het doet er niet toe wie je bent, hoe je eruitziet of hoeveel geld je hebt. Tijdens een stroomstoring zijn we allemaal eender. Allemaal gelijk.'

Josh deed een stap naar voren. 'Doe nou maar weer aan.'

Luke haalde een PDA uit zijn zak. Hij drukte op een knop en activeerde op die manier een signaal. Hij kwam naast Josh staan en samen leunden ze over de borstwering van Vauxhall Bridge. Achter zich hoorden ze sirenes huilen, terwijl politieagenten mensen opdracht gaven door te lopen.

'Dat er licht moge zijn,' zei Luke.

Overal om zich heen zag Josh de lichten plotseling aanspringen. De Big Ben kwam weer fonkelend tot leven, en de London Eye kwam weer in beweging. Auto's kwamen met gierende banden tot stilstand toen overal in Londen alle verkeerslichten gelijktijdig op rood sprongen.

'Weet je wat?' zei Josh. 'Misschien heb je wel gelijk. Misschien ziet inderdaad alles er een stuk beter uit als de lichten uit zijn.'

Beiden moesten ze hard lachen.

'We zouden samen een prima team vormen,' zei Luke.

'Waarom denk je dat?' wilde Josh weten.

Luke tikte op zijn PDA. 'In de toekomst zullen oorlogen ook worden uitgevochten door jongens als ik, met apparaatjes als deze, en niet alleen meer door mannen als jij, met hun geweren en bajonetten.'

Josh tuurde in het water. Overal in de stad straalden de lichtjes, de sirenes waren stilgevallen en het verkeer verliep weer normaal.

'Misschien heb je gelijk,' zei Josh. 'Een paar jongens als jij zouden een heel bataljon mannen als ik kunnen neutraliseren. Geen probleem.'

Het werd weer drukker op de brug en Luke deed een paar stappen achteruit. Toen Josh zich omdraaide, werd de plaats tussen hen in snel opgevuld door passanten, zodat Luke het volgende moment al niet meer te zien was.

'Als je me nodig hebt, man, hoef je maar contact met me op te nemen.'

'Hoe dan?' riep Josh.

'Dezelfde plaat, man, díé zal je de weg wijzen,' zei Luke lachend. '*London Calling*. Maar deze keer wordt het een bonusvraag.'

Josh tuurde in de mensenmenigte. 'Luke!' schreeuwde hij. 'Wat bedoel je daar precies mee?'

Maar de mensen waren al verder opgedrongen. En Luke was verdwenen.